D1638121

Temps glaciaires

Du même auteur

Les Jeux de l'amour et de la mort, Éditions du Masque, 1986
Ceux qui vont mourir te saluent, Viviane Hamy, 1994 (écrit en 1987) ; J'ai lu, 2008
Debout les morts, Viviane Hamy, 1995, prix Mystère de la Critique 1996, prix du Polar de la ville du Mans 1995, International Golden Dagger 2006 (Angleterre) ; J'ai lu, 2005
L'Homme aux cercles bleus, Viviane Hamy, 1996 (écrit en 1990), prix du Festival de Saint-Nazaire 1992 ; J'ai lu, 2008
Un peu plus loin sur la droite, Viviane Hamy, 1996 ; J'ai lu, 2006
Salut et liberté, journal *Le Monde*, 1997 ; Viviane Hamy 2002, Librio, 2013
Sans feu ni lieu, Viviane Hamy, 1997 ; J'ai lu, 2008
L'Homme à l'envers, Viviane Hamy, 1999, Grand Prix du roman noir de Cognac 2000, prix Mystère de la Critique 2000 ; J'ai lu, 2008
Le Marchand d'éponges, Secours populaire français, Pocket, 2000, (illustrations Edmond Baudoin) ; Librio, 2013
Les Quatre Fleuves, (illustrations Edmond Baudoin), Viviane Hamy, 2000, Prix ALPH-ART du meilleur scénario, Angoulême 2001
Pars vite et reviens tard, Viviane Hamy, 2001, prix des libraires 2002, prix des Lectrices ELLE 2002, prix du meilleur polar francophone 2002, Deutscher Krimipreis 2004 (Allemagne) ; J'ai lu, 2005
Coule la Seine, (illustrations Edmond Baudoin), Viviane Hamy, 2002 ; J'ai lu, 2008
Sous les vents de Neptune, Viviane Hamy, 2004, International Golden Dagger 2007 (Angleterre) ; J'ai lu, 2008
Petit Traité de Toutes Vérités sur l'Existence, Viviane Hamy, 2001 ; Librio, 2013
Critique de l'anxiété pure, Viviane Hamy, 2003 ; Librio, 2013
Dans les bois éternels, Viviane Hamy, 2006 ; J'ai lu, 2009
Un lieu incertain, Viviane Hamy, 2008 ; J'ai lu, 2010
L'Armée furieuse, Viviane Hamy, 2011 ; J'ai lu, 2013

Europäischer Krimipreis de la ville d'Unna pour l'ensemble de son œuvre, 2012 (Allemagne)

Fred Vargas

Temps glaciaires

Flammarion

© Fred Vargas et Flammarion, 2015.

Nous remercions les éditions Adelphi de nous avoir permis de nous inspirer de l'une de leurs collections pour la maquette de couverture.

ISBN : 978-2-0813-6044-0

I

Plus que vingt mètres, vingt petits mètres à parcourir avant d'atteindre la boîte aux lettres, c'était plus difficile que prévu. C'est ridicule, se dit-elle, il n'existe pas de petits mètres ou de grands mètres. Il y a des mètres et voilà tout. Il est curieux qu'aux portes de la mort, et depuis cette place éminente, on persiste à songer à de futiles âneries, alors qu'on suppose qu'on énoncera quelque formule d'importance, qui s'inscrira au fer rouge dans les annales de la sagesse de l'humanité. Formule qui sera colportée ensuite, de-ci de-là : « Savez-vous quelles furent les dernières paroles d'Alice Gauthier ? »

Si elle n'avait rien à déclarer de mémorable, elle avait néanmoins un message décisif à porter, qui s'inscrirait dans les annales ignobles de l'humanité, infiniment plus vastes que celles de la sagesse. Elle regarda la lettre qui tremblait dans sa main.

Allons, seize petits mètres. Depuis la porte de son immeuble, Noémie la surveillait, prête à intervenir au premier vacillement. Noémie avait tout tenté pour empêcher sa patiente de s'aventurer seule dans la rue, mais le très impérieux caractère d'Alice Gauthier l'avait vaincue.

— Pour que vous lisiez l'adresse par-dessus mon épaule ?

Noémie avait été offensée, ce n'était pas son genre.

— C'est le genre de tout le monde, Noémie. Un de mes amis – un vieux truand par ailleurs –, me disait toujours : « Si tu veux garder un secret, eh bien garde-le. » Moi, j'en ai gardé un longtemps, mais il m'embarrasserait pour grimper au ciel. Encore que, même ainsi, mon ciel n'est pas gagné. Débarrassez-moi le plancher, Noémie, et laissez-moi aller.

Avance bon sang, Alice, ou Noémie va courir vers toi. Elle s'appuya sur son déambulateur, se poussa sur neuf mètres, huit grands mètres au moins. Dépasser la pharmacie, puis la laverie, puis la banque, et elle y serait, à la petite boîte postale jaune. Alors qu'elle commençait à sourire de son succès proche, sa vue se brouilla et elle lâcha prise, s'effondrant aux pieds d'une femme en rouge qui la reçut dans ses bras en poussant un cri. Son sac se répandit au sol, la lettre s'échappa de sa main.

La pharmacienne accourut, interrogeant, palpant, s'activant, tandis que la femme en rouge rangeait dans le sac à main les objets éparpillés, puis le déposait à ses côtés. Son rôle éphémère s'achevait déjà, les secours étaient en route, elle n'avait plus rien à faire là, elle se remit debout et recula. Elle aurait aimé se rendre encore utile, exister un peu plus sur la scène de l'accident, donner au moins son nom aux pompiers qui débarquaient en force, mais non, la pharmacienne avait tout pris en main, avec l'aide d'une femme affolée qui disait être la garde-malade : elle criait, pleurait un peu, Mme Gauthier avait absolument refusé qu'elle l'accompagne, elle habitait à un jet de pierre, au 33 bis, elle n'avait commis aucune négligence. On chargeait la femme sur un brancard. Allons ma fille, cela ne te regarde plus.

Si, pensa-t-elle en reprenant son chemin, si, elle avait vraiment fait quelque chose. En retenant la femme dans sa chute, elle avait évité que sa tête ne frappe le trottoir. Peut-être lui avait-elle sauvé la vie, qui pouvait prétendre le contraire ?

Tout premiers jours d'avril, le temps s'adoucissait à Paris, mais le fond de l'air était froid. Le fond de l'air. S'il y avait réellement un fond de l'air, comment appelait-on l'autre partie ? Le dessus de l'air ? Marie-France fronça les sourcils, agacée par ces petites questions qui passaient dans sa tête comme des moucherons désœuvrés. Juste quand elle venait de sauver une vie. Ou bien disait-on la surface de l'air ? Elle réajusta son manteau rouge et enfonça ses mains dans ses poches. À droite, ses clefs, son porte-monnaie, mais à gauche, un papier épais qu'elle n'avait jamais fourré là. La poche gauche était réservée à sa carte de transport et aux quarante-huit centimes pour le pain. Elle s'arrêta au pied d'un arbre pour réfléchir. Elle avait en main la lettre de cette pauvre femme qui était tombée. *Tourne sept fois ta pensée dans ta tête avant d'agir*, lui serinait son père, qui n'avait d'ailleurs jamais agi de sa vie. Il ne devait pas parvenir à faire plus de quatre tours de pensée, sans doute. L'écriture sur l'enveloppe était toute tremblée, et le nom au dos, Alice Gauthier, s'affichait en grands caractères incertains. C'était bien sa lettre. Elle avait tout replacé dans le sac à main, et dans sa hâte à ramasser papiers, portefeuille, médicaments et mouchoirs avant que le vent ne s'en mêle, elle avait empoché le courrier. L'enveloppe était tombée de l'autre côté du sac, la femme devait la tenir à la main gauche. C'était cela qu'elle était partie faire toute seule, songea Marie-France : poster une lettre.

La lui rapporter ? Mais où ? On l'avait conduite aux urgences dans on ne sait quel hôpital. La confier à la garde-malade, au 33 bis ? Attention, ma petite Marie-France, attention. Tourne sept fois ta pensée. Si la femme Gauthier avait bravé les risques pour aller poster sa lettre seule, c'est qu'elle ne voulait à aucun prix qu'elle tombe entre les mains de quelqu'un d'autre. Tourne sept fois ta pensée, mais pas dix, mais pas vingt, ajoutait son père, sinon elles s'usent et il n'en sort plus rien. On en connaît des gens qui sont restés comme ça à ruminer en cercle, c'est triste, regarde ton oncle.

Non, pas la garde-malade. Ce n'était pas pour rien que Mme Gauthier était partie sans elle en expédition. Marie-France jeta un regard alentour pour repérer une boîte postale. Là-bas, le petit rectangle jaune, de l'autre côté de la place. Marie-France défroissa l'enveloppe sur sa jambe. Elle avait une mission, elle avait sauvé la femme, et elle sauverait la lettre. C'était fait pour être posté, non ? Alors elle ne faisait aucun mal, bien au contraire.

Elle glissa l'enveloppe dans la fente réservée à « Banlieue », après avoir vérifié plusieurs fois qu'il s'agissait bien du département 78, les Yvelines. Sept fois, Marie-France, pas vingt, sinon le courrier ne part jamais. Puis elle glissa ses doigts à travers le clapet de la boîte pour s'assurer que le courrier était bien tombé dedans. C'était fait. Dernière levée à 18 heures, on était vendredi, le destinataire l'aurait lundi à la première heure.

Bonne journée ma fille, très bonne journée.

II

En réunion avec ses officiers, le commissaire Bourlin, du 15ᵉ arrondissement de Paris, se mordait l'intérieur des joues, indécis, les mains posées sur son gros ventre. Il avait été beau gars, se souvenaient des anciens, avant que la graisse ne l'envahisse en quelques courtes années. Mais de la prestance, il en avait encore, et l'écoute respectueuse de ses adjoints en témoignait. Même quand il se mouchait bruyamment, presque ostensiblement comme il venait de le faire. Rhume de printemps, avait-il expliqué. Aucune différence avec un rhume d'automne, ou d'hiver, mais cela avait quelque chose de plus aérien, de moins commun, de plus gai en quelque sorte.

— On doit classer, commissaire, dit Feuillère, le plus fiévreux de ses lieutenants, résumant l'avis général. Ça fera six jours ce soir qu'Alice Gauthier est morte. C'est un suicide, ça ne fait pas un pli.

— Je n'aime pas les suicidés qui ne laissent pas de lettre.

— Le gars de la rue de la Convention, il y a deux mois, il n'a rien laissé, objecta un brigadier presque aussi lourd que le commissaire.

12

— Mais il était saoul comme une vache, seul et sans fric, ça n'a rien à voir. Ici, nous avons une femme à l'existence réglée, professeur de maths à la retraite, une vie en ligne droite, on a tout épluché. Et je n'aime pas non plus les suicidés qui se lavent les cheveux au matin et se mettent du parfum.

— Justement, dit une voix. Tant qu'à être mort, autant être beau.

— Et donc au soir, dit le commissaire, Alice Gauthier, parfumée, en tailleur, fait couler un bain, ôte ses chaussures et entre tout habillée dans l'eau pour s'y tailler les veines ?

Bourlin prit une cigarette, c'est-à-dire deux, car ses gros doigts l'empêchaient d'en saisir une seule à la fois. Il y avait donc toujours des cigarettes solitaires couchées près de ses paquets. De même, il n'utilisait pas de briquet, en raison de leur petite molette d'allumage insaisissable, mais une grosse boîte d'allumettes format cheminée, qui bombait sa poche. Il avait décrété autorisée aux fumeurs cette pièce du commissariat. L'interdiction de fumer le projetait hors de ses gonds, pendant qu'on déversait sur les êtres – et je dis bien les êtres, tous les êtres – trente-six milliards de tonnes de CO_2 par an. Trente-six milliards, martelait-il. Et on ne peut pas allumer une cigarette sur un quai de gare en plein air ?

— Commissaire, elle était mourante et elle le savait, insista Feuillère. Sa garde-malade nous l'a dit : elle avait essayé d'aller poster une lettre le vendredi précédent, bardée d'orgueil, volonté de fer, et elle n'y était pas parvenue. Résultat, cinq jours après, elle s'ouvre les veines dans sa baignoire.

— Une lettre qui contenait peut-être son message d'adieu. Ce qui expliquerait qu'il n'y en ait pas à son domicile.

— Voire ses dernières volontés.

— Pour qui ? interrompit le commissaire en tirant une longue bouffée. Elle n'a pas d'héritiers et peu d'épargne en banque. Son notaire n'a pas reçu de nouveau testament, ses vingt mille euros vont à la protection de l'ours polaire. Et, malgré la perte de cette lettre essentielle, elle se tue au lieu de la réécrire ?

— Parce que le jeune homme est passé la voir, commissaire, répliqua Feuillère. Le lundi puis encore le mardi, le voisin en est certain. Il l'a entendu sonner, dire qu'il venait pour le rendez-vous. À l'heure où elle est seule chaque jour, entre 19 heures et 20 heures. C'est donc bien elle qui l'a fixé, ce rendez-vous. Elle lui aura confié ses dernières volontés, la lettre devenait en ce cas inutile.

— Jeune homme inconnu, qui s'est perdu dans la nature. À l'inhumation, il n'y avait que des cousins âgés. Pas de jeune homme. Alors ? Où est-il passé ? S'il était assez intime pour qu'elle l'ait convoqué en urgence, c'est qu'il était un parent, ou un ami. En ce cas, il serait venu à l'enterrement. Mais non, il s'est évanoui dans les airs. Air saturé de dioxyde de carbone, je vous le rappelle. Au fait, le voisin l'a entendu s'annoncer derrière la porte. Quel nom déjà ?

— Il n'entendait pas bien. André, ou « Dédé », il ne sait pas.

— André, c'est un nom de vieux. Pourquoi dit-il que c'était un jeune homme ?

— À sa voix.

14

— Commissaire, lança un autre lieutenant, le juge exige de classer. On n'a pas avancé d'un pas sur le lycéen aux coups de couteau ni sur la femme agressée dans le parking Vaugirard.

— Je sais, dit le commissaire en attrapant la seconde cigarette couchée auprès de son paquet. J'ai conversé avec lui hier soir. Si cela s'appelle converser. Suicide, suicide, il faut classer et avancer, quitte à enfoncer sous terre les faits, certes infimes, en marchant dessus comme sur des pissenlits.

Les pissenlits, pensa-t-il, ce sont les pauvres de la société florale, nul ne les respecte, on les foule aux pieds, ou on les donne à manger aux lapins. Tandis que personne ne songerait à marcher sur une rose. Encore moins à la donner aux lapins. Il y eut un silence, chacun partagé entre l'impatience du nouveau juge et l'humeur négative du commissaire.

— Je classe, annonça Bourlin en soupirant, comme physiquement vaincu. À condition qu'on tente encore d'éclairer le signe qu'elle a dessiné à côté de sa baignoire. Très clair, très ferme, mais incompréhensible. Il est là, son dernier message.

— Mais inaccessible.

— J'appelle Danglard. Lui saura peut-être.

Néanmoins, songea Bourlin en poursuivant la boucle de sa pensée, les pissenlits sont coriaces tandis que la rose est sans cesse souffreteuse.

— Le commandant Adrien Danglard ? intervint un brigadier. De la brigade criminelle de Paris 13 ?

— Lui-même. Il sait des choses que vous n'apprendrez pas en trente vies.

— Mais derrière lui, murmura le brigadier, il y a le commissaire Adamsberg.

— Et ? dit Bourlin en se levant presque majestueusement, les poings posés sur la table.

— Et rien, commissaire.

III

Adamsberg attrapa son téléphone, écarta une pile de dossiers et posa les pieds sur sa table, s'inclinant dans son fauteuil. Il avait à peine fermé l'œil cette nuit, une de ses sœurs ayant contracté une pneumonie, dieu sait comment.

— La femme du 33 bis ? demanda-t-il. Veines ouvertes dans la baignoire ? Pourquoi tu m'emmerdes avec ça à 9 heures du matin, Bourlin ? D'après les rapports internes, il s'agit d'un suicide avéré. Tu as des doutes ?

Adamsberg aimait bien le commissaire Bourlin. Grand mangeur grand fumeur grand buveur, en éruption perpétuelle, vivant à plein régime en rasant les gouffres, dur comme pierre et bouclé comme un jeune agneau, c'était un résistant à respecter, qui serait encore à son poste à cent ans.

— Le juge Vermillon, le nouveau magistrat zélé, est sur moi comme une tique, dit Bourlin. Tu sais ce que ça fait, les tiques ?

— Très bien. Si tu te découvres un grain de beauté auquel il pousse des pattes, c'est une tique.

— Et je fais quoi ?

— Tu l'extrais en tournant avec un minuscule pied de biche. Tu ne m'appelles pas pour ça ?

— Non, à cause du juge, qui n'est rien qu'une énorme tique.

— Tu veux qu'on l'extraie à deux avec un énorme pied de biche ?

— Il veut que je classe et je ne veux pas classer.

— Ton motif ?

— La suicidée, parfumée et cheveux propres du matin, n'a pas laissé de lettre.

Adamsberg laissa Bourlin lui dévider l'histoire, les yeux fermés.

— Un signe incompréhensible ? Près de sa baignoire ? Et en quoi veux-tu que je t'aide ?

— Toi, en rien. Je veux que tu m'envoies la tête de Danglard pour regarder ça. Il saura peut-être, je ne vois que lui. Au moins, j'aurai la conscience tranquille.

— Sa tête seulement ? Et qu'est-ce que je fais de son corps ?

— Fais suivre le corps comme il peut.

— Danglard n'est pas encore arrivé. Tu sais qu'il a ses horaires, selon les jours. C'est-à-dire, selon les soirs.

— Tire-le du lit, je vous attends tous les deux là-bas. Une chose, Adamsberg, le brigadier qui m'accompagnera est une jeune buse. Il faut qu'il prenne de la patine.

Installé sur le vieux canapé de Danglard, Adamsberg avalait un café serré en attendant que le commandant achève de s'habiller. Il lui avait semblé que la solution la plus rapide était d'aller le secouer sur place et de le charger directement dans sa voiture.

— Je n'ai même pas le temps de me raser, râla Danglard, pliant son grand corps mou pour s'observer dans la glace.

— Vous n'arrivez pas toujours rasé au bureau.

— Le cas est différent. Je suis attendu comme expert. Et un expert se rase.

Adamsberg inventoriait sans le vouloir les deux bouteilles de vin sur la table basse, le verre couché au sol, le tapis encore humide. Le vin blanc ne tache pas. Danglard avait dû s'endormir directement sur son canapé, sans se soucier cette fois du regard scrupuleux de ses cinq enfants qu'il élevait comme des perles de culture. Les jumeaux s'étaient à présent envolés en campus universitaire, et ce vide familial n'arrangeait rien. Restait tout de même le petit, celui aux yeux bleus, celui qui n'était pas de Danglard et que sa femme lui avait laissé tout enfant en le quittant, sans même se retourner dans le couloir, comme il l'avait raconté cent fois. L'an passé, au risque de rupture entre les deux hommes, Adamsberg avait assumé le rôle de tortionnaire en halant Danglard chez le médecin, et le commandant avait attendu les résultats de ses analyses tel un mort-vivant enivré. Analyses qui s'étaient révélées irréprochables. Il y a des gars qui passent entre les gouttes, c'était le cas de le dire, et ce n'était pas le moindre des dons du commandant Danglard.

— Attendu pour quoi, au juste ? demanda Danglard en ajustant ses boutons de manchette. De quoi s'agit-il ? D'un hiéroglyphe, c'est cela ?

— Du dernier dessin d'une suicidée. Un signe indéchiffrable. Le commissaire Bourlin en est très chiffonné, il veut comprendre avant de classer l'affaire. Le juge est sur lui comme une tique. Une très grosse tique. On a quelques heures.

— Ah, c'est Bourlin, dit Danglard en se détendant, tout en lissant sa veste. Il redoute une crise nerveuse du nouveau juge ?

— En tant que tique, il craint qu'il ne lui crache son venin.

— En tant que tique, il craint qu'il ne lui injecte le contenu de ses glandes salivaires, corrigea Danglard en nouant sa cravate. Rien à voir avec un serpent ou une puce. La tique n'est d'ailleurs pas un insecte, mais un arachnide.

— C'est cela. Et que pensez-vous du contenu des glandes salivaires du juge Vermillon ?

— Franchement, rien de bon. Cela dit, je ne suis pas expert en signes abscons. Je suis fils de mineurs du Nord, rappela le commandant avec fierté. Je ne connais que quelques bricoles par-ci par-là.

— Il vous espère néanmoins. Pour sa conscience.

— Il est certain que pour une fois que je servirai de conscience, je ne peux pas manquer cela.

IV

Danglard s'était assis sur le bord de la baignoire bleue, celle-là même où Alice Gauthier s'était ouvert les veines. Il observait le bas-côté blanc du meuble de toilette, où elle avait apposé cette inscription au crayon à maquillage. Dans la petite salle de bains, Adamsberg, Bourlin et son brigadier attendaient en silence.

— Parlez, bougez, bon sang, je ne suis pas l'oracle de Delphes, s'écria Danglard, contrarié de n'avoir pas déchiffré le signe sur-le-champ. Brigadier, ayez la gentillesse de me faire un café, on m'a tiré du lit.

— Du lit ou d'un bar au petit matin ? murmura le brigadier à l'adresse de Bourlin.

— J'ai l'ouïe fine, dit Danglard, posé avec élégance sur le bord de cette baignoire usée, sans détourner les yeux du motif dessiné. Je n'ai pas demandé de commentaires, j'ai demandé un café, avec amabilité.

— Un café, confirma Bourlin en attrapant le bras du brigadier, sa grosse main en faisant aisément le tour.

Danglard tira un carnet courbé de sa poche arrière et recopia le dessin : un H majuscule, mais dont la barre centrale était oblique. À quoi s'ajoutait, emmêlé dans cette barre, un trait concave :

— Un rapport avec ses initiales ? demanda Danglard.

— Elle se nommait Alice Gauthier, nom de jeune fille Vermond. Néanmoins, ses deux autres prénoms sont Clarisse et Henriette. H, comme Henriette.

— Non, dit Danglard en secouant ses joues molles, ombrées du gris de sa barbe. Ce n'est pas un H. La barre est nettement oblique, elle monte fermement vers le haut. Et ce n'est pas une signature. Une signature finit toujours par muter, elle absorbe la personnalité de l'auteur, elle se penche, elle se déforme, elle se contracte. Rien qui corresponde à la droiture de cette lettre. C'est la reproduction fidèle, presque scolaire, d'un signe, d'un sigle, et très peu souvent faite. Si elle l'a écrit une fois, ou cinq, c'est un maximum. Parce que c'est un travail d'écolier studieux et appliqué.

Le brigadier revint avec le café, provocateur, déposant le gobelet de plastique brûlant dans la main de Danglard.

— Merci, marmonna le commandant sans réagir. Si elle s'est tuée, elle désigne ceux qui l'y ont acculée. Pourquoi crypter le signe en ce cas ? Par peur ? Pour qui ? Pour des proches ? Elle invite à la recherche, mais sans non plus trahir. Si on l'a tuée – et c'est votre souci, Bourlin ? –, elle désigne sans doute ses attaquants. Mais une fois encore, pourquoi pas en clair ?

— C'est sûrement un suicide, gronda Bourlin, défait.

— Je peux ? dit Adamsberg, adossé au mur, en sortant à dessein une cigarette défraîchie de sa veste.

Un mot magique pour le commissaire Bourlin qui gratta une énorme allumette en réponse et en alluma une à son tour. De cette si petite salle de bains soudain enfumée, le brigadier sortit avec humeur, se postant sur le pas de la porte.

— Sa profession ? demanda Danglard.

— Professeur de mathématiques.

— Ça ne va pas non plus. Ce n'est pas un signe mathématique, ni physique. Ni un signe du zodiaque, ni un hiéroglyphe. Ni de francs-maçons, ni de secte satanique. Rien de tout cela.

Il marmonna un instant, contrarié, concentré.

— À moins, continua-t-il, qu'il ne s'agisse d'une lettre en vieux norrois, d'une rune, voire d'un caractère japonais, ou même chinois. On a de ces sortes de H à barre oblique. Mais ils ne présentent pas ce trait concave au-dessous. C'est là que le bât blesse. Il nous reste l'hypothèse d'une lettre en cyrillique, mais mal faite.

— Cyrillique ? On parle bien de l'alphabet russe ? demanda Bourlin.

— Russe, mais aussi bulgare, serbe, macédonien, ukrainien, c'est large.

D'un regard Adamsberg coupa net le discours érudit que le commandant s'apprêtait à faire – il le sentait – sur l'écriture cyrillique. Et en effet, Danglard s'obligea à regret à abandonner l'histoire des disciples de saint Cyrille qui avaient créé l'alphabet.

— Il existe en cyrillique une lettre Й, à ne pas confondre avec le И, expliqua-t-il en dessinant sur son carnet. Vous voyez que cette lettre porte un signe concave sur son dessus, une sorte de petite cupule. Elle se prononce plus ou moins « oï » ou « aï » selon le contexte.

Danglard perçut un nouveau regard d'Adamsberg, qui bloqua son exposé.

— En supposant, enchaîna-t-il, que la femme ait eu du mal à tracer ce signe, vu la distance entre la baignoire et le côté du meuble, qui l'obligeait à allonger le bras, elle aurait pu mal placer la cupule et la mettre au milieu et non en haut. Mais, si je ne fais pas erreur, ce Й n'est pas utilisé en début de mot, mais en fin. Je n'ai jamais entendu parler d'une abréviation qui utilise une fin de mot. Cherchez tout de même s'il figurait, dans sa liste d'appels ou son carnet d'adresses, une personne susceptible d'utiliser l'alphabet cyrillique.

— Ce serait une perte de temps, objecta doucement Adamsberg.

Ce n'était pas pour éviter de froisser Danglard qu'Adamsberg avait parlé doucement. Sauf occasions rares, le commissaire ne haussait pas le ton, prenant tout son temps pour parler, au risque d'endormir son interlocuteur, de sa voix en mode mineur, vaguement hypnotique pour certains, attractive pour d'autres. Les résultats différaient selon qu'un interrogatoire était mené par le commissaire ou l'un de ses officiers, Adamsberg obtenant de la somnolence ou bien un flux soudain d'aveux, comme on attire des clous rétifs avec un aimant. Le commissaire n'y attachait pas d'importance, admettant que, parfois, il pouvait s'endormir lui-même sans y prendre garde.

— Comment cela, une perte de temps ?

— Si, Danglard. Mieux vaut d'abord chercher si le trait concave a été dessiné avant ou après la barre oblique. De même pour les deux traits verticaux du « H » : exécutés avant ? Ou après ?

— Qu'est-ce que cela change ? demanda Bourlin.

— Et si, poursuivit Adamsberg, le trait oblique a été tracé de bas en haut ou de haut en bas.

— Évidemment, approuva Danglard.

— Le trait oblique évoque une rayure, poursuivit Adamsberg. C'est ce que l'on fait lorsqu'on barre quelque chose. À la condition qu'on le trace du bas vers le haut, fermement. Si le sourire a été fait avant, alors il a été biffé ensuite.

— Quel sourire ?

— Je veux dire : le trait convexe. En forme de sourire.

— Le trait concave, rectifia Danglard.

— Si vous voulez. Ce trait, pris isolément, évoque un sourire.

— Un sourire qu'on aurait voulu abolir, suggéra Bourlin.

— Quelque chose comme ça. Quant aux barres verticales, elles pourraient encadrer le sourire, à la façon d'un visage simplifié.

— Très simplifié, dit Bourlin. Tiré par les cheveux.

— Trop tiré par les cheveux, confirma Adamsberg. Mais contrôle tout de même. Dans quel ordre écrit-on ce caractère, en cyrillique, Danglard ?

— Les deux barres d'abord, puis le trait oblique, puis la cupule au-dessus. Comme nous ajoutons les accents en dernier.

— Donc si la cupule a été faite avant, il ne s'agit pas d'un caractère cyrillique raté, nota Bourlin, et on ne perd pas de temps à chercher un Russe dans ses agendas.

— Ou un Macédonien. Ou un Serbe, ajouta Danglard.

Chagriné de son échec à décrypter le signe, Danglard traînait les pieds en suivant ses collègues dans la rue, pendant que Bourlin donnait ses ordres au téléphone. De fait, Danglard marchait toujours en traînant les pieds, ce qui usait ses semelles à grande vitesse. Comme le commandant s'attachait à une élégance tout anglaise, à défaut de pouvoir miser sur une quelconque beauté, le renouvellement de ses chaussures londoniennes constituait un problème. Tout voyageur outre-Manche était prié de lui en rapporter une paire.

Le brigadier avait été impressionné par les bribes de savoir exposées par Danglard, et avançait à présent docilement à ses côtés. Il avait pris « un peu de patine », aurait dit Bourlin.

Les quatre hommes se séparèrent place de la Convention.

— J'appelle dès que j'ai les résultats, dit Bourlin, ce ne sera pas long. Merci pour le coup de main, mais je crois que je vais devoir classer ce soir.

— Tant qu'à n'y rien comprendre, dit Adamsberg avec un geste léger de la main, on peut dire ce que l'on veut. À moi, cela m'évoque une guillotine.

Bourlin regarda un instant ses collègues s'éloigner.
— Ne t'inquiète pas, dit-il au brigadier. C'est Adamsberg.
Comme si cette phrase suffisait à clarifier l'énigme.
— Tout de même, dit le brigadier, qu'est-ce qu'il a dans le crâne, le commandant Danglard, pour savoir tout cela ?
— Du vin blanc.

Bourlin téléphona à Adamsberg moins de deux heures après : les deux barres verticales avaient été tracées en premier, la gauche d'abord, la droite après.
— Comme on commence un H, donc, poursuivit-il. Mais ensuite, elle a dessiné le trait concave.
— Pas comme un H, donc.
— Et pas comme du cyrillique. Dommage, cela me plaisait assez. Puis elle a ajouté le trait oblique, qui a été exécuté du bas vers le haut.
— Elle a barré le sourire.
— Voilà. C'est ainsi qu'on n'a rien, Adamsberg. Ni une initiale, ni un Russe. Juste un sigle inconnu qui s'adresse à un groupe d'inconnus.
— Groupe d'inconnus qu'elle accuse de son suicide, ou qu'elle veut prévenir d'un danger.
— Ou bien, proposa Bourlin, elle se suicide bel et bien parce qu'elle est malade. Mais avant, elle désigne quelque chose ou quelqu'un, un événement de sa vie. Un dernier aveu avant de quitter ce monde.

— Et quel est le type d'aveu qu'on ne livre qu'à l'instant ultime ?

— Un secret inavouable.

— Par exemple ?

— Des enfants cachés ?

— Ou un péché, Bourlin. Ou un meurtre. Qu'est-ce que ta brave Alice Gauthier aurait bien pu commettre ?

— Je ne dirai pas « brave ». Autoritaire, tempérament trempé, voire tyrannique. Pas très sympathique.

— Elle a eu des ennuis avec ses anciens élèves ? Avec l'Éducation nationale ?

— Elle était très bien notée, elle n'a jamais été mutée. Quarante ans dans le même collège, en zone difficile. Mais d'après ses collègues, les gosses, et même les durs de durs, n'osaient pas l'ouvrir pendant ses cours, ça filait sec et droit. Tu penses bien que les proviseurs tenaient à elle comme à une sainte icône. Il suffisait qu'elle se pointe à la porte d'une classe pour que le chahut cesse dans l'instant. Ses punitions étaient redoutées.

— Des punitions corporelles, par hasard ?

— Apparemment rien de tel.

— Quoi d'autre ? Recopier un devoir trois cents fois ?

— Non plus, dit Bourlin. La punition, c'était qu'elle cesse de les aimer. Parce qu'elle les aimait, les élèves. C'était cela, la menace : perdre son amour. Beaucoup venaient la voir après les cours, sous un prétexte ou un autre. Pour te dire la force de la bonne femme, elle avait convoqué un petit racketteur qui, on ne sait comment, lui a livré toute sa bande en une heure. Voilà la femme.

— Tranchante, hein ?

— Tu repenses à ta guillotine ?

— Non, je pense à cette lettre perdue. À ce jeune homme inconnu. Un de ses anciens élèves, peut-être.

— Auquel cas le signe concernerait l'élève ? Un signe de clan ? De bande ? Ne m'énerve pas, Adamsberg, je dois classer ce soir.

— Eh bien, fais traîner. Ne serait-ce qu'un jour. Explique que tu travailles sur le cyrillique. Et ne dis surtout pas que cela vient d'ici.

— Pourquoi traîner ? Tu penses à quelque chose ?

— À rien. J'aimerais réfléchir un peu.

Bourlin poussa un soupir découragé. Il connaissait Adamsberg depuis assez longtemps pour savoir que « réfléchir » n'avait aucun sens, le concernant. Adamsberg ne réfléchissait pas, il ne se posait pas seul à une table, crayon en main, il ne se concentrait pas devant une fenêtre, il ne récapitulait pas les faits sur un tableau, avec des flèches et des chiffres, il ne posait pas son menton sur son poing. Il vaquait, marchait sans bruit, il ondulait entre les bureaux, il commentait, arpentait le terrain à pas lents, mais jamais personne ne l'avait vu réfléchir. Il semblait aller tel un poisson à la dérive. Non, un poisson ne dérive pas, un poisson suit son objectif. Adamsberg évoquait plutôt une éponge, poussée par les courants. Mais quels courants ? D'ailleurs, d'aucuns disaient que, quand son regard brun et vague se perdait plus encore, c'était comme s'il avait des algues dans les yeux. Il appartenait plus à la mer qu'à la terre.

V

Marie-France sursauta en lisant la rubrique nécrologique. Elle avait pris du retard, plusieurs jours à rattraper, donc des dizaines et des dizaines de morts à passer en revue. Non que ce rituel quotidien lui procurât une satisfaction morbide. Mais – et c'était terrible à dire, pensa-t-elle une nouvelle fois – elle guettait le décès de sa cousine germaine, qui l'avait prise autrefois en affection. De ce côté fortuné de la famille, on publiait une annonce dans les journaux en cas de décès. C'est ainsi qu'elle avait appris la mort de deux autres cousins, et du mari de la cousine. Qui demeurait donc seule et riche – son mari ayant curieusement fait fortune dans le commerce de ballons gonflables – et Marie-France se demandait sans cesse si la manne de la cousine avait une chance de lui tomber dessus. Elle en avait fait des calculs, sur cette manne. À combien pouvait-elle s'élever ? Cinquante mille ? Un million ? Plus ? Après les impôts, combien lui resterait-il ? La cousine aurait-elle seulement l'idée de faire d'elle son héritière ? Et si elle donnait tout à la protection des orangs-outans ? Cela avait été un de ses trucs, les orangs, et cela, Marie-France le comprenait parfaitement, elle était prête à partager avec eux, les malheureux. Ne t'emballe pas, ma fille, contente-toi de lire les annonces. La cousine allait sur ses quatre-vingt-douze ans, ça n'allait pas tarder, non ? Encore que dans la famille, on faisait des centenaires à la pelle comme d'autres pondent des gosses. Chez eux, on pondait des vieux. Faut dire qu'on ne foutait pas grand-chose, et cela conservait, à son idée. Mais la cousine avait beaucoup traîné sa bosse à Java, à Bornéo, et dans toutes ces îles terrifiantes – à cause des orangs –, et cela, ça use. Elle reprit sa lecture, par ordre chronologique.

Ses cousins, Régis Rémond et Martin Druot, ses amis et ses collègues ont la douleur de vous faire part du décès de

Mme Alice Clarisse Henriette Gauthier, née Vermond,

survenu en sa soixante-sixième année, des suites d'une longue maladie. La levée du corps aura lieu au 33 bis rue de la...

Au 33 bis. Elle réentendit la garde-malade qui criait : « Mme Gauthier, au 33 bis... ». La pauvre femme, elle lui avait sauvé la vie – en évitant que sa tête ne heurte le sol, elle en était à présent convaincue –, mais pas pour longtemps.

À moins que cette lettre ? Cette lettre qu'elle avait choisi de poster ? Et si elle avait mal fait ? Si la précieuse lettre avait déclenché une catastrophe ? Si c'était la raison pour laquelle la garde-malade s'y était tant opposée ?

De toute façon, elle serait partie, cette lettre, se réconforta Marie-France en se versant une seconde tasse de thé. C'est le destin.

Non, elle ne serait pas partie. La lettre s'était envolée dans la chute. Réfléchis, ma fille, tourne ta pensée sept fois. Et si Mme Gauthier, au fond, avait commis un... – comment disait-il, le patron de son ancienne boîte ? Il n'avait que ce mot-là à la bouche – avait commis un *acte manqué* ? C'est-à-dire un truc qu'on ne veut pas faire mais que l'on fait tout de même, pour des raisons qui sont cachées sous les raisons ? Si la crainte de poster sa lettre lui avait donné ce vertige ? Et qu'elle l'ait perdue, par *acte manqué*, renonçant à son idée en raison des raisons qui sont sous les raisons ?

Alors en ce cas, c'était elle, le destin. Elle, Marie-France, qui avait pris la décision d'achever l'intention de la vieille femme. Et pourtant, elle l'avait bien tournée, sa pensée, ni pas assez ni trop, avant d'aller à la boîte aux lettres.

Oublie, tu n'en sauras jamais rien. Et rien ne dit que la lettre ait eu des conséquences funestes. C'est de l'imagination pour rien, cela, ma fille.

Mais à l'heure du déjeuner, Marie-France n'avait toujours pas oublié, preuve en est qu'elle n'avait plus progressé dans ses rubriques nécrologiques, et qu'à ce stade elle ne savait toujours pas si la cousine aux orangs-outans était décédée ou pas.

Elle se rendit au magasin de jouets où elle travaillait à mi-temps, l'esprit brouillé, l'estomac douloureux. Et cela, ma fille, cela veut dire que tu rumines, et tu sais assez ce que papa a seriné là-dessus.

Ce n'est pas qu'elle ait jamais remarqué le commissariat sur son chemin – elle passait devant six jours sur sept –, mais cette fois-ci, il lui apparut soudain comme un point de lumière, un phare dans la nuit. *Un phare dans la nuit*, cela aussi, c'était de son père. « Mais l'ennui avec le phare, ajoutait-il, c'est que ça clignote. Donc ton projet, il vient et il repart sans cesse. Et en plus, ça s'éteint dès qu'il fait jour. » Eh bien, il faisait jour, et le commissariat s'allumait quand même comme un phare dans la nuit. Preuve qu'on pouvait apporter quelques modifications aux bibles paternelles, soit dit sans offense.

Elle entra craintivement, avisa le gars morne à la réception, et plus loin, une femme très grande et très grosse qui lui fit peur, puis un petit blond effacé qui ne lui dit rien qui vaille, plus loin un homme déplumé qui ressemblait à un vieil oiseau posté sur son nid, attendant une ultime couvée qui ne viendrait pas, là un type qui lisait – et elle avait une bonne vue – une revue sur les poissons, un gros chat blanc qui dormait sur une photocopieuse, un baraqué qui semblait prêt à étriper le monde, et elle manqua repartir. Ah non, se reprit-elle, c'est parce que le phare clignote bien sûr, et en ce moment, il est éteint. Un type ventru, très élégant mais sans silhouette, traînant les pieds, la croisa en lui lançant un regard bleu et précis.

— Vous cherchez quelque chose ? demanda-t-il avec une diction parfaite. Ici, madame, on n'enregistre pas les plaintes pour vols, agressions, ou autres. Vous êtes à la brigade criminelle. Homicides ou meurtres.

— Il y a une différence ? demanda-t-elle d'un ton anxieux.

— Très grande, dit l'homme en se penchant d'un rien vers elle, comme dans un salut effectué au siècle passé. Un meurtre est un assassinat prémédité. Un homicide peut être involontaire.

— Alors oui, je viens pour un peut-être homicide, pas volontaire.

— Vous déposez une plainte, madame ?

— C'est-à-dire que non, c'est peut-être moi qui l'ai fait, l'homicide, sans le vouloir.

— Il y a eu une bagarre ?

— Non, commissaire.

— Commandant. Commandant Adrien Danglard. À votre entier service.

Cela faisait longtemps, ou jamais, qu'on ne lui avait pas parlé avec tant de déférence et de courtoisie. Le type n'était pas beau, – comme désarticulé, disons, à son avis – mais mon dieu, ses jolis mots l'emportaient. Le phare s'allumait de nouveau.

— Commandant, dit-elle d'une voix plus assurée, j'ai peur d'avoir envoyé une lettre qui a causé une mort.

— Une lettre qui contenait des menaces ? De la colère ? De la vengeance ?

— Ah non, commandant – et elle aimait prononcer ce mot qui semblait lui donner de l'importance, à elle-même. Je n'en sais rien.

— Rien de quoi, madame ?

— Rien de ce qu'il y avait dedans.

— Mais vous dites l'avoir envoyée, n'est-ce pas ?

— Pour sûr, je l'ai envoyée. Mais j'ai bien réfléchi avant. Ni pas assez, ni trop.

— Et pourquoi l'avoir postée – c'est bien cela ? –, si elle n'était pas de vous ?

Le phare s'était éteint.

— Mais parce que je l'ai ramassée par terre, et que la dame ensuite, elle est morte.

— Vous avez donc posté une lettre pour une amie, c'est cela ?

— Mais pas du tout, je ne la connaissais pas, cette femme. Je venais juste de lui sauver la vie. Ce n'est pas rien, quand même ?

— C'est immense, confirma Danglard.

Bourlin n'avait-il pas dit qu'Alice Gauthier était sortie poster une lettre qui avait disparu ?

Il se redressa de toute sa taille, autant qu'il le pouvait. En réalité, le commandant était grand, bien plus grand que le petit commissaire Adamsberg, mais personne ne le percevait vraiment.

— Immense, répéta-t-il, attentif au désarroi de cette femme en manteau rouge.

Le phare se rallumait.

— Mais après, elle est morte, dit-elle. Je l'ai lu dans la rubrique nécrologique ce matin. Je la regarde de temps en temps, expliqua-t-elle trop vite, voir si je ne manque pas l'enterrement d'un de mes proches, d'un ancien ami, vous voyez.

— C'est une attention qui vous honore.

Et Marie-France se sentit ragaillardie. Elle éprouva une sorte d'affection pour cet homme qui la comprenait si bien et la lavait promptement de ses péchés.

— Alors j'ai lu qu'Alice Gauthier, du 33 bis, était morte. Et c'était sa lettre que j'avais postée. Mon dieu, commandant, et si j'avais tout déclenché ? Et pourtant j'avais retourné ma pensée sept fois, et pas une fois de plus.

Danglard tressaillit au nom d'Alice Gauthier. À son âge, tressaillir était devenu si rare, et sa curiosité pour les petits événements de la vie s'épuisait si vite, qu'il ressentit de la gratitude pour la femme en manteau rouge.

— À quelle date avez-vous posté cette lettre ?

— Mais le vendredi d'avant, quand elle s'est trouvée mal dans la rue.

Danglard eut un geste vif.

— Je vous prie de m'accompagner voir le commissaire Adamsberg, dit-il en la conduisant par les épaules, comme s'il craignait que les éléments inconnus qu'elle détenait ne s'éparpillent en route, tel un vase qui se brise en lâchant son contenu.

Subjuguée, Marie-France se laissa guider. Elle allait au bureau du grand chef. Et son nom – Adamsberg – ne lui était pas inconnu.

Elle fut déçue quand le courtois commandant ouvrit la porte du bureau directorial. Là reposait un être somnolent, vêtu d'une veste de toile noire passée sur un tee-shirt noir, pieds posés sur la table, rien de commun avec le savoir-vivre de celui qui l'avait accueillie.

Le phare s'éteignait.

— Commissaire, madame dit avoir posté la dernière lettre d'Alice Gauthier. J'ai pensé important que vous l'entendiez.

Alors qu'elle le croyait proche du sommeil, le commissaire ouvrit les yeux rapidement et reprit sa station assise. Alice s'avança de manière contrainte, mécontente de quitter l'aimable commandant pour ce type inconsistant.

— Vous êtes le directeur ? demanda-t-elle avec dépit.

— Je suis le commissaire, répondit Adamsberg en souriant, accoutumé autant qu'indifférent aux regards souvent déconcertés qu'il croisait. D'un geste, il l'invita à s'asseoir face à lui.

Crois jamais en l'autorité des autorités, disait papa, *c'est les pires.* En réalité, il ajoutait : « Des enculés. » Marie-France se mura. Conscient de sa rétraction, Adamsberg indiqua à Danglard de prendre place à côté d'elle. Et en effet, c'est seulement sur l'injonction du commandant qu'elle se décida à parler.

— J'étais allée chez mon dentiste. Le 15ᵉ, c'est pas mon quartier. C'est arrivé comme c'est arrivé, elle avançait avec son déambulateur et elle s'est sentie mal, et elle est tombée. Je l'ai retenue dans mes bras, et comme ça, son crâne n'a pas frappé le trottoir.

— Très bon réflexe, dit Adamsberg.

Même pas « madame », comme l'eut dit le commandant. Même pas acte « immense ». Un mot banal de flic et, attention, elle n'aimait pas les flics. Et si l'autre était un gentleman – mais quand même un gentleman fourvoyé –, celui-ci, le chef, était simplement un flic, et dans deux minutes il allait l'accuser. *Tu vas chez les flics, et après t'es coupable.*

Phare éteint.

Adamsberg jeta un nouveau regard à Danglard. Pas question de lui demander ses papiers d'identité, comme en toute procédure normale, ou bien ils la perdraient.

— Madame s'est trouvée là par miracle, insista le commandant, elle l'a sauvée d'un choc qui aurait pu être fatal.

— Le destin vous avait placée sur sa route, compléta Adamsberg.

Pas « madame », mais néanmoins un compliment. Marie-France releva vers lui la moitié de son visage anti-flic.

— Vous voulez du café ?

Pas de réponse. Danglard se leva et, muettement, dans le dos de Marie-France, il épela à Adamsberg « Ma-da-me », en trois syllabes nettes. Le commissaire acquiesça.

— Madame, insista Adamsberg, désirez-vous un café ?

Après un signe de tête tout juste consentant de la femme en rouge, Danglard monta jusqu'au distributeur. Adamsberg avait, semble-t-il, saisi le truc. Il fallait rassurer cette femme, l'honorer, nourrir son narcissisme défaillant. Il fallait contrôler la manière de parler du commissaire, trop dégagée, trop naturelle. Mais naturel, il l'était, il était né comme cela, sorti directement d'un arbre, ou de l'eau ou d'une roche. Sorti de la montagne des Pyrénées.

Une fois le café servi – dans des tasses et non des gobelets en plastique –, le commandant reprit les rênes de la conversation.

— Vous l'avez donc retenue quand elle tombait, dit-il.

— Oui, et sa garde-malade a couru à son secours aussitôt. Elle criait, elle jurait que Mme Gauthier avait absolument refusé qu'elle l'accompagne. La pharmacienne a pris les choses en main et moi, j'ai rassemblé toutes les affaires qui étaient tombées de son sac. Qui y aurait pensé ? Les secouristes, ils ne songent jamais à ça. Alors que dans notre sac, c'est toute notre vie qu'on a dedans.

— C'est vrai, encouragea Adamsberg. Les hommes enfournent tout cela dans leurs poches. Et vous avez donc ramassé une lettre ?

— Sûrement qu'elle la tenait à la main gauche, parce qu'elle était tombée de l'autre côté du sac.

— Vous êtes observatrice, madame, dit Adamsberg en lui souriant.

Ce sourire, ça lui allait. C'était gracieux. Et elle sentait bien qu'elle intéressait ce directeur.

— Mais seulement, je ne m'en suis pas rendu compte tout de suite. C'est après, en allant vers le métro, que je l'ai trouvée dans ma poche de manteau. N'allez pas croire que j'ai fauché la lettre, hein ?

— Ce sont des gestes que l'on fait par inadvertance, dit Danglard.

— C'est cela, inadvertance. J'ai vu le nom de l'expéditeur, Alice Gauthier, et j'ai compris que c'était sa lettre. Alors j'ai beaucoup réfléchi, sept fois et pas une fois de plus.

— Sept fois, répéta Adamsberg.

Comment pouvait-on bien compter le nombre de ses pensées ?

— Et pas cinq et pas vingt. Mon père disait qu'il fallait tourner sa pensée sept fois dans sa tête avant d'agir, mais pas moins, sinon on faisait une bêtise, mais surtout pas plus, sinon on se mettait à tourner en rond. Et qu'à force de tourner en rond, on s'enfonçait dans le sol comme une vis. Et qu'après, il n'y avait plus moyen de bouger de là. Alors j'ai pensé : la dame avait voulu sortir seule pour poster cette lettre. C'est que ça devait être important, non ?

— Très.

— C'est ce que j'ai déduit, dit Marie-France avec plus d'aplomb. Et j'ai encore vérifié, c'était bien sa lettre. Elle avait écrit son nom en très grand au dos de l'enveloppe. J'ai d'abord pensé à lui rendre, mais on l'avait emmenée à l'hôpital, et où ? Je n'en savais rien, les pompiers ne m'ont même pas adressé la parole, ni demandé comment je m'appelais ni rien. Ensuite je me suis dit que le mieux était de la rapporter au n° 33 bis, la garde-malade avait dit où elle habitait. Là, j'en étais qu'à mon cinquième tour de pensée. Mais surtout pas, je me suis dit, puisque la dame avait refusé que sa garde-malade l'accompagne. Peut-être qu'elle se défiait, ou quoi. Alors au septième tour, tout bien pesé, j'ai décidé de finir ce que la pauvre dame n'avait pas pu faire. Et j'ai posté.

— Et par hasard, auriez-vous remarqué l'adresse, madame ? demanda Adamsberg avec une pointe d'inquiétude.

Car il était fort possible que cette femme, tant bardée de précautions et tourmentée de bonne conscience, ait refusé de lire par discrétion le nom du destinataire.

— Forcément oui, je l'ai tellement examinée, cette lettre, puisque je réfléchissais. Et il fallait bien que je sache l'adresse pour choisir la bonne case dans la boîte : « Paris », « Banlieue », « Province » ou « Étranger ». Il ne faut pas se tromper, ça non, sinon le courrier est perdu. J'ai vérifié et vérifié, 78 dans les Yvelines, et j'ai posté. Et depuis que j'ai appris que la pauvre dame était morte, j'ai peur d'avoir fait une bêtise terrible. Des fois que la lettre ait déclenché quelque chose. Quelque chose qui l'aurait tuée. Ce serait un homicide involontaire ? Vous savez de quoi elle est morte ?

— Nous y viendrons, madame, dit Danglard, mais votre aide nous est très précieuse. Toute autre que vous aurait pu oublier cette lettre et n'être jamais venue nous voir. Mais à part 78, les Yvelines, avez-vous vu le nom du destinataire ? Et vous en souvenez-vous, par miracle ?

— Il n'y a pas de miracle, j'ai bonne mémoire. M. Amédée Masfauré, Le Haras de la Madeleine, Route de la Bigarde, 78 491, Sombrevert. Ça va bien dans la case « Banlieue », non ?

Adamsberg se leva, étirant ses bras.

— Magnifique, dit-il en s'approchant d'elle et en la secouant un peu familièrement par l'épaule.

Elle mit ce geste déplacé sur le compte de sa satisfaction, et elle était heureuse aussi. Une sacrée bonne journée, ma fille.

— Mais ce que je veux savoir, moi, dit-elle en redevenant grave, c'est si mon geste a déclenché la mort de la pauvre dame, un choc en retour ou quelque chose. Comprenez bien que cela me tracasse. Et je vois que si la police s'y intéresse, c'est qu'elle n'est pas morte dans son lit, je me trompe ?

— Vous n'y êtes pour rien, madame, vous avez ma parole. La meilleure preuve est que la lettre est arrivée le lundi, le mardi au plus tard. Et que Mme Gauthier est décédée le mardi soir. Et qu'elle n'a reçu aucun courrier, aucune visite, ni aucun appel entre-temps.

Pendant que Marie-France, très soulagée, respirait un bon coup, Adamsberg jeta un coup d'œil à Danglard : *on lui ment*. On ne dit rien du visiteur du lundi et du mardi. On lui ment, on ne va pas lui gâcher la vie.

— Alors elle est bien morte de sa belle mort ?

— Non, madame, hésita Adamsberg. Elle s'est suicidée.

Marie-France poussa un cri et Adamsberg lui posa sur l'épaule une main cette fois réconfortante.

— Nous pensons que cette lettre, qu'on croyait disparue, contenait les derniers mots qu'elle souhaitait dire à un ami cher. Vous n'avez donc rien à vous reprocher, bien au contraire.

Adamsberg n'attendit pas que Marie-France fût sortie de la brigade – dûment raccompagnée par Danglard – pour appeler le commissaire du 15e.

— Bourlin ? J'ai ton gars. Le destinataire de la lettre d'Alice Gauthier. Amédée quelque chose, dans les Yvelines, ne t'inquiète pas, j'ai l'adresse complète.

Non, décidément, il n'avait aucune mémoire des mots. Marie-France le dépassait sur ce point de cent coudées.

— Et comment as-tu fait cela ? demanda Bourlin en s'animant.

— Je n'ai rien fait. La femme anonyme qui a soutenu Alice Gauthier lors de sa chute a ramassé ses affaires et fourré la lettre dans sa poche sans s'en apercevoir. Le mieux, c'est qu'après avoir longuement réfléchi – sept fois, je t'épargne les détails –, elle l'a postée. Et l'encore mieux, c'est qu'elle avait mémorisé l'adresse complète du destinataire. Elle me l'a débitée sans hésiter, comme tu me réciterais la fable du *Corbeau et du Renard*.

— Et pourquoi je te réciterais *Le Corbeau et le Renard* ?

— Tu ne la sais pas ?

— Non. À part « Vous êtes le phénix des hôtes de ces bois ». Incompréhensible. Finalement, c'est ce qu'on ne comprend pas dont on se souvient le mieux.

— Laissons tomber ce corbeau, Bourlin.

— C'est toi qui l'as mis sur le tapis.

— Désolé.

— Passe-moi l'adresse du gars.

— Je te la lis : Amédée Masfauré, et je ne sais pas comment cela se prononce. M A S F A U R É.

— Amédée. Comme le « Dédé » qu'a entendu le voisin. Il est donc venu dès réception de la lettre. Continue.

— Le Haras de la Madeleine, Route de la Bigarde, 78 491, Sombrevert. Ça te va ?

— Ça me va, sauf que je dois classer ce soir. Le juge s'est énervé sur ce cyrillique, je n'ai gagné qu'un jour. Donc je saute dans ma voiture et je vais voir cet Amédée maintenant.

— Je peux t'accompagner incognito avec Danglard ?

— C'est à cause du signe ?

— Oui.

— OK, dit Bourlin après un court silence. Je sais ce que c'est que d'avoir commencé un casse-tête et de ne plus pouvoir le lâcher. Une chose : pourquoi cette femme est-elle venue te voir, toi, au lieu de se pointer à mon commissariat ?

— Affaire de magnétisme, Bourlin.

— En vérité ?

— En vérité, elle passe devant la brigade tous les jours. Elle est entrée.

— Et pourquoi tu ne me l'as pas adressée aussitôt ?

— Parce qu'elle était tombée sous le charme de Danglard.

VI

Le commissaire Bourlin avait roulé vite, il attendait ses collègues depuis quinze minutes en piétinant devant le haut portail en bois qui barrait l'entrée du Haras de la Madeleine. Contrairement à Adamsberg, qui ignorait tout des symptômes de l'impatience, Bourlin était un impétueux qui devançait sans cesse le temps.

— Qu'est-ce que tu foutais, nom de Dieu ?

— On a dû s'arrêter deux fois, expliqua Danglard. Le commissaire pour un arc-en-ciel presque complet et moi pour une étonnante grange templière.

Mais Bourlin n'écoutait plus, accroché à la sonnette de la propriété.

— *Carpe horam, carpe diem*, murmura Danglard, resté deux pas en arrière. « Saisis l'heure, saisis l'instant. » Un vieux conseil d'Horace.

— C'est grand ici, commenta Adamsberg, observant le domaine à travers la haie, chétive en avril. Le haras est tout là-bas à droite, je suppose, dans ces baraques en bois. Il y a de l'argent. Maison prétentieuse au bout de son allée de graviers. Qu'en pensez-vous, Danglard ?

— Qu'elle a remplacé un ancien château. Les deux pavillons qui flanquent le chemin d'accès sont du XVIIᵉ siècle. Forcément des corps de logis, qui dépendaient d'un édifice bien plus impressionnant. Rasé à la Révolution, peut-être. Sauf la tour qui a survécu, là-bas, dans les bois. Vous la voyez dépasser ? Sûrement une tour de guet, beaucoup plus ancienne. Si on allait la voir, on repérerait peut-être des bases du XIIIᵉ siècle.

— Mais on ne va pas aller la voir, Danglard.

Une femme leur ouvrit le portail, après de multiples manipulations de lourdes chaînes en fer. La cinquantaine passée, petite et maigre, nota Adamsberg, mais avec un visage replet et de bonnes joues rondes qui ne concordaient pas avec son corps. Des pommettes joviales sur un corps aigu.

— M. Amédée Masfauré ? demanda Bourlin.

— Il est au haras, faudra repasser après 18 heures. Et si c'est pour le contrôle des termites, ça a déjà été fait.

— Police, madame, dit Bourlin en sortant sa carte.

— Police ? Mais on leur a déjà tout dit ! C'est pas assez de souffrance comme ça ? Vous n'allez pas recommencer tout le cirque, si ?

Bourlin échangea un regard d'incompréhension avec Adamsberg. Qu'est-ce que la police était déjà venue foutre ici ? Avant lui ?

— Quand la police est-elle venue ici, madame ?

— Mais il y a déjà presque une semaine ! Vous ne vous coordonnez pas chez vous ? Jeudi matin, les gendarmes étaient là un quart d'heure après. Et encore le lendemain. Ils ont interrogé tout le monde, on y est tous passés. Ça ne vous suffit pas ?

— Après quoi, madame ?

— Non, décidément, vous ne vous coordonnez pas, dit la petite femme en secouant la tête d'un air plus dépité qu'énervé. De toute façon, ils ont dit qu'ils en avaient fini, et ils nous ont rendu le corps. Des jours, ils l'ont gardé. Peut-être même ils l'ont ouvert, et personne n'a eu son mot à dire.

— Le corps de qui, madame ?

— Du patron, scanda-t-elle en détachant bien les mots, comme s'adressant à une bande de cancres. Il s'est tué, le malheureux homme.

Adamsberg s'était un peu éloigné du groupe et marchait en cercle, les mains dans le dos, projetant des petits graviers devant lui. Attention, se rappela-t-il, à force de tourner en rond, on s'enfonce dans le sol comme une vis. Un autre suicidé bon sang, le lendemain même de la mort d'Alice Gauthier. Adamsberg écoutait la conversation difficile qui opposait la maigre femme et le gros commissaire. Henri Masfauré, le père d'Amédée. Il s'était tué le mercredi soir d'un coup de fusil, mais son fils ne l'avait découvert que le lendemain matin. Bourlin s'obstinait, présentait ses condoléances, il était navré, mais il était là pour une tout autre affaire, rien de grave rassurez-vous. Quelle affaire ? Une lettre de Mme Gauthier reçue par Amédée Masfauré. C'est-à-dire que cette femme était décédée, il devait connaître ses dernières volontés.

— On connaît pas de Mme Gauthier.

Adamsberg tira Bourlin de trois pas en arrière.

— J'aimerais jeter un œil à la pièce où le père s'est tué.

— C'est cet Amédée que je veux voir, Adamsberg. Pas une pièce vide.

— Les deux, Bourlin. Et contacte les gendarmes pour savoir ce qu'il en est de ce suicide. Quelle gendarmerie, Danglard ?

— Ici, entre Sombrevert et Malvoisine, je pense qu'on dépend de Rambouillet. Le capitaine, Choiseul – comme l'homme d'État du même nom, sous Louis XV –, est un type compétent.

— Fais cela, Bourlin, insista Adamsberg.

Son ton avait changé, plus impérieux, plus chargé d'urgence, et Bourlin consentit en grimaçant.

Après dix minutes de conversation confuse avec Adamsberg, la femme finit par ouvrir tout à fait le portail et les précéda dans l'allée pour les conduire au bureau du patron, à l'étage. Ses joues rondes avaient partiellement repris le dessus sur son corps creux. Ceci dit, elle ne voyait pas le moindre rapport entre le bureau du patron et la lettre de cette Mme Gauthier, et il lui semblait que ce flic, Adamsberg, n'en voyait pas non plus. Il l'embobinait et voilà tout. Mais ce type, avec sa voix ou son sourire ou on ne sait quoi, lui rappelait son instituteur, dans le temps. Celui-là, il vous aurait convaincu d'apprendre toutes les tables de multiplication en un seul soir.

Adamsberg connaissait à présent le nom de la femme – Céleste Grignon –, elle était entrée dans la maison vingt et un ans plus tôt, quand le petit en avait six. Le petit, c'était Amédée Masfauré, il était sensible, il était fragile, il n'allait pas bien, et il ne s'agissait pas d'effleurer un seul de ses cils.

— Voilà, dit-elle en ouvrant la porte du bureau et en se signant. Amédée l'a trouvé là le matin, sur cette chaise, devant sa table. Il avait encore le fusil entre les pieds.

Danglard faisait le tour de la pièce, examinait les murs couverts de livres, les revues qui s'entassaient au sol.

— C'était un professeur ? demanda-t-il.

— Mieux que ça, monsieur, un savant. Et mieux que ça, un génie. Il était dans le génie de la chimie.

— Et de quoi s'occupait-il, dans le génie de la chimie ?

— De trouver comment nettoyer l'air. Comme il aurait passé l'aspirateur dans le ciel et les saletés resteraient dans le sac. Un gigantesque sac, bien sûr.

— Nettoyer l'air ? dit brusquement Bourlin. Vous voulez dire, le nettoyer du CO_2, du dioxyde de carbone ?

— Des choses comme cela. Enlever le noir, la fumée, toutes les saletés qu'ils nous font respirer. Il y a mis toute sa fortune. Un génie, et un bienfaiteur de l'humanité. Même le ministre a demandé à le voir.

— Il faudra que vous me parliez de cela, dit Bourlin avec une vibration dans la voix, et Céleste changea sa manière de considérer cet homme.

— Il vaudrait mieux voir avec Amédée. Ou avec Victor, son secrétaire. Mais parlez à voix basse, tous autant que vous êtes, le corps est encore dans la maison, vous comprenez. Dans sa chambre.

Adamsberg rôdait autour du fauteuil du mort, de son bureau, un meuble lourd recouvert d'un ancien cuir vert, usé à l'emplacement des bras, zébré d'éraflures. Céleste Grignon et Bourlin lui tournaient le dos, en conversation sur le dioxyde. Il arracha une page de son carnet et fit un rapide frottage au crayon sur la surface en cuir, tandis que Danglard continuait à fureter le long des murs de la pièce, examinant livres et tableaux. Une toile, une seule, dérangeait l'érudit assemblage. Une croûte, c'était le mot, une vue pesante de la vallée de Chevreuse en trois teintes de vert, mouchetée de petites taches rouges. Céleste Grignon se rapprocha de lui.

— C'est pas beau, hein ? lui dit-elle à voix basse.

— Non, dit-il.

— Pas beau du tout, renchérit-elle. À se demander pourquoi M. Henri a accroché ce truc dans son bureau. Alors qu'il n'y a même pas d'air dans ce paysage, lui qu'aimait l'air. C'est bouché, comme on dit.

— C'est vrai. C'est sans doute un souvenir.

— Pas du tout. C'est parce que c'est moi qui l'ai fait. Soyez pas confus, intervint-elle aussitôt, vous avez l'œil, c'est tout. Il y a pas à avoir honte.

— Peut-être qu'en s'exerçant, tenta Danglard, embarrassé, peut-être qu'en peignant beaucoup ?

— Je peins beaucoup. J'en ai sept cents comme ça, et toujours la même chose. Ça l'amusait, M. Henri.

— Et ces petits points rouges ?

— Avec une grosse loupe, on s'aperçoit en fin de compte que c'est des coccinelles. C'est ce que je fais de mieux.

— C'est un message ?

— J'ai pas idée, dit Céleste Grignon en haussant les épaules, puis s'éloignant, se désintéressant tout à fait de son « œuvre ».

Devenue plus accommodante – ces flics étaient tout de même plus avenants que les gendarmes qui les avaient brusqués comme des mécaniques –, Céleste les installa dans le grand salon du rez-de-chaussée et apporta des boissons. Le temps d'aller au haras et d'en revenir, ils verraient Amédée d'ici vingt minutes. Avant de sortir, elle réitéra la consigne de parler bas.

— Les gendarmes ? demanda aussitôt Adamsberg à Bourlin. Qu'est-ce qu'ils t'ont dit ?

— Qu'Henri Masfauré s'était suicidé et que les faits étaient incontestables. J'ai eu Choiseul lui-même. Tout a été examiné dans les règles. L'homme était assis, il a calé le fusil entre ses pieds et il s'est tiré une balle dans la bouche. Ses mains et sa chemise sont entièrement souillées de poudre.

— Il a appuyé avec quel doigt ?

— Il a tiré à deux mains, le pouce droit sur le gauche.

— Quand tu dis « entièrement » souillé, son pouce aussi ? Ils ont aussi de la poudre sur le dessus du pouce droit ?

— C'est exactement ce que veut dire Choiseul. Ce n'est pas un faux suicide. Il n'y a pas d'assassin plaçant l'arme dans la main du type et pressant sur son doigt. Et il y a un motif : il y a eu une scène terrible entre le père et le fils, le soir même.

— Qui le dit ?

— Céleste Grignon. Elle n'habite pas là, mais elle était revenue chercher un lainage. Elle n'a pas entendu ce qu'ils se disaient, mais ça criait fort. D'après les gendarmes, Amédée réclamait son indépendance, tandis que le père le maintenait cloué ici, exigeant qu'il prenne sa succession au haras. Ils se sont quittés furieux, ébranlés, et le père est sorti faire une course à cheval dans la nuit pour se détendre les nerfs.

— Et le fils ?

— Parti se coucher sans pouvoir s'endormir. Il habite un des pavillons de l'entrée.

— Quelqu'un pour confirmer ?

— Non, personne. Mais Amédée n'avait pas de poudre sur les mains. Victor, le secrétaire du patron – il habite le second pavillon, en face de celui d'Amédée –, l'a vu rentrer à la nuit, la lumière s'allumer, et ne pas s'éteindre. Ce n'était pas le genre d'Amédée de veiller, et Victor a hésité à lui rendre visite. Les deux gars s'entendent bien. Bref, suicide. Et qui n'a rien à voir avec notre enquête. Ce que je veux, c'est voir la lettre envoyée par Alice Gauthier.

Adamsberg, qui ne savait pas rester assis trop long-temps, marchait de la fenêtre au mur, en long et non pas en rond.

— Choiseul a fait procéder à des analyses ? demanda-t-il.

— Les basiques. Taux d'alcoolémie : 1,57. Beaucoup tout de même, mais ils n'ont retrouvé ni verre ni bou-teille. Le gars a dû boire pour se donner du courage, mais apparemment, il a tout rangé avant. Tests sur les drogues usuelles : négatifs. Et sur les poisons communs les plus accessibles, négatif.

— Rien sur le GHB ? demanda Adamsberg. Quel est le nom de l'autre substance, Danglard ?

— Le Rohypnol.

— C'est cela. Très utile pour faire tenir docilement à un gars un fusil entre les mains. Quelques gouttes dans son verre, ce qui expliquerait sa disparition. Trop tard de toute façon, il n'y en a plus une trace après vingt-quatre heures.

— On peut encore tenter sur un cheveu, dit Danglard. Ça peut résister sept jours dans les cheveux.

— On n'a même pas besoin de ça pour avoir une certitude, dit Adamsberg en secouant la tête.

— Bon sang, dit Bourlin : « Suicide avéré. » Qu'est-ce que tu te figures ? Choiseul n'est pas un bleu.

— Choiseul ne connaissait pas le signe dessiné chez Alice Gauthier.

— Adamsberg, on est venu ici pour la lettre.

— Avant même de lire cette lettre, tu peux appeler la grosse tique et lui dire que tu ne classes pas l'affaire.

Bourlin ne négligeait pas, chez Adamsberg, ce genre de conseil laconique.

— Explique-toi, dit-il, ils vont arriver dans moins de cinq minutes.

— Il n'y a rien à reprocher à Choiseul. Il fallait savoir quoi chercher pour trouver. Ceci, ajouta-t-il en tendant une feuille à Bourlin. J'ai pris cette empreinte à la va-vite sur le cuir du bureau, couvert de rayures. Mais là, dit-il en suivant quelques traits du doigt, on le distingue très bien.

— Le signe, dit Danglard.

— Oui. On a entaillé le cuir pour le dessiner. Et les éraflures sont toutes fraîches.

La porte s'ouvrit sur Céleste, essoufflée.

— Quand je vous disais que le petit n'allait pas bien. Je lui ai dit que vous vouliez juste le voir pour une lettre de Mme Gauthier, alors il a reculé, et Victor lui a parlé, mais il a enfourché Dionysos et il a foncé dans les bois. Victor est aussitôt monté sur Hécate et il a filé à sa poursuite. Parce qu'Amédée est parti sans casque, et à cru.

Et sur Dionysos, en plus. Et il n'est pas fort pour ça. Pour sûr il va nous faire une chute.

— Et pour sûr qu'il ne veut pas nous parler, dit Bourlin.

— Madame Grignon, conduisez-nous au haras, dit Adamsberg.

— Vous pouvez m'appeler Céleste.

— Céleste, est-ce que ce Dionysos répond à son nom ?

— Il obéit à un sifflement spécial. Mais il n'y a que Fabrice qui sait le faire. Fabrice, c'est le maître du haras. C'est qu'attention, il n'est pas commode.

Il n'y avait pas à douter de l'identité de l'homme épais qui vint à leur rencontre dès qu'ils approchèrent du haras. Petit, fort comme un bœuf, barbu, avec le visage hargneux d'un vieil ours qui fait face à l'ennemi.

— Monsieur ? demanda Bourlin en lui tendant la main.

— Fabrice Pelletier, dit l'homme en croisant ses bras courts. Et vous ?

— Commissaire Bourlin, le commissaire Adamsberg et le commandant Danglard.

— Jolie clique. N'entrez pas au haras, vous allez affoler les bêtes.

— En attendant, coupa Bourlin, vous avez deux chevaux affolés qui cavalent dans les bois.

— Je suis pas aveugle.

— Rappelez Dionysos, s'il vous plaît.

— Si ça me chante. Et ça me chante qu'Amédée vous ait glissé entre les pattes.

— C'est un ordre, gronda Bourlin, ou vous serez inculpé pour non-assistance à personne en danger.

— J'obéis à personne, sauf au patron, dit l'homme, bras toujours solidement croisés. Et le patron, il est mort.

— Sifflez Dionysos ou je vous embarque, monsieur Pelletier.

Et à cet instant, Bourlin n'avait pas l'air plus commode que la brute du haras. Deux vieux mâles dressés l'un contre l'autre, griffes sorties, gueules menaçantes.

— Sifflez-le vous-même.

— Je vous rappelle qu'Amédée est monté sans casque, et à cru.

— À cru ? dit Pelletier en décroisant ses bras. Sur Dionysos ? Mais il est cinglé, ce môme !

— Vous voyez bien que vous êtes aveugle. Sifflez-le, nom d'un chien.

Le maître du haras s'éloigna à grands pas pesants vers la lisière des bois et siffla longuement, à plusieurs reprises. Un chant complexe et très mélodieux, qu'on n'imaginait pas pouvoir sortir des grosses lèvres d'un tel gars.

— Comme quoi, dit simplement Adamsberg.

Quelques minutes plus tard, un homme assez jeune à boucles blondes revenait tête basse vers eux, tirant une jument par les rênes. Le chant sophistiqué de Pelletier résonnait toujours dans les bois.

— C'est Victor ? Le secrétaire ? demanda Danglard à Céleste.

— Oui. Mon dieu, il ne l'a pas trouvé.

Hormis sa remarquable chevelure, l'homme, dans les trente-cinq ans, n'était pas beau. Visage renfrogné et mélancolique, nez et lèvres larges, front bas abritant des yeux petits et rapprochés, le tout enchâssé sur un cou très court. Il serra la main des trois policiers sans y prêter attention, ne regardant que Céleste.

— Je suis désolé, Céleste, dit-il. Il n'était pas loin devant moi, j'entendais le trot, il s'était stupidement enfoncé dans les broussailles de Sombrevert. Là où la tempête a tout foutu par terre. Hécate a buté contre une branche, elle boite. Qu'est-ce qu'il va me mettre, le Pelletier.

Le bruit lointain d'un claquement de sabots les fit se retourner vers les bois. Dionysos apparut, seul.

— Sainte-Mère, cria Céleste en portant sa main à sa bouche. Il l'a démonté !

De loin, Pelletier lui adressa un signe d'apaisement. Amédée suivait, les bras ballants, tout à fait un gosse revêche repris après une fugue.

— Faut avouer, dit Céleste en un souffle, il est fort le Pelletier. Il peut vous ramener n'importe quelle bête. Et faut le voir au dressage. Comme disait le patron – elle se signa –, « s'il n'y avait que son caractère, je m'en serais défait depuis longtemps. Mais on ne peut pas se priver d'un type comme ça. Faut prendre le bon et mauvais. C'est un peu pareil pour tout le monde, Céleste, le bon et le mauvais », il disait toujours.

Amédée se laissa serrer sans réagir dans les bras de Céleste. Puis il se tourna vers les trois flics, le regard inexpressif. Lui était assez beau, nez droit, lèvres nettes, cils très longs, boucles noires. Sueur au front, joues encore empourprées par sa course. Délicatesse romantique, charme de femme, barbe invisible.

— Je suis navré, Pelletier, disait Victor au maître des chevaux qui palpait avec inquiétude la patte d'Hécate. Je voulais le rattraper.

— Ben t'as pas réussi mon gars.

— C'est qu'il avait filé vers Sombrevert. Elle s'est pris la patte contre une branche basse.

Pelletier se redressa et colla sa joue contre celle de la jument, lui grattant la crinière.

Comme quoi, se répéta Adamsberg.

— Elle n'a rien de cassé, dit Pelletier. T'as du bol ou je t'aurais pété les reins. C'est pas Hécate qu'il fallait prendre pour une poursuite pareille, c'est Artémis. Elle les voit les branches, elle, elle saute haut, tu le sais bon sang de bois. Hécate souffre, je vais lui mettre un onguent.

Alors qu'il emmenait la jument, il se retourna vers les policiers.

— Oh, appela-t-il à voix forte, plutôt que perdre votre foutu temps à fourrager dans mon passé, je vous le livre tout net. J'ai fait quatre ans de taule. J'ai tellement tabassé ma bonne femme qu'un jour je lui ai cassé le bras et je lui ai fait sauter toutes les dents, en sus. Ça fait plus de vingt-cinq ans de ça. Paraît qu'elle a un dentier et qu'elle s'est remariée. Comme ça, vous êtes affranchis. Pas de lézard, tout le monde est au courant ici, j'ai jamais menti. Mais j'ai pas dézingué le patron, si c'est ce que vous vous demandez. Je tape que sur les bonnes femmes, et encore, seulement sur les miennes. Mais j'en ai plus, de bonne femme.

Et Pelletier s'éloigna dignement, tenant tendrement la jument par le cou.

VII

Céleste avait refait du café pour « essuyer les émotions », comme elle aurait parlé de faire les poussières, et du thé au lait pour Amédée. Elle avait augmenté le service par des biscuits et un petit gâteau aux raisins. Danglard se servit sans attendre, imité par Bourlin. Il était plus de dix-neuf heures, il avait à peine déjeuné. Ils étaient de nouveau installés dans la vaste salle du rez-de-chaussée aux fenêtres hautes, tapis superposés, statues, tableaux collés cadre à cadre.

Mais sans chaussures.

— On n'a pas le droit d'entrer ici avec du crottin sous les semelles, avait commandé Céleste. Je m'excuse d'avoir fait déchausser ces messieurs.

Tous étaient donc en chaussettes, ce qui donnait un aspect incongru à la situation et sapait de fait l'autorité des forces de l'ordre. Adamsberg avait préféré ôter chaussures et chaussettes – on est toujours plus élégant nu qu'à moitié dévêtu – mais Bourlin avait eu l'instinct de s'y opposer, arguant qu'il n'avait pas de crottin sous les semelles. Ce à quoi Céleste avait répondu d'un ton sans réplique : « On a toujours du crottin sous les semelles. » Adamsberg trouvait cette affirmation très juste. Il convainquit Bourlin de s'incliner, ce n'était pas le moment de perdre leur récente alliée. Elle leur recommanda une fois de plus de parler bas.

— C'est vrai, dit Amédée, après avoir croisé et décroisé dix fois ses jambes, posant son pied sur l'une et l'autre cuisse, chaussettes rouges émergeant de son jean déchiré. C'est vrai. Je ne voulais pas parler. Alors je suis parti. C'est tout.

— Pas parler de votre père ou de la lettre d'Alice Gauthier ? demanda Bourlin.

— D'Alice Gauthier. Cette lettre, c'est entre elle et moi. Et je ne pense pas que j'ai le droit de vous la montrer sans son accord. Je ne sais pas ce qui vous intéresse là-dedans. C'est elle et moi.

— Mais nous n'aurons pas son accord, dit Bourlin en allongeant ses grosses pattes sur la nappe et cachant loin ses pieds sous la table. Mme Gauthier est morte mardi dernier. Et c'est sa dernière lettre.

— Mais je l'ai vue le lundi, protesta franchement Amédée.

Réaction inéluctable, aussi animale qu'irréfléchie, comme si le fait d'avoir vu une personne un lundi rendait inacceptable qu'elle disparaisse le lendemain. La mort subite est incomprise.

— Le médecin lui avait donné encore quelques mois à vivre, reprit le jeune homme. C'est pour ça qu'elle mettait de l'ordre dans ses affaires. Petites et grandes, je la cite.

— Elle s'est ouvert les veines dans sa baignoire, dit Bourlin.

— Cela non, dit vivement Amédée. Elle avait commencé un puzzle immense, une œuvre de Corot. Elle espérait bien finir le ciel avant son départ. Le ciel, c'est ce qu'il y a de plus difficile. À faire comme à atteindre, je la cite encore.

— Elle aurait pu vous mentir.

— Je ne crois pas.

— Parce que vous la connaissiez bien ?

— Je l'ai vue lundi pour la première fois.

— C'est sa lettre qui vous a fait venir ?

— Et quoi d'autre ? Et je suppose que vous voulez la voir, cette lettre ?

Amédée Masfauré s'exprimait de manière rapide, avec un débit plus nerveux que ne laissait supposer la douceur de ses traits. Il tira une enveloppe de sa poche intérieure et la passa au gros commissaire en un geste tendu, maladroit. Adamsberg et Danglard se rapprochèrent pour la lire.

Cher Monsieur,

Vous ne me connaissez pas, cette lettre vous surprendra. Il s'agit de votre mère, Marie-Adélaïde Masfauré, et de sa fin tragique sur cet épouvantable rocher d'Islande. On vous aura dit qu'elle y est morte de froid. C'est faux. Je faisais partie du voyage, j'étais là, je sais. Et depuis dix ans, je n'ai pas trouvé le courage de parler, ni beaucoup de tranquillité pour dormir. Très égoïstement – je suis une égoïste –, au seuil de la mort, je souhaite vous dire la vérité à laquelle vous avez droit et dont moi, et d'autres, vous ont privé. Je vous prie de venir me voir le plus tôt que vous pourrez, entre 19 heures et 20 heures, moment où je suis seule, sans garde-malade.

Vôtre,

Alice Gauthier

33 bis rue de la Tremblaye
75015 – Paris
Porte B, 5ᵉ étage, face ascenseur

PS : Prenez garde à ne pas vous faire voir, passez par la porte arrière de l'immeuble (au 26, rue des Buttes), la serrure est facile à ouvrir avec un fin tournevis. À moins qu'elle ne soit encore cassée, elle l'est tout le temps.

Bourlin replia la lettre avec gravité.

— Nous ne savions pas que vous aviez perdu votre mère.

— Il y a dix ans, répondit Amédée. Je n'ai pas eu le droit d'accompagner mes parents en Islande, je n'avais que dix-sept ans. C'est elle qui a eu la brusque envie d'aller « se purifier dans les glaces éternelles », je me suis toujours rappelé cette phrase, et son enthousiasme. Mon père s'est laissé convaincre, enivrer presque. Ces glaces éternelles, ce n'était pas du tout son truc, à lui. Mais on ne pouvait pas lutter contre la vitalité de ma mère. Elle était drôle, optimiste, enfin, irrésistible. D'autres vous diraient un peu dévorante, mais c'est parce que tout l'amusait et qu'elle voulait tout. Alors ils sont partis. Elle, mon père, et Victor. Victor était très excité par ce voyage – il n'avait jamais quitté le pays. Et ils sont rentrés seuls, mon père et lui. Elle y était morte de froid, c'est ce qu'ils m'ont dit.

Amédée renifla et, ne sachant comment poursuivre, se massa les doigts de pied, c'est-à-dire les tordit en tous sens.

— Je me souviens, intervint Danglard. Est-ce l'histoire de cette dizaine de touristes qui furent piégés deux semaines par la brume ? Sur un îlot, tout au nord ? Ils avaient survécu grâce à des phoques échoués sur le rivage.

— Vous avez dit que vous ne saviez pas pour ma mère, réagit Amédée. Mais vous avez déjà enquêté, il faut croire ?

— Non. Je m'en souviens, c'est tout.

— Le commandant mémorise tout, expliqua Adamsberg.

— Comme Victor alors, dit Amédée en changeant de genou et tordant son autre pied dans ses doigts. Il a une mémoire anormale. C'est pour cela que mon père l'a engagé. Il n'a même pas besoin de notes pour rédiger le compte rendu d'une réunion. Et pourtant, la chimie, il n'y connaît rien.

— Et, reprit doucement Adamsberg, Mme Gauthier vous a fourni une autre version du décès de votre mère ?

Amédée abandonna son pied et posa ses bras sur la table. Il tordait le bout de ses mains, comme des pattes d'araignée se dressent. Il était de ces types qui savent plier la dernière phalange de leurs doigts ou la retourner en arrière. Cela formait une petite danse rapide et intrigante, qui se crispait sur la table.

— Elle a écrit qu'elle était égoïste, et c'était vrai. Elle s'en foutait bien, de moi, et de ce que ses saletés de révélations pourraient bien me faire. Elle voulait monter là-haut en robe blanche avec des ailes et voilà tout. Eh bien elle n'est pas blanche. C'est à cause d'elle que mon père est mort. Et à cause de moi. De cette saloperie de bonne femme.

Céleste était sortie puis revenue poser une boîte de mouchoirs près de son petit. Il se moucha et posa le papier froissé sur la table.

— Merci, Nounou, dit-il d'une voix plus douce.

— Cela vous ennuie qu'on enregistre ? demanda Bourlin.

Amédée sembla ne pas entendre, ou s'en désintéresser, et Bourlin mit son petit appareil en marche.

— Qu'a dit cette saloperie de bonne femme ? continua Adamsberg.

— Que ma mère avait été assassinée sur l'îlot ! Et que tout le monde a fermé sa gueule !

— Assassinée par qui ?

— Elle a refusé de me dire son nom. Elle m'a expliqué qu'elle devait le taire pour me protéger. Tu parles. Que le type était formidablement dangereux, mauvais, sans pitié. Abominable, immonde. Il a d'abord dézingué un autre membre du groupe, une sorte de légionnaire qui ne voulait pas lui obéir. Le type a sorti un couteau et d'un coup d'un seul, il a transpercé le légionnaire. Tout le monde a été horrifié, sauf le tueur qui a tiré le cadavre et l'a balancé à la flotte, au milieu des glaces de la banquise.

Amédée se moucha. On arrivait au point crucial, à sa mère, et il reculait.

— Allons, souffla Adamsberg.

— Trois jours après, ou quatre, je ne me souviens plus, alors qu'ils étaient encore plus affaiblis, par le froid, par la faim, que la brume ne se levait pas, le type immonde a dit qu'il « baiserait un dernier coup avant de claquer ». C'est tombé dans le silence, parce que depuis la mort du légionnaire, tout le monde crevait de peur devant lui. Il était devenu le chef, il les tenait par la terreur. Le médecin – il y avait un médecin dans le groupe, qu'ils appelaient « Doc » – a quand même répliqué : « Vous n'en aurez même pas la force, ce n'est pas l'heure pour la vantardise », ou quelque chose comme ça. Ça a foutu le gars en rage, il a dit à mon père : « Toi aussi, tu crois que je ne vais pas me faire ta gonzesse ? » Mon père s'est levé en titubant, et les autres se sont interposés pour calmer la bagarre.

Amédée tira un nouveau mouchoir.

— Nous sommes désolés, dit Bourlin.

— Pendant la nuit, ma mère a poussé un cri, tout le monde s'est réveillé. Le type était sur elle et il avait déjà glissé ses mains…, enfin il avait déjà glissé ses mains. Ma mère a eu la force de le repousser et il est tombé le cul dans le feu. Ça, ça ne m'étonne pas d'elle, ajouta Amédée avec un petit sourire. Le gars s'était remis debout, et il se tapait les fesses pour éteindre les flammèches. Il était ridicule, vous voyez, humilié. Pire, ma mère a rigolé en le traitant de tous les noms, de porc, d'enculé, elle en connaissait un rayon en vocabulaire, maman. Mais elle aurait dû s'écraser, la pauvre. Parce que le gars, devenu fou, il s'est jeté sur elle et il l'a tuée d'un seul coup de couteau dans le cœur. Et pareil, il est allé la balancer dans la banquise. Avec une bûche allumée pour se guider dans la brume. Et mon père, il n'a pas fait un geste. Ni lui ni personne.

Le jeune homme attrapa deux autres mouchoirs. Il commençait à y en avoir tout un petit tas autour de ses mains flexibles.

— Pourquoi ils ne l'ont pas tué ? reprit Amédée. Ils étaient dix ! Dix contre un ! « L'ascendant », m'a répondu Alice Gauthier, il avait de l'« ascendant ». C'est surtout que ce type, c'était le seul qui avait encore la force de tourner sans cesse sur l'îlot dans l'espoir de trouver de la bouffe. Au cas où un manchot ou un macareux y aurait posé une patte. Alors ils fermaient tous leurs gueules et ils attendaient, passifs, épuisés. Et un soir, dégouttant de sang et puant le poisson, il a ramené un phoque. Il lui avait cassé les vertèbres au bâton. Là, mon père et le Doc se sont levés pour l'aider à haler la bête et la découper. Le gars a ordonné qu'ils jettent des pierres dans le feu, puis ils ont fait griller la viande dessus.

Cette fois, Amédée balaya sa morve avec le dessus de sa main.

— Alice Gauthier, quand elle en a parlé, ses petits yeux secs ont brillé, comme si ça avait été le meilleur moment gastronomique de toute sa vie, un saumon géant ou quoi. Ils ont fait durer le phoque plusieurs jours. Faut reconnaître que l'immonde aurait pu tous les tuer, tout compte fait, et garder la bête pour lui seul. Mais pas du tout, il a nourri tout le groupe. On est obligés d'admettre cela, a dit Gauthier. Et quand le brouillard s'est enfin levé, ils avaient assez de forces pour retraverser la banquise et rejoindre l'île de Grimsey. Seulement voilà.

À présent que l'atroce épisode de la mère était passé, Amédée retrouvait un ton de voix plus audible, moins enrhumé.

— Seulement voilà. Il leur a dit : « Ils sont morts de froid tous les deux. C'est bien clair ? On les a retrouvés gelés au matin. Si l'un de vous parle, je l'abats, comme j'ai abattu le phoque. Et si ça ne suffit pas, je tue ses gosses, et s'il a pas de gosses, je tue sa femme, et s'il n'a pas de femme, sa mère, son frère, sa sœur, et tout ce qui me passera sous la main. Au moindre faux pas, c'est la fin. Vous vous dites : "On le dénoncera, il ira en taule." Erreur. J'ai des gars dévoués comme des esclaves. Ils seront avertis dès notre arrivée à Grimsey, par le… »

Amédée fronça les sourcils, cherchant dans sa mémoire perturbée.

— Alice Gauthier a dit un drôle de mot, à ce moment. Oui, il préviendrait ses gars par le « tölva ». « Tölva », ça veut dire « ordinateur », elle m'a expliqué. Parce que les Islandais inventent des mots pour lutter contre l'américain. « Tölva », cela signifie « la sorcière qui compte ». L'ordinateur, vous voyez ? Ça lui aurait plu, ça, à ma mère, la « sorcière qui compte ». Elle ne comprenait rien aux ordinateurs.

Le jeune homme sourit tout seul, un moment indifférent à la présence des trois flics.

— Pardon, dit-il en revenant vers eux. Il a donc expliqué, plus ou moins : « Que je sois en taule ne changera rien. Vous savez de quoi je suis capable. Et vous avez une dette incalculable envers moi. J'ai sauvé vos petites vies, tas de minables, pas un de vous qu'a été capable de chercher de la bouffe, pas un de vous qui s'est accroché, pas un de vous qui m'a accompagné dans la brume. Non, vous avez baissé les bras et vous êtes restés collés au feu comme des loques, bien heureux d'ingurgiter mon phoque. » Et c'était vrai, m'a dit Gauthier. Comme c'était vrai qu'il les épouvantait. Elle y compris, elle a insisté. Voilà pourquoi depuis dix ans, personne n'a dénoncé l'assassin de ma mère et du légionnaire. Même pas mon père ! Qui l'a bouclée lui aussi, tant il tremblait. Lui qui n'hésitait pas à s'attaquer à l'air de la planète, oui, il a eu peur.

Amédée s'était enflammé et, debout, il frappait de sa main désarticulée sur la table, éparpillant ses mouchoirs usagés.

— Et oui, c'est pour cela que je lui ai hurlé dessus ! Après être sorti de chez Alice Gauthier, j'ai traîné deux jours à Paris, j'étais affolé, en débris, je ne voulais jamais revoir cette saleté de père. Finalement je suis rentré le mercredi soir et j'ai foncé droit sur lui. Ce n'est pas ce que j'ai dit aux gendarmes, selon quoi je voulais mon indépendance ou je ne sais quoi. Je l'ai traité de tous les noms. Il était défait, mon père, et moi satisfait, bien content de le voir à terre, de voir le génie patauger dans son indignité. Le génie qui avait laissé cavaler l'assassin de sa femme ! Alors, sans même finir son whisky...

— Pardon, interrompit Bourlin, il buvait du whisky ?

— Oui, comme tous les soirs, deux verres. Il a filé comme un lâche pour aller courir à cheval et, avant, la main sur la porte, il m'a dit : « Il avait prévenu qu'il tuerait les gosses avec. Alors oui, je me suis protégé, mais toi aussi. Mets-toi à ma place. » Et moi, j'ai gueulé : « Plutôt crever qu'être à ta place ! » Je suis rentré au pavillon, comme cinglé. J'ai entendu revenir le cheval et je voulais toujours voir mon père griller en enfer. Et trois heures après, un peu de raison m'est venue. Bien sûr qu'il avait voulu me protéger. Alors le matin, je suis allé le voir pour parler plus calmement avec lui. Je suis monté à son bureau, et je l'ai trouvé mort. Il s'était tué, à cause de moi.

Amédée tira sur chacun de ses doigts et fit craquer ses articulations. Cela aussi, il savait le faire. Céleste pleurait silencieusement dans un coin. Adamsberg servit un restant de café, le gâteau était consommé, 20 h 30 sonnaient au clocher d'on ne sait quel village, la nuit tombait.

— C'est fini, dit Amédée. Peut-être, je n'ai pas reproduit exactement les mots qu'elle a prononcés, les dialogues et tout cela, je n'ai pas la mémoire de Victor. Mais c'est ce qui s'est passé. Au moins, ma mère lui aura mis le feu au cul, et c'est bien la seule qui aura eu du cran. Est-ce que vous serez obligés de dire ce qui s'est passé en Islande ?

— Non, dit Bourlin.

— Est-ce que je peux m'en aller à présent ?

— Une seule chose, dit Adamsberg en poussant vers lui un dessin. Vous avez déjà vu ce signe ?

— Non, dit Amédée, surpris. C'est quoi ? Un H ? Comme Henri ?

— Voilà, dit Bourlin après le départ d'Amédée, en frottant son ventre pour calmer la faim qui commençait à lui faire mal. Après ses aveux, Alice Gauthier avait mis sa conscience en ordre, et elle s'est ouvert les veines dans la baignoire. Amédée a raison : elle n'a parlé que pour son seul repos, sans se soucier des conséquences pour le jeune homme. Si cet « immonde » tue tous ceux qui le trahissent, c'est à son tour de la boucler maintenant.

— N'indique pas dans le rapport qu'il nous a parlé.

— Le rapport sur quoi ? dit Bourlin.

Les trois hommes déambulaient dans l'allée sombre, Danglard suivait la ligne de graviers – pour ne pas endommager ses chaussures –, tandis qu'Adamsberg marchait sur le bas-côté, ne laissant jamais passer une opportunité de fouler de l'herbe. Une preuve, avait dit caustiquement le divisionnaire – qui estimait Adamsberg sans l'aimer –, que le commissaire n'avait jamais atteint un degré normal de civilisation. Depuis qu'on laissait pousser les mauvaises herbes sur les grilles des arbres à Paris, Adamsberg déviait souvent ses pas pour passer sur ces grilles, infimes espaces de sauvagerie. Parmi les herbes qu'il écrasait à cette heure, une plante déposait sur le bas de son pantalon de ces petites boules adhérentes qu'il fallait décoller une à une à la main. Il leva la jambe droite, nota dans l'obscurité une dizaine de graines accrochées au tissu, en arracha une. Elles venaient vite, elles étaient douées, elles ne lâchaient pas prise, alors qu'elles n'avaient même pas de pattes. Le nom de cette plante, qu'aucun enfant n'ignore, il l'avait oublié.

Quant à Bourlin, toute préoccupation se diluait quand la faim commandait. Il lui fallait conclure vite.

— Un problème, Adamsberg ? demanda-t-il.

— Aucun.

— Conséquences dramatiques des aveux d'Alice Gauthier, résuma Bourlin : Amédée insulte son père et quand il revient le lendemain pour tempérer ses paroles, il est trop tard. Henri Masfauré, abandonné par son fils, s'est tué.

— Continuez droit devant vous, dit Adamsberg alors que les deux hommes amorçaient un demi-tour. Il nous faut le récit de Victor sur ce voyage en Islande, sans qu'il ait communiqué avec Amédée. Céleste dit qu'il est dans son pavillon, qu'il ne dîne pas avec les autres.

— Qu'est-ce que Victor pourrait nous apporter de plus ? dit Bourlin en haussant ses grosses épaules.

— Et qu'est-ce qu'on fait du signe ? demanda Danglard.

— Sans doute un signe du groupe islandais, dit Bourlin, plus maussade à mesure que les minutes s'écoulaient. On ne saura jamais.

— Si, on saura, répliqua Adamsberg en foulant à dessein une nouvelle touffe de gratteron desséché.

Voilà, il avait retrouvé le nom de cette plante aux graines accrocheuses. Le gratteron.

— Deux suicides, gronda Bourlin. On classe et on va dîner.

— Tu as faim, dit Adamsberg en souriant, et cela t'aveugle. Que dis-tu d'Amédée revenant le lendemain chez la femme Gauthier et, de rage, la noyant dans sa baignoire ? Il dit lui-même qu'il a traîné deux jours à Paris. Tu te rappelles comment il l'a nommée ce soir ? « Cette saloperie de bonne femme. » Cette saloperie qui n'a pas eu le cran de s'interposer pour sauver sa mère, ni le courage de parler après. Pas plus que son père. Et de son père, qu'est-ce qu'il a dit ?

— Cette « saleté de père », dit Danglard.

— Et dès son retour, il l'affronte, ce père, et il le tue. Pourquoi pas deux faux suicides, Bourlin ?

— Parce que Choiseul a fait le boulot : pas de poudre sur Amédée, ni sur les mains, ni sur son pull.

— Tu as faim, c'est pour cela. Amédée enfile des gants, une blouse, et il ressort du bureau propre comme un sou neuf. Ou si l'idée ne te plaît pas, prends ce tueur de l'Islande, ce gars « abominable ». Il tue Alice Gauthier, puis Masfauré.

— Et comment ce tueur aurait su que Gauthier avait parlé ?

— Il pressent peut-être qui *va* parler, Bourlin. Qui *va* s'effondrer. À cela, plusieurs déclencheurs possibles : la mort imminente – c'était le cas de la femme Gauthier –, et il le savait. Tant d'aveux se prononcent sur le lit de mort. Et pour Henri Masfauré, le remords, le rejet de son fils après les révélations de Gauthier. Le tueur a dit qu'il les surveillerait tous, non ? On peut supposer qu'il guette particulièrement les malades ou les dépressifs. Ou les buveurs à l'alcool bavard et repentant.

— Ou les croyants, compléta Danglard. Imaginez qu'un curé ait fait partie du groupe. Cela arrive, les curés voyageurs dans les étendues propres et pures.

— Curé qui n'existe pas, jusqu'à nouvel ordre, dit Bourlin en appuyant sur son ventre. Il fait nuit, insista-t-il.

Adamsberg avait pressé le pas et frappait à la porte du pavillon de Victor. La cloche sonnait 21 h 15, relayée par celle d'un village voisin.

— Je comprends la procédure, disait Victor, mais je ne peux pas vous suivre à Paris. L'enterrement a lieu à 9 heures demain, vous vous souvenez ? Dormez dans vos voitures et même devant ma porte, si vous craignez que je ne parle à Amédée, ou même enfermez-moi, et je vous retrouve à 10 h 30 demain. Ou plutôt non, j'ai mieux, dit-il après un regard à Bourlin. Le commissaire a faim, je me trompe ? Puisque je ne suis pas un prévenu – car je ne suis pas considéré comme un prévenu, si ?

70

— Comme un simple témoin, dit Adamsberg. Nous souhaitons simplement que vous nous racontiez l'Islande. Elle a déjà fait quatre morts. Deux là-bas, il y a dix ans, et deux cette semaine.

— Vous ne croyez pas à des suicides ? demanda Victor, un peu inquiet.

Et si le tueur de l'île venait de se mettre en mouvement, il y avait de quoi l'être, songea Adamsberg.

— On ne sait pas, dit-il.

— Admettons. Dès l'instant où je ne suis que témoin, et même simple narrateur, est-il autorisé, légalement, que nous dînions ensemble ?

— Rien ne s'y oppose, déclara Bourlin impatiemment.

Victor enfila une veste de velours, passa ses mains dans ses cheveux blonds.

— À huit cents mètres d'ici, il y a une auberge familiale. Les parents, le fils, la fille. J'y vais très souvent. Mais attention, il n'y a qu'un seul menu par soir, on n'a pas le choix. Et il n'y a que deux sortes de vin. Un blanc, un rouge.

Victor donna un tour de clef à sa porte et sortit un petit journal de sa poche intérieure.

— Venez près de la grille, que je puisse lire sous le réverbère. Les menus de la semaine sont publiés dans le journal local. Mardi. Nous sommes bien mardi ? Mardi : *Entrée : salade aux gésiers de poulet.*

— Je laisserai les gésiers, dit Danglard.

— Je m'occupe de tes gésiers, dit Bourlin.

— *Plat : Bavette sauce poivre avec pommes paillasson.* Vous voyez ce que sont des « pommes paillasson » ?

— Très nettement, dit Bourlin. Cessons de perdre du temps. Victor, vous avez toute ma sympathie.

Les quatre hommes avançaient rapidement dans la nuit, trois sur le macadam, Adamsberg sur le bas-côté herbeux.

— Vous n'êtes pas de la ville, commissaire ? dit Victor.

— Des Pyrénées.

— Et vous ne vous faites pas à Paris ?

— Je me fais à tout. J'ai dû mal entendre tout à l'heure, je n'ai pas saisi votre nom de famille.

— Mal entendre ? Je ne vous crois pas. Masfauré. Victor Masfauré. Et non, je ne suis pas le fils d'Henri, ni son cousin ni quoi que ce soit de ce genre.

Victor sourit largement dans la nuit. Un grand sourire régulier et généreux aux dents très blanches, qui effaça un instant l'aspect disgracieux de son visage.

— Aucune coïncidence, poursuivit-il en riant presque. Parce que c'est à cause de mon nom que j'ai rencontré les Masfauré. C'est un patronyme rare et Henri voulait savoir si j'étais de la famille. Il possédait un arbre généalogique très complet. Mais rien à faire, il a dû en convenir. Je ne suis pas de sa branche.

— Masfauré, réfléchit Danglard, irrésistiblement attiré par la moindre énigme savante. « Mas » indiquerait la petite ferme provençale. Mais « fauré » ? De Faurest sans doute ? Forest, Forestier ? La ferme de la forêt ? Vos ancêtres étaient provençaux ?

— Ceux d'Henri, oui. Mais d'ancêtres, moi, je n'en ai pas.

Victor écarta les bras, en habitué de cette confidence.

— J'ai été abandonné à la naissance, et élevé en famille d'accueil, dit-il rapidement. Voici l'*Auberge du*

Creux, enchaîna-t-il en leur désignant des lumières au bord de la route. Cela vous convient ?

— Dépêchons, dit Bourlin.

— L'*Auberge du Creux* ? répéta Danglard. C'est un nom curieux.

— Vous posez le doigt sur les fêlures, commandant, dit Victor en retrouvant son sourire. Je vous raconterai cela. Après l'Islande, dit-il en ouvrant la porte de l'auberge, à petits carreaux vitrés. Qu'on se débarrasse de cette foutue Islande.

Il y avait encore trois tables occupées à cette heure tardive pour le village, et Victor demanda à la patronne – après l'avoir embrassée – la place la plus éloignée, près de la fenêtre du fond.

— Il y a toujours plus de monde quand les pommes paillasson sont au menu, expliqua-t-il pour Bourlin.

VIII

Les gésiers passèrent de l'assiette de Danglard à celle de Bourlin et le commandant emplit les verres. Adamsberg posa la main sur le sien.

— On entend un témoignage, l'un de nous garde l'esprit net.

— J'ai toujours l'esprit net, déclara Danglard. De toute façon, on enregistre, si Victor Masfauré en est d'accord.

Passionné par sa double salade de gésiers, Bourlin confia son appareil à Adamsberg, avec un signe de main signifiant qu'il lui passait le relais, fous-moi la paix quand je mange.

— Victor, combien étiez-vous dans ce groupe ? demanda Adamsberg.

— Douze.

— En voyage organisé ?

— Pas du tout. Chacun était venu de son côté. On avait choisi notre itinéraire, étape par étape, depuis Reykjavik jusqu'à la côte nord. On est arrivés un soir sur la petite île de Grimsey, la plus septentrionale de l'Islande, on dînait dans l'auberge de Sandvík. Ça sentait le hareng, il faisait chaud. Sandvík, c'est le village du port, et c'est le seul. Mme Masfauré avait absolument tenu à aller à Grimsey parce que le cercle polaire traverse l'île. Elle voulait poser ses pieds dessus. La salle était bondée. Et tous les trois, Henri, sa femme et moi, on buvait quelques coups de brennívin après le dîner. C'est le nom de leur gnôle, là-bas. On était bruyants, sûrement. Mme Masfauré surtout, affolée de joie à l'idée de marcher sur le cercle, et c'était communicatif. Puis peu à peu, d'autres Français sont venus nous saluer, et se joindre à notre table. Vous savez comment sont les gens : ils partent au bout du monde pour se dépayser, mais sitôt qu'ils entendent un compatriote, ils lui sautent dessus comme un chameau sur l'oasis. De toutes les femmes qui dînaient ce soir-là, Marie-Adélaïde – Mme Masfauré – était de très loin la plus belle. Attractive en diable. Je crois que c'est surtout sa présence qui a appâté tous ces gens à notre table, femmes comprises.

— Irrésistible, a dit Amédée.

— C'est le mot. Bref, neuf autres Français à notre table, très différents, un peu de tout. On ne savait rien les uns des autres, certains annonçaient leurs professions. Il y avait l'éternel spécialiste des manchots empereurs, je me souviens de sa grosse tête rouge. Rouge, enfin, ce soir-là. Quand on s'est retrouvés coincés sur l'îlot d'en face, il n'était plus question de rouge. Un cadre dans une entreprise aussi, il n'a pas dit de quoi, il avait l'air d'avoir oublié. Et une femme qui travaillait dans l'environnement, avec sa compagne.

Bourlin déplaça sa main gauche sans lâcher sa fourchette et tira une photo de sa serviette en cuir.

— Sur ce cliché, elle a dix ans de plus, dit-il, et elle est morte. C'est elle, la compagne ?

Victor examina rapidement la photo macabre et hocha la tête.

— Sans aucun doute. Elle avait des oreilles trop longues et les oreilles ne rétrécissent pas quand on meurt. Oui, c'est elle.

— Alice Gauthier.

— Alors, c'est elle qui a écrit à Amédée ? Je ne connaissais pas son nom. Un tempérament de cheftaine, une risque-tout, une femme étonnante. Et pourtant, elle a gardé le silence comme les autres, elle a eu peur comme les autres.

— Qui étaient les autres ? reprit Adamsberg.

— Il y avait un grand costaud à la tête rasée, et puis un médecin – sa femme était restée à Reykjavik. Un volcanologue aussi, et celui-là est essentiel.

Bourlin avait posé son index sur ses pommes-paillasson pour en apprécier le moelleux. Satisfait, il regarda Victor qui comptait sur ses doigts, réfléchissait, laissant refroidir son plat.

— Et un sportif, reprit Victor, peut-être un moniteur de ski. Et enfin ce type. Mais ce soir-là, on ne détectait rien d'épouvantable.

— Il faut se nourrir, lui ordonna presque Bourlin. On détectait quoi ?

— Rien. C'était un type ordinaire, ni antipathique ni avenant. Taille moyenne, visage anodin, la cinquantaine, petit collier de barbe, lunettes presque rondes sur un regard sans expression. Mais beaucoup de cheveux, bruns et gris. Un bourgeois, un type dans les affaires, ou bien un professeur, on n'a jamais su. Il avait une canne au bout pointu et ferré, comme c'est normal en Islande, pour tâter le terrain devant soi. Il la levait et la laissait rebondir au sol. Et puis le volcanologue – il s'appelait Sylvain – nous a raconté une légende locale. À la poignée de main que le médecin avait échangée avec lui, l'air respectueux, Sylvain devait être une sommité dans son métier. Mais il était franc comme tout, sans prétention. C'est là que tout a déraillé. À moins que ce ne soit à cause du brennívin. Enfin, c'est là que tout a déraillé.

La jeune fille de la maison apporta une seconde bouteille. Un visage délicieux, un peu empâté mais clair. Adamsberg la regardait. En plus jeune, elle lui rappelait Danica, et la nuit passée dans sa chambre à Kiseljevo.

Danglard s'était fixé pour mission, parmi tant d'autres, de rappeler Adamsberg parmi eux lorsqu'il le sentait s'éloigner vers des cieux étrangers. Il posa un index sur son poignet et Adamsberg cilla.

— Où étiez-vous ? murmura Danglard.

— En Serbie.

Le commandant jeta un regard à la jeune fille qui avait rejoint le bar.

— Je vois, dit-il. On a dit que ça n'avait pas été du goût de tout le monde, vous vous rappelez ?

Adamsberg hocha la tête en souriant vaguement.

— Pardon, dit-il en revenant vers Victor. Pourquoi tout a déraillé ?

— C'est l'histoire du volcanologue.

— Sylvain, réfléchit Danglard. Sylvain Dutrémont ? Des cheveux très noirs, une barbe dense, des yeux très bleus ? Des cicatrices de brûlures sur une joue ?

— Je ne sais pas, hésita Victor, on ne connaissait pas nos noms. Mais oui, il avait une joue abîmée. Je me rappelle que sa barbe n'avait pas pu repousser dessus.

— Si c'est Dutrémont, il est mort depuis dans l'éruption de l'Eyjafjöll. Celle qui a plongé l'Islande dans un brouillard de cendres.

— Alors cela ferait déjà cinq de moins, dit Victor à voix basse. Sur douze. Mais c'était un accident, je suppose ?

— Il y a eu polémique, expliqua Danglard. Parce qu'on a retrouvé son corps assez loin du cône éruptif, avec des hématomes. Une chute peut-être, alors qu'il tentait de fuir la coulée de lave. L'enquête n'a pas abouti.

Bourlin rompit le bref silence méditatif.

— Qu'a raconté Sylvain ?

— Que le long de la côte de Grimsey, à un jet de pierre, parmi tous les îlots déserts qui la bordent, il y en avait un très particulier, aussi redouté que convoité. On disait qu'il y avait là-bas une pierre encore tiède, de la taille d'une stèle à peu près, et couverte d'inscriptions anciennes. Et que si l'on se couchait sur la pierre tiède, on devenait presque invulnérable, éternel quoi. Parce que l'on était pénétré par les ondes du cœur même de la terre. Enfin, ce genre de trucs. Il faut dire qu'il y avait pas mal de centenaires à Grimsey, et on expliquait ceci par cela. Sylvain a dit qu'il s'y rendait le lendemain pour examiner le phénomène en scientifique, mais qu'il ne fallait à aucun prix le dire, les habitants de Grimsey tolérant mal qu'un homme mette le pied sur cet îlot. Parce qu'il était habité par un démon, un « afturganga », une sorte de mort-vivant. Le médecin a rigolé, on a tous rigolé. Il n'empêche qu'après une heure le groupe entier était partant pour accompagner le volcanologue, même le médecin. On joue les sceptiques, mais au fond, un petit accouplement avec une pierre d'éternité, cela tente tout le monde. Bien que chacun fît mine d'y aller par défi, ou comme à la suite d'un pari d'ivrognes. C'était à environ trois kilomètres, une heure à pied par la banquise, on serait rentrés pour le déjeuner. Tu parles qu'on est rentrés.

Bourlin commandait une seconde portion de pommes de terre et chacun le regarda avec bienveillance. La vitalité rabelaisienne du commissaire bonifiait l'atmosphère à mesure qu'on s'approchait de l'épicentre du récit.

— On s'est mis en route à 9 heures, en partant du bout de la jetée du port. Sylvain nous a de nouveau mis en garde : pas un mot aux locaux, car outre l'« afturganga », ils avaient horreur que des touristes ignares aillent souiller la pierre tiède en posant leur cul dessus. Le temps était bleu, glacial et parfait, sans un nuage. Mais en Islande, ils disent que le temps change sans cesse, c'est-à-dire toutes les cinq minutes si ça lui chante. Du bout du port, Sylvain nous a discrètement désigné le rocher noir, avec sa forme étrange, en « tête de renard », disait-on, c'est-à-dire avec deux petits cônes qui le surplombaient, comme des oreilles, et sa plage sombre en forme de museau. On est arrivés sans encombre, en évitant les failles entre les blocs de glace. L'îlot était minuscule, on en a vite fait le tour, et c'est le cadre supérieur – Jean ? On l'appelait Jean ? – qui a trouvé la pierre.

— Je croyais que vous aviez une mémoire d'exception, observa Danglard.

— Oh, je ne me souviens que de ce qu'on me demande. Ensuite j'efface, cela fait de la place. Vous n'effacez pas, vous ?

— Surtout pas. Et donc, ce Jean ?

— Il s'était allongé sur la pierre, et il riait, toute réserve envolée. Et à mesure que chacun faisait son petit tour sur la stèle – qui était tiède, c'est vrai –, le temps passait. Le type au crâne rasé s'était étendu dessus avec grand sérieux et sans dire un mot, fermant les yeux. Soudain, Sylvain l'a secoué et a presque crié : « On s'en va maintenant, on rentre. » Et du bras, il a montré une montagne de brume qui s'avançait vers nous. Si vite qu'après vingt mètres sur la banquise, Sylvain a renoncé et on a rebroussé chemin. On n'y voyait plus qu'à six mètres, puis quatre, puis deux. Il nous a ordonné de nous tenir par la main et nous a reconduits sur l'îlot. Il nous a rassurés, disant que tout pouvait se dissiper dans dix minutes, ou dans une heure. Mais rien ne s'est dissipé. On allait y rester quatorze jours. Quatorze jours dans un froid atroce et sans rien à bouffer. L'îlot était désertique, un lieu pour les morts, un lieu pour l'afturganga qui le gardait. Du roc noir et neigeux, pas un arbre, pas une bestiole, pas une...

Victor se tut brusquement, couteau suspendu en l'air, et sa terreur était si nette que tous s'immobilisèrent avec lui. Adamsberg et Danglard se retournèrent, suivant la direction de son regard. Il n'y avait rien à voir qu'un mur et deux portes vitrées. Entre elles, un maladroit tableau de la vallée de Chevreuse. Œuvre de Céleste, une copie conforme à celui du bureau de Masfauré. Victor demeurait dans la même posture, respirant peu. Adamsberg fit signe à ses collègues de reprendre silencieusement une position naturelle. Il ôta le couteau de la main du jeune homme, puis abaissa son bras sur la table, comme il aurait manipulé un mannequin. Saisissant son menton, il lui tourna le visage.

— C'est lui, souffla Victor.

— L'homme attablé derrière nous, que vous voyez dans le miroir ?

— Oui.

Victor s'ébroua comme un des chevaux du haras, avala d'un coup son verre et se frotta le visage.

— Désolé, dit-il. Je ne pensais pas que raconter l'histoire me ferait perdre pied. Je ne l'ai jamais dite à personne. Ce n'est pas lui, c'est le reflet qui m'a égaré. D'ailleurs, il a l'air plus jeune qu'il y a dix ans.

Adamsberg examina l'homme entré peu après eux dans l'auberge. Il dînait seul, distrait, le journal local étalé sur sa table, jetant un regard lassé sur la salle. Il semblait fatigué par sa journée, simplement désireux de se coucher.

— Victor, dit Adamsberg à voix basse, il n'a ni collier de barbe ni cheveux blancs, sauf sur les tempes. Réfléchissez. Qu'est-ce qui vous a fait penser à lui ?

Victor plissa son front bas, tordant rapidement une boucle de cheveux entre ses doigts.

— Je suis désolé, répéta-t-il.

— Réfléchissez, répéta doucement Adamsberg.

— Ce sont ses yeux peut-être, dit Victor d'une voix hésitante, comme proposant une hypothèse. Ses yeux insignifiants qui regardent tout, qui fixent quand on s'y attend le moins.

— Il nous a fixés ?

— Vous, oui.

Adamsberg se dirigea de son pas tanguant – à peine – vers la patronne, au travail derrière son bar. Après quelques instants, elle venait s'asseoir à leur table.

— Vous n'êtes pas le premier, dit la grande femme en s'amusant, ni ne serez le dernier, tout commissaire que vous êtes. Même des grands restaurants, ils sont venus, pour essayer de savoir. Mais non, dit-elle en secouant son torchon, c'est à nous et ça reste ici. Pensez !

Adamsberg lui versa un verre de vin.

— Oh vous pouvez bien essayer avec ça ! continua la femme en avalant une gorgée. Je ne le dirai qu'au bord de ma tombe, et à ma fille encore !

— Aveu sur son lit de mort, marmonna Danglard. Allons, madame, on ne le confiera à personne, parole d'homme.

— Il n'y a pas de parole d'homme qui tienne, ni pour ça ni pour autre chose. J'ai connu une crêpière, dans le Finistère, eh bien elle a été torturée pour livrer son secret. Elle a finalement dit qu'elle mettait de la bière dans sa pâte et ils l'ont lâchée. Mais c'était pas de la bière.

— Mais de quoi parle-t-on ? demanda Bourlin d'une voix un peu alentie, tandis que Danglard se faisait au contraire plus vif à mesure qu'il buvait. À croire que l'alcool le soignait.

— De la recette des pommes paillasson, dit Danglard.

— Mais aussi de votre client solitaire, là-bas, près de la porte, dit Adamsberg. Trois mots sur lui, et je vous libère.

— Ben je ne le connais pas. Et je sais pas si j'ai le droit de parler de mes clients. Et puis nous et la police, ça fait deux. Pas vrai, Victor ?

— Vrai, Mélanie.

— Nous sommes d'accord, approuva Adamsberg en souriant, la tête un peu penchée.

Danglard observa le commissaire à l'œuvre, transformant inconsciemment son visage osseux, fait de bric et de broc, en un piège aussi charmant que subit.

— Vous ne le connaissez pas, mais vous ne voulez pas parler de lui. C'est donc que vous savez un petit quelque chose tout de même ? dit Adamsberg.

— Trois mots alors, dit Mélanie, boudant faussement.

— Cinq, négocia Adamsberg.

— C'est que je l'ai trouvé bizarre, c'est tout.

— Pourquoi ?

— Parce qu'il m'a demandé si je connaissais le cordonnier.

— Pardon ?

— Le cordonnier de Sombrevert. J'ai pas compris. J'ai dit oui, que tout le monde se connaît ici, et après ? J'aime pas ces manières. Alors il a sorti sa carte, et j'ai lu « inspecteur des impôts ». Alors j'ai dit : « Et alors ? Vous vous figurez qu'il cache quoi, le cordonnier ? Des bouts de lacets ? »

— Bien répondu, dit Victor.

— Ça m'a énervée, quoi, ces types, toujours à fouiller la merde – oh pardon, commissaire.

— Je vous en prie.

— Enfin, à faire suer le pauvre monde, tandis que les vrais sous, ils sont ailleurs. Je me suis dit que tout ce qu'il cherchait, c'était à me montrer sa carte. Pour m'impressionner en somme. Et ils y arrivent, c'est ça le pire, même quand on n'a rien à se reprocher. En cuisine, on a fait bien attention à la cuisson de sa viande. C'est dire, quand même. Plus vite il débarrassera le plancher, mieux on se portera.

— Mélanie, intervint Victor, ta petite salle privée, tu voudrais bien nous l'ouvrir ? C'est qu'avec ces messieurs, on voudrait être tranquilles, tu comprends ?

— Je comprends mais c'est pas chauffé, je vais préparer un feu. C'est à propos de la mort de ce pauvre M. Henri ?

— Bien sûr, Mélanie.

La patronne hocha lentement la tête.

— Un bienfaiteur, dit-elle. Victor, où c'est qu'est la cérémonie demain ? À Malvoisine ou à Sombrevert ?

— Ni l'un ni l'autre. On fait la messe au Creux. À la petite chapelle. Enfin, tu sais bien qu'il n'y croyait pas. C'est pour ne pas offenser.

— Au Creux, je sais pas si c'est bien correct, dit Mélanie en secouant ses joues. Enfin, on y est bien, nous, au Creux. Tant qu'on ne s'approche pas de la tour.

Danglard se retint, ce n'était pas le moment de disserter sur les superstitions du « Creux ». Mélanie avait lancé le feu dans la salle annexe, et les hommes se serrèrent sur un banc d'école peint en bleu, s'approchant des flammes. Sauf Adamsberg, qui marchait derrière eux.

— J'en rêve souvent, vous savez, dit Victor. Curieusement, pas des coups de couteau, ni d'elle. Je rêve de la manière dont on a réussi à faire du feu, grâce au légionnaire – on l'appelait comme ça, le type au crâne rasé. Le jour de notre arrivée, on restait tous comme des abrutis sur la rive à surveiller la levée de la brume. Lui, il a donné des ordres : préparer du bois pour le feu, élever deux murs de neige en pare-vent, chercher des bestioles à bouffer. Il nous commandait comme un adjudant et on a obéi comme des soldats. « Où ça, du bois ? a demandé le cadre sup'. Il ne pousse rien sur cette île. » « Là-haut, abruti ! il a gueulé, le légionnaire. Aucun de vous n'a vu quoi que ce soit ? Il y a des baraquements de trente mètres de long sur la plate-forme, des vieux séchoirs à poissons. Démontez-moi ça, planche par planche ! Les autres, ramassez de la neige, tassez-la à fond, faites des blocs. Allez-y par trois, en vous tenant la main ! Et grouillez-vous avant la tombée de la nuit ! » Une boule d'énergie, le légionnaire. À croire que sa pause sur la pierre tiède lui avait réussi.

Victor tendit ses mains vers la cheminée.

— Le feu, bon sang, si on ne l'avait pas eu. Et c'était grâce à cette tête brûlée. Une brute, mais une brute efficace. Le soir, ça flambait bien, on avait construit nos murs de neige à distance des flammes et bloqué la seule petite issue avec nos sacs.

Bourlin tira sur sa cigarette, pris par les glaces de l'Islande, se réchauffant aux flammes. Ici, c'était privé, et Mélanie avait apporté des cendriers et disposé les tasses à café, plus un verre à digestif pour M. Danglard.

— C'était notre baraque, continua Victor. Il faisait bien zéro degrés là-dedans, mais moins 6/7 degrés dehors, avec le vent. On se pétrifiait quand même et le légionnaire nous obligeait à nous lever toutes les heures, jour et nuit, à coups de claques s'il le fallait, pour bouger et parler – réciter l'alphabet bien fort –, pour qu'on ne se gèle pas les membres ni le visage. Rien à manger, on a somnolé assis. Crâne rasé ne voulait pas qu'on se couche sur la neige. Quelle plaie ce gars, mais il nous a sauvé la vie. Jusqu'à ce que cette ordure au collier de barbe nous l'enlève. Il ne tolérait pas les ordres du légionnaire. Il y a eu une bagarre, ça faisait trois jours qu'on n'avait rien mangé, et soudain, l'ordure s'est emportée. Il a sorti un couteau de barbare, et d'un seul coup, plus de légionnaire. Le sang giclait dans la neige, c'était immonde. Il a juste dit : « Il nous emmerdait. » Ça a été sa seule messe.

Victor leva les yeux vers Adamsberg.

— Je voudrais aller plus vite. Ou alors je bois un verre de gnôle, comme le commandant.

— Les deux en même temps, répondit Adamsberg, appuyé au manteau de la cheminée. Ce signe, dit Adamsberg en ouvrant son carnet, cela vous rappelle quelque chose ?

— Rien du tout. Pourquoi ? C'est quoi ?

« C'est quoi ? », avec le même étonnement qu'Amédée.

— Rien, reprit Adamsberg. On vous écoute, Victor.

— Il est parti enfoncer le corps dans la banquise, pour que les oiseaux ne lui piquent pas les yeux, ne le bouffent pas devant nous tant qu'il était encore tiède. Et puis trois jours après, il a déclaré que tant qu'à crever, il tirerait un coup avant, en regardant Mme Masfauré. Henri et moi, on s'est levés. Nouvelle bagarre.

Victor toucha son nez.

— Il m'a balancé un tel coup droit qu'il m'a cassé le nez. Avant j'avais un nez normal, à présent j'ai ce truc. Il a renversé Henri d'un revers de bras. Il semblait bâti en fer, ce type. Et sur son commandement, couteau sorti, on s'est tous rassis. Des lâches, hein ? Mais sans manger depuis six jours et en se gelant les os, on était sans forces. Lui, il avait aussi dû tirer un truc de l'énergie du cœur de la terre de la foutue pierre. Mais dans la nuit, il y a eu des cris, Mme Masfauré hurlait, et ce mec immonde fouillait sous son anorak, les mains sous son pantalon. Je vais vite, commissaire, je n'aime pas cette scène. Henri et moi, à nouveau debout, comme des morts-vivants glacés. D'autres aussi. Mme Masfauré a poussé le gars d'un rude coup, il est tombé dans le feu.

Victor sourit largement, comme Amédée.

— Putain, il avait le froc en flammes, il se tapait dessus, ça brûlait, on voyait presque ses fesses cramer à la lumière du feu. Un de nous – Jean, le cadre ? – a crié : « On voit ton cul, assassin ! Va le griller en enfer ! » Et Mme Masfauré qui se foutait de sa gueule et le traitait de tous les noms. Alors le gars a sorti sa saleté de couteau et il lui a planté dans le corps. De Mme Masfauré. Droit dans le cœur.

Victor prit le gobelet d'eau-de-vie que lui apportait Mélanie.

— On a vécu dans la terreur toute la nuit. Pendant que ce type était parti jeter le corps et qu'Henri sanglotait, on s'est juré de lui faire la peau. Mais à l'aube, il n'était pas là. Tous les jours il arpentait l'île sans relâche, il ne désarmait pas. Il cherchait de quoi manger, et on s'est tus. Il a réapparu un soir, il a ordonné qu'on jette des pierres dans le feu, puis il a balancé de la viande dessus. Des kilos de poisson, on était hypnotisés. Il a dit : « S'il y en a un de vous qui sait appâter les phoques, qu'il se lève. Cinq jours que j'ai posé les pièges. Si vous voulez bouffer, allez-y. Mais qui bouffe se tait. Et qui parle est mort. » On a bouffé. C'était un gros mâle, mais à dix, on n'en avait pas pour longtemps. Au matin, il est reparti poser ses pièges, tourner dans l'île avec son bâton. Faut le dire, pendant qu'on se blottissait près du feu comme des vaincus en récitant l'alphabet, lui, il tenait bon, il cherchait, il cherchait. Et plus tard, il a halé un autre phoque, un jeune ce coup-ci.

— Pardon, dit Danglard, Amédée ne nous a parlé que d'un seul phoque. C'est une erreur d'Alice Gauthier ?

— Impossible. Amédée n'a jamais été très attentif, surtout en ce moment. Deux phoques. Un gros mâle, et puis ce jeune. Ce type nous a sauvé la vie, faut lui concéder ça. Après tout, il aurait pu dévorer son butin dans son coin, sans qu'on n'en sache rien. Mais il a partagé. Avec Henri, on en a parlé quelquefois, plus tard. De ce gars assez taré pour tuer comme on respire, et assez humain pour répartir sa viande. Après tout, s'il nous avait tous abattus, et il le pouvait, et qu'il avait mangé ses phoques tout seul, il avait largement le temps d'attendre que la brume se lève. Enfin elle s'est levée, cette foutue brume, et en dix minutes encore. On s'est accrochés par les épaules, et on s'est mis en route. À nouveau, on voyait les toits du village. On nous a récupérés, nourris, lavés – on puait la graisse de phoque et le poisson pourri de la tête aux pieds –, mais on avait tous les lèvres scellées. Pas tout à fait. On racontait comme un seul homme qu'on avait perdu deux compagnons là-bas. Morts de froid, c'était la version imposée. Ou on y passerait nous aussi, c'est ce qu'il nous avait dit. Nous, nos proches, nos enfants, nos parents, nos amis. Moi, je n'avais ni enfant ni parents ni amis. Au nom de son fils, Henri m'a supplié de me taire. On a laissé le meurtrier en paix, et je vous jure qu'il était dangereux. Qu'il l'est encore.

— Les noms ? demanda Adamsberg. Les noms des autres membres du groupe ?

— Personne ne les connaît. Sauf lui.

— C'est impossible, Victor. Deux morts, il y a forcément eu une enquête à votre retour. On a dû prendre vos témoignages et vos identités.

— C'était bien l'intention de la police d'Akureyri, en face, sur le continent. Mais le type avait tout prévu. Sans nous laisser le temps de nous remettre, il nous a fait monter le lendemain sur un ferry pour la petite ville de Dalvík. En évitant donc Akureyri. J'ai cru qu'Henri allait crever pendant les six heures de traversée. De là, Reykjavik et puis Paris. Les autorités d'Akureyri, elles ne se figuraient pas une seconde qu'on tenterait de filer. Pourquoi on aurait filé ? Alors elles ont pris leur temps. C'est comme cela qu'on leur a glissé entre les doigts.

— Masfauré, il a bien dû déclarer le décès de sa femme ?

— Forcément. Mais ça ne gênait pas le tueur qu'on sache le nom des morts, des deux « morts de froid ». Mais en aucun cas le sien, ni les nôtres. Le « légionnaire » aussi a été identifié, par un témoignage de sa sœur. Un certain Éric, Éric Courtelin je crois. Vous pouvez vérifier tout cela dans les actualités de l'époque. Taisez-vous ! ordonna-t-il en se levant brusquement.

— Mais on ne parle pas, objecta Danglard, tandis que Bourlin levait des yeux mi-clos.

Cette fois, il n'y avait pas de peur sur le visage de Victor, mais une animation un peu passionnée. Adamsberg perçut au-dehors un raclement, un cri plaintif et pénible.

— C'est Marc, dit Victor en ouvrant la fenêtre d'un coup sec.

Adamsberg s'approcha, se demandant quel genre de gars pouvait produire un gémissement aussi hérissant qu'inhumain. Sans un mot d'explication, Victor enjamba le rebord de la fenêtre et sauta sur la chaussée, comme propulsé par l'urgence.

— Je reviens, dit Adamsberg à Mélanie. Auriez-vous une place, modeste, un palier, un fauteuil, n'importe quoi, pour coucher le commissaire ? Je reviens.

« Je reviens. » Ces deux mots mille fois dits, comme si Adamsberg réassurait sans cesse son entourage, redoutant lui-même de ne jamais revenir. On prend un chemin de forêt, on regarde les arbres, et puis qui sait ?

IX

Adamsberg était déjà aux trousses de Victor, lui-même aux trousses de ce Marc geignant et grondant, quand il entendit la course caractéristique de Danglard derrière lui.

Qui n'avait jamais vu courir le commandant Danglard en était surpris. Mélanie, depuis le pas de sa porte, regardait cet être se déplacer de la plus étrange manière, le buste sans forme projeté vers l'avant, suivi, loin derrière semblait-il, de deux jambes longues mais sans tenue, qui lui rappelaient les cierges fondus de l'église de Sombrevert. Dieu l'ait en sa sainte garde.

— Après quelle bête court-il ? haleta Danglard en se rapprochant d'Adamsberg.

— Ce n'est pas une bête, c'est un mec.

— Un mec comme ça, j'appelle ça une bête.

Adamsberg remonta aux côtés de Victor et l'attrapa par sa nuque en sueur.

— Merde ! lui cria Victor. C'est Céleste ! Marc est venu me chercher !

— Qui est Marc ?

— Mais son sanglier, bon sang !

Adamsberg se tourna vers Danglard, qui avait déjà pris dix mètres de retard.

— Vous aviez raison, commandant. C'est une bête. Qui nous mène droit vers Céleste, ne me demandez ni pourquoi ni comment.

Au lieu d'emprunter l'allée de la maison, Victor s'engagea dans les bois de l'ouest, connaissant son sentier sur le bout des doigts. Adamsberg le talonnait, Danglard s'essoufflait à l'arrière avec sa lampe-torche, tenace, protégeant ses chaussures. Un bon kilomètre de forêt, estima Adamsberg en s'arrêtant derrière Victor devant une vieille cabane en bois, où un très puissant sanglier, en effet, soufflait face à la porte.

— Attention, prévint Victor, Marc n'aime pas les étrangers, et particulièrement quand on s'approche de la demeure de Céleste. Prenez ma main, je vous guide, il faut mélanger nos odeurs. Caressez sa tête. Vous verrez, son museau est soyeux comme celui d'un caneton. C'est sa particularité : son groin est resté enfant.

Victor posa la main du commissaire sur la gueule soidisant juvénile de l'impressionnante bête noire aux poils drus, de quelque un mètre soixante de long, estima Adamsberg, et dont la tête massive dépassait largement sa ceinture.

— Là, Marc, ce sont des amis, dit Victor en frottant l'animal sur le cou, tout en frappant à une lourde porte de rondins de bois. Céleste ! Ouvre-moi !

— C'est pas fermé, dit une voix fluette et contrariée.

Victor poussa la porte et se plia en deux pour entrer dans l'étroite et misérable cabane. Le sanglier se précipita vers Céleste, puis se retourna aussitôt et fit barrage de son corps et de ses défenses blanches. Aussi grandes et blanches que les dents de Victor.

— Ce n'est rien, dit aussitôt Céleste en secouant les mains.

— Marc est venu me chercher à l'auberge. Dis-moi.

— Il a eu peur.

— Il est le plus fort de la harde. Marc n'a peur que si tu as peur.

— Il peut avoir ses soucis, non ? Que peux-tu savoir des soucis d'un sanglier ?

Adamsberg, après avoir cheminé alentour, entra dans la cabane.

— Ça sent le cheval, dit-il.

— Tout sent le cheval ici, répliqua Céleste.

— Pas dehors, pas dans les bois. Ça sent surtout l'onguent aussi. Un mélange de menthe, de jacinthe et de camphre. On en mettait sur les pattes des ânes, chez moi. Il est venu ici ?

— Qui ?

— Celui qui a sifflé Dionysos.

— Oh, Pelletier ? dit Céleste d'un ton détaché, presque candide.

— Il est venu ici ?

— Ça m'étonnerait, dit Victor. Marc ne peut pas l'encaisser.

— Et ce soir ? insista Adamsberg.

— La porte a fait du bruit et Marc s'est énervé, dit Céleste avec une mauvaise grimace, impatiente. C'est qu'une bête après tout.

— Non, affirma Victor. Marc est fin comme une mouche. Il est venu parce que tu étais en danger.

La petite femme, réfugiée sur le seul tabouret de la masure, sortit une pipe de sa robe-tablier et entreprit de la bourrer. Une pipe courte au fourneau large, assez masculine.

— Céleste, insista Victor, on enterre Henri demain. Ce n'est pas le moment de mentir. Un suicidé ou un assassiné ne monte pas là-haut de la même façon.

— Dieu sait, dit Céleste en allumant son tabac, rejetant de gros nuages de fumée. Pourquoi tu parles d'assassinat, Victor ? T'as pas honte d'accuser ?

— J'en parle parce que les flics en parlent. Alors Dieu sait, ou *tu sais*, ce que Pelletier est venu faire ici à la nuit.

— Ça sent le cheval et l'onguent, répéta doucement Adamsberg, assez fasciné par la maigre femme serrant ses dents sur ce tuyau de pipe. Mais j'aime bien l'odeur de l'onguent, ajouta-t-il en tournant son visage dans l'ombre, la cabane n'étant éclairée que par deux bougies.

— D'accord, admit Céleste. Il a juste secoué la porte.

— Il l'a défoncée, dit Victor en lui tendant des éclats de bois. Avec quoi a-t-il fait sauter ce rondin ? Avec sa hache ?

— Il était ivre, c'est pas de sa faute. Faut que je mette du chêne au lieu du sapin, tu vois bien que ce n'est pas assez solide, j'en avais déjà parlé à M. Henri.

— Cesse, Céleste. Qu'est-ce qu'il t'a fait ?

— Rien.

— Rien ? Et Marc a cavalé jusqu'à l'auberge ?

— C'est qu'une bête, répéta-t-elle.

— Qui ça ? Pelletier ? dit Victor en montant d'un ton.

— Ne t'emballe pas, il m'a juste un peu secouée par les épaules.

— Un peu ? Montre-les moi.

— Ne me touche pas, ordonna-t-elle.

Et Marc reprit sa posture menaçante, faisant cette fois claquer ses dents.

— Henri Masfauré ne s'est pas tué, Céleste, interrompit doucement Adamsberg. Que vous a dit Pelletier ?

Et Céleste eut l'impression que les yeux vagues de ce commissaire ne la lâcheraient pas, pas plus que ceux de son instituteur, non, pas avant qu'elle ait fini ses devoirs. Tandis que, curieusement, Marc se calmait, au point de s'avancer de deux pas vers le commissaire, lui présentant sa hure. Adamsberg passa prudemment deux doigts sur le duvet de caneton de son mufle. Cette entente parut décider Céleste.

— Il a juste dit que depuis la mort de M. Henri, je le regarde mal. Et que je dois cesser ça.

— Et pourquoi le regardez-vous mal ?

Céleste sortit un bourre-pipe de son autre poche, tassa le tabac et tira une longue bouffée.

— Il était saoul. C'est des choses qu'il invente. Et puis Marc l'a chargé, il l'a coursé dans la forêt. J'avais pas idée qu'il irait chercher Victor.

— Il est arrivé quand, ici ?

— Il y a neuf ans. Il a perdu ses parents tout petit, abattus comme des moins que rien, et ses frères et sœurs ont crevé dans la bauge.

— On peut comprendre que cela ait influé sur son caractère, dit Danglard, qu'on avait oublié, et qui se tenait dehors, presque droit, appuyé contre le chambranle de la porte cassée.

— Je parlais de Pelletier, pas de Marc, dit Adamsberg. Il est arrivé quand ?

— Oh lui ? Un peu après moi. En quoi ça regarde ?

— Tout regarde, quand il y a eu un mort, dit Danglard.

— Parce que vous vous figurez qu'il aura tué M. Henri ? Qu'était son bienfaiteur ? Tout cela parce que Marc a perdu la tête ? Il est encore en rut, si vous voulez savoir. Sa portée, elle a pas bien donné. Il est en retard, il faut qu'il refasse la chose. Et ça l'énerve, faut comprendre.

— On en a vu beaucoup qui jettent leur bienfaiteur aux orties, dit Danglard.

— Après qu'il est parti, dit Céleste d'une voix changée, comme si elle était encore à servir dans le grand salon, j'ai entendu souffler une vipère dehors.

Elle fronça les sourcils, préoccupée, expulsa la fumée.

— Je vais devoir boucher les fentes avec de la pâte à bois. Ou elles vont rentrer.

Victor jeta un regard à Adamsberg en secouant la tête. Ils n'en tireraient pas un mot de plus, en tout cas pas maintenant.

— Ou bien répandre de la fiente de corvidés, suggéra Adamsberg. Ça fait fuir les vipères.

— Il y en a des tonnes dans la tour, dit Victor.

— Je ne veux rien qui vienne de la tour. Tu le sais bien, Victor.

— Pourquoi vous taisiez-vous, Céleste ? Pour Pelletier ?

— À présent que M. Henri a quitté ce monde, on ne sait pas ce qu'on va devenir, nous autres. Moi, Victor, Pelletier. Alors je n'allais pas lui faire du tort, en plus, pour une simple ivrognerie.

Elle quitta son tabouret et s'activa un moment dans la cabane, pipe aux dents, versant de l'eau dans une cuvette en émail avec un vieux broc, puis tirant méticuleusement la couverture sur son matelas de mousse posé à même le sol, lui-même posé sur une bâche en plastique bleue pour l'isoler de l'humidité. Adamsberg observait ce lieu désolé, le vieux poêle à charbon, le sol de terre battue, où une tache circulaire sombre de quelque vingt centimètres attirait son regard. Il s'accroupit et y posa la main. Un simple petit cercle plus humide qu'alentour.

— Marc pisse ici ? demanda-t-il.

— Oui, répondit fermement Céleste.

— Non, dit Adamsberg. Il marque son territoire à l'extérieur de la cabane.

Du bout des doigts, il commença à dégager la terre fraîche, sous le regard affolé de Céleste.

— Vous n'avez pas le droit, dit-elle en haussant le ton. C'est là que j'enterre mes sous !

— Je vous les rendrai, dit Adamsberg en continuant d'ôter la terre friable.

Il n'eut pas à creuser profond avant de rencontrer sous ses doigts le bord d'un verre épais, à fond plat, qu'il sortit de la petite cavité. Il se redressa, le secoua, le passa sous son nez.

— Whisky, dit-il calmement.

— Le verre d'Henri Masfauré ? demanda Danglard.

Empoisonné, pensa le commandant. Céleste amoureuse du grand génie de l'air. Masfauré allait se remarier, qui sait ? Et elle l'a tué. Mais en ce cas, pourquoi ne pas détruire le verre ?

— Marc va vous raccompagner jusqu'à l'allée, annonça subitement Céleste, comme elle aurait parlé de son majordome à la fin d'une soirée mondaine.

— Après la découverte d'Amédée, dit Adamsberg, vous êtes montée au bureau. Et vous avez rangé la bouteille et emporté le verre.

— Oui. Marc va vous raccompagner jusqu'à l'allée.

— Pourquoi, Céleste ?

Céleste reprit place sur le tabouret, se balança un moment, le sanglier allant et venant contre ses jambes en réconfort, les frottant jusqu'à les rougir. Puis il se dirigea de nouveau vers Adamsberg et leva sa hure. Sans appréhension cette fois, Adamsberg caressa sa tête.

— Il s'était tué. La police, les journalistes, ils allaient le dire. Qu'il buvait du whisky tous les soirs. Ils allaient le calomnier. Alors j'ai pris le verre.

— Et pourquoi l'avoir enterré ?

— C'est son dernier verre, c'est pour le souvenir. On jette pas le dernier verre d'un mort.

— Je suis obligé de l'emporter pour analyse, dit Adamsberg en le glissant droit dans sa poche. Je vous le rendrai.

— Je comprends. Ne le nettoyez pas, s'il vous plaît. Marc va vous raccompagner jusqu'à l'allée.

Et cette fois, les hommes obéirent. D'un signe, Adamsberg demanda à Victor de rester un moment avec elle. Obéissant, Marc trottait devant eux – jusqu'à l'allée, avait ordonné sa mère, Céleste –, sans plus aucune animosité.

— Un homme, une femme, énonça Danglard, qui surveillait de sa lampe le sentier sous ses pieds.

— Mais quel homme, Danglard ? demanda Adamsberg.

— Henri Masfauré, qui d'autre ?

— Je n'y crois pas. Vous oubliez la visite de Pelletier. Céleste sait quelque chose, il la craint et, pire, il la menace. Mais pourtant, elle le protège. Elle avait quoi, quand il est arrivé ici ? Trente-cinq ans.

— Et après ?

— Après ? Un homme, une femme.

Les deux hommes marchèrent en silence, précédés par le bruissement sonore de Marc.

— Elle appartient à qui, cette tour ? demanda soudain Adamsberg.

— Au Creux.

— Et qu'est-ce qu'elle a ?

— Mauvaise réputation, selon Céleste. Elle dit que dans le temps on s'en servait comme oubliette. On entassait les prisonniers là-dedans, et on les laissait crever.

— Alors forcément.

— Alors forcément, on entend encore pleurer leurs âmes et leurs spectres réclamer vengeance.

— Cela se comprend.

— Bien sûr.

Marc ne s'arrêta pas à l'allée, mais les mena à travers bois jusqu'à une brèche dans la clôture.

— Évidemment, dit Adamsberg. Il sait qu'on ne peut sortir que par là. Le portail est enchaîné à triple tour.

— Céleste lui a ordonné : « Jusqu'à l'allée. »

— Je ne veux offenser personne, Danglard, mais Marc est peut-être plus malin qu'elle. Pourquoi ? Parce qu'il s'adapte, alors que Céleste se fige.

Adamsberg caressa le nez d'enfant du lourd sanglier.

— Je reviens, lui dit-il.

Bourlin dormait sur le banc de bois bleu qui disparaissait sous sa masse. Adamsberg le secoua par l'épaule.

— Je rentre à Paris, Bourlin, avec Danglard.

— Dommage, dit Bourlin en s'asseyant, j'étais bien ici. Mélanie m'aurait fait des pommes paillasson tous les soirs.

— Sûrement.

— Jamais mangé d'aussi bonnes. Je suis dessaisi bien sûr. Je viens de recevoir l'avis. Évidemment, le 15ᵉ arrondissement ne s'étend pas jusqu'à l'*Auberge du Creux*. Et c'est toi qui écopes du truc.

— Oui.

— C'était quoi, ce cri ?

— Un sanglier venu chercher du secours. Pelletier a malmené Céleste. Elle vit dans une cabane misérable au fond des bois en fumant la pipe. Comme les sorcières.

— Une cabane ? Mais il était quoi, son patron ? Un philanthrope ou un négrier ?

— Ce serait peut-être utile de le savoir. N'oublie pas de prendre en photo le signe sur le cuir du bureau.

— Ce foutu signe.

— Comme une guillotine.

— Tu l'as déjà dit. Tu as déjà vu une guillotine à deux lames ?

— Jamais.

X

Adamsberg avait repris la route après avoir déposé le verre à whisky à la gendarmerie de Rambouillet. Avec ordre formel de le restituer à Céleste après examen. Le fracas de la pluie sur le pare-brise réveilla Danglard.

— Où en sommes-nous ? demanda-t-il.

— On a dépassé Versailles.

— Je parle de l'enquête. Meurtres ou suicides.

— Deux suicidés qui laissent le même signe, Danglard. Deux suicidés liés au même rocher d'Islande. Ça ne va pas. Et Amédée qui fait l'aller-retour entre les deux.

— Difficile de le ressentir comme un assassin enragé, commettant meurtre sur meurtre en deux jours. On l'imagine plutôt en poète, les joues blanches et la plume à la main. Et non pas un fusil et non pas un rasoir.

— Mais on le saisit mal. Personnalité changeante, tempérament nerveux, yeux tantôt absents, tantôt colériques.

— Peureux aussi, au point de fuir à cheval.

— S'il voulait fuir, Danglard, le meilleur moyen était encore de sauter dans sa voiture.

— Le meilleur moyen des imbéciles, commissaire. À cheval, on ne pouvait pas le suivre. Il aurait cavalé jusqu'à Rambouillet, attrapé un train pour Paris. Et de là, Lisbonne, Naples, Copenhague, comme vous voulez. Plus vite que nous.

— Pour un tel projet, il n'aurait pas pris Dionysos, et à cru en plus. Non, il avait autre chose en tête, dit Adamsberg en abaissant sa vitre, tendant son bras à l'extérieur.

Il faisait toujours cela, sentir la pluie sur sa main.

— Ou bien il n'avait rien en tête, dit Danglard.

— Ce qui serait plus inquiétant encore, mais possible. Une tête creuse dans un beau visage ? Le contraire de Victor. Un esprit plein dans un visage mal fait.

— Et lui, Victor ? Il a pu lire la lettre d'Alice Gauthier et foncer à Paris.

— Pour qu'elle ne parle plus, oui. Mais Victor n'a aucune raison de tuer son patron. Et pour les autres, c'est le contraire.

— Exact, dit Danglard. Céleste, Pelletier, ou n'importe quel voisin aurait pu vouloir assassiner Henri Masfauré. D'après Bourlin, il détient une fortune. La famille a amassé presque un millier de toiles entre les années 1870 et 1930. Des masses d'argent, tout le nécessaire pour déclencher drames et fureurs. En revanche, aucun motif pour aller noyer Alice Gauthier.

— Encore moins pour tracer le signe.

— On en revient au signe.

Danglard soupira en se calant dans son siège.

— Cela vous agace de n'avoir pas pu le déchiffrer, dit Adamsberg.

— Pire que cela. Pourquoi avez-vous parlé de guillotine ? Cela ressemble à tout sauf à une guillotine.

— J'en ai parlé, Danglard, parce que c'est une guillotine.

Le commandant secoua la tête dans l'ombre. Adamsberg ralentit et se gara sur le bas-côté de la nationale.

— Qu'est-ce qu'on fout ? grogna Danglard.

— Je ne sors pas pisser, je vous dessine cette guillotine. Ou plutôt ce dessin de guillotine. Donc je vous dessine un dessin.

— C'est cela.

Adamsberg alluma ses feux de détresse et se tourna vers le commandant.

— Vous vous souvenez de la Révolution ? demanda-t-il tout en décollant une boule de bardane de son pantalon.

— Française ? Je n'y étais pas mais je m'en souviens, oui.

— Tant mieux parce que moi pas. Mais je sais qu'à un moment ou à un autre, un ingénieur a proposé qu'on adopte la guillotine pour les condamnés à mort, pour que tous soient exécutés de manière égale et sans souffrance. À l'époque, il ne s'agissait pas de la destiner à la Terreur.

— Pas un ingénieur, un grand médecin. Le Dr Guillotin.

— Voilà.

— Joseph-Ignace Guillotin.

— Si vous voulez.

— Qui fut d'abord médecin du comte de Provence.

— Danglard, vous voulez que je vous dessine ce dessin, oui ou non ?

— Allez-y.

— À une certaine date, le roi est encore roi. Et ne me dites pas qu'il s'appelait Louis XVI, je le sais. À je ne sais quelle réunion, Guillotin vient présenter sa machine. On dit que le roi est présent.

— Avant août 1792, alors.

— Sans doute, Danglard.

Le commandant fronça les sourcils, et Adamsberg alluma une cigarette défraîchie, en tendant une à son adjoint. Les deux tisons brillèrent dans l'habitacle silencieux.

— On pourrait croire qu'on est seuls au monde, dit Adamsberg à voix basse. Où sont les gens ? Les autres ?

— Ils existent. Ils ne sont pas en train de dessiner des dessins sur les bords de route, voilà tout.

— On dit, reprit Adamsberg, que le docteur a présenté un dessin de guillotine classique. Parce qu'en réalité elle existait depuis bien avant.

— Depuis le XVIᵉ siècle. Mais Guillotin en avait amélioré le système.

— Parce qu'elle se présentait comment, avant, la guillotine ?

— Avec une lame convexe.

— Comme ça, donc, dit Adamsberg en dessinant sur la buée du pare-brise deux barres verticales et une ligne en forme de croissant entre les deux.

— Comme ça. Ou avec une lame droite. Et Guillotin a estimé qu'une lame transverse serait beaucoup plus efficace et rapide.

— Eh bien, ce n'est pas ce qu'on m'a dit. On m'a dit que le roi, qui était beaucoup plus calé en mécanique qu'en politique, s'est emparé du croquis, l'a examiné, a réfléchi, puis a barré la lame ronde d'un trait oblique, pour indiquer sa modification. C'est lui qui a transformé la machine, c'est lui qui l'a améliorée.

Adamsberg ajouta une ligne transversale à son dessin sur le pare-brise.

— Comme cela.

Danglard abaissa sa vitre à son tour, jeta sa cendre par la fenêtre. Adamsberg décolla une seconde boule de bardane. Si c'étaient bien des graines, il pourrait les planter dans son très petit jardin. Il la déposa sur le tableau de bord de la voiture.

— Qu'est-ce que c'est que cette histoire ? demanda Danglard.

— C'est une histoire, précisément, et je n'ai pas dit qu'elle était vraie. Je dis qu'on la raconte. Que Louis XVI aurait dessiné lui-même l'outil parfait qui allait le décapiter.

Danglard était mécontent, soufflant la fumée entre ses dents.

— Où avez-vous lu ça ?

— Je ne l'ai pas lu. Vous vous rappelez le vieil érudit de la place Edgar-Quinet ? C'est lui qui me l'a racontée un jour, en dessinant la même chose avec son doigt sur la table mouillée du café, au *Viking*. Je suis désolé, Danglard, dit Adamsberg en remettant le contact. Il n'est pas déshonorant d'ignorer des choses. Ou bien je roulerais dans un fleuve de boue.

— Je ne suis pas humilié, je suis stupéfait.

— Alors qu'en pensez-vous à présent ? Du signe ?

— Pas révolutionnaire en tous les cas. Ou il n'y aurait pas cette allusion au roi.

— À un roi décapité, Danglard. Ce n'est pas pareil. On peut le voir comme un signe de Terreur suprême, de châtiment suprême.

— Si c'est bien ce que le tueur a voulu représenter.

— Ça peut être une coïncidence. Mais remarquable.

— Ça voudrait dire un tueur qui s'intéresse à l'Histoire.

— Pas nécessairement. Je le connaissais bien, moi, ce dessin. Ou bien un tueur qui se souvient de tout.

— Un hypermnésique.

— Comme Victor par exemple.

Adamsberg roula en silence, s'approchant des portes de Paris.

— Nous ne sommes pas seuls au monde, finalement, dit-il en doublant un camion. Sûrement un gars qui réfléchit à la Révolution.

— Ça ne fait pas de doute.

XI

À l'opposé de Danglard, Adamsberg n'avait pas besoin de beaucoup de sommeil. Il ouvrit les yeux à 7 heures, mit le café en route tandis que son fils, Zerk, coupait le pain. Zerk n'était pas plus maniaque que lui, et ses tranches étaient épaisses et inégales.

— Des soucis cette nuit ?

— Un mort dans la vallée de Chevreuse. Interrogatoires, fils nerveux joli comme une fille, secrétaire doué d'une étrange mémoire, un haras, une brute pour le diriger, une femme logée dans une cabane forestière, un sanglier, l'auberge locale, la guillotine de Louis XVI, une tour maudite pleine de fientes de corvidés, le tout dans un endroit qu'on appelle « Le Creux » et qui n'est pas sur la carte.

— C'est mal embrayé ?

— C'est très compact.

— Le pigeon est passé hier. Tu l'as raté.

— Ça faisait bien deux mois qu'il n'était pas venu. Il allait bien ?

— Très bien, mais il a encore chié sur la table.

— C'est un cadeau, Zerk.

À 9 heures, Adamsberg avait réuni la presque totalité de ses adjoints dans la plus grande salle de la Brigade, que Danglard avait nommée un jour précieusement la « salle du concile ». En opposition avec la plus petite « salle du chapitre », qui rassemblait des groupes d'officiers plus restreints. Les appellations étaient entrées dans l'usage courant. Danglard lui-même était ce matin au concile, mal réveillé, et tendait la main vers le café que lui apportait Estalère. Au concile comme ailleurs, le jeune brigadier s'était voué de lui-même à cette fonction, celle de préparer les cafés, qu'il remplissait à la perfection – la seule, disaient certains. Pour le reste, ses yeux verts écarquillés donnaient l'impression de quelque ahurissement perpétuel. Estalère vénérait deux idoles dans la brigade, le commissaire et la puissante et omnipotente Violette Retancourt, à qui ses parents, par quelque malentendu, avaient donné le nom d'une fleur fragile sans prévoir qu'elle atteindrait la taille d'un mètre quatre-vingt-quatre et la masse musclée de cent dix kilos. La dissemblance fondamentale de ses deux dieux laissait souvent Estalère dans une perplexité chagrine, incapable de choisir à la croisée des chemins divergents.

Adamsberg n'avait pas de talent pour les synthèses et les exposés organisés, et il abandonnait pour l'heure cette tâche à Danglard, qui résumait les événements, depuis la femme dans la baignoire – tout habillée, précisa-t-il à l'intention du lieutenant Noël, l'officier le plus trivial de la brigade – jusqu'à la course en forêt menée par le sanglier. Le tout de manière chronologique en même temps que thématique, dans un tressage savant qu'Adamsberg admirait. Chacun savait bien sûr que le commandant Danglard allait bifurquer de-ci de-là dans quelques méandres érudits, ce qui allongerait son récit, mais on s'en accommodait. La femme dans la cabane des bois et la tour mauvaise suscitèrent l'intérêt du commandant Mordent, qui dressa sa tête ridée sur son long cou, prenant cette étonnante allure de vieux héron guettant mélancoliquement un poisson. Mordent était un fin connaisseur des contes de fées, une spécialité qui n'aidait en rien le travail de la brigade, pas plus que le savoir pointu de Voisenet en ichtyologie – soit la science des poissons, avait fini par mémoriser Adamsberg. Et particulièrement des poissons d'eau douce. Sa passion s'étendait à d'autres domaines fauniques et Voisenet se demandait déjà quels corvidés peuplaient la tour, des choucas, des corneilles – noires ou mantelées ? –, des corbeaux freux ?

Le discret Justin, assis à côté de Retancourt, qui semblait pouvoir le balayer d'un souffle, était le seul à prendre des notes en continu.

Pendant qu'Adamsberg arrachait des graines de gratteron du bas de son pantalon, Danglard fit tourner le dessin du signe autour de la table et tous secouèrent la tête les uns après les autres, décontenancés, à l'exception du lieutenant Veyrenc de Bilhc, un Pyrénéen sorti du même morceau de montagne qu'Adamsberg. Veyrenc retint le papier dans sa main un moment, sous l'œil attentif du commissaire, attendu que son compatriote avait enseigné l'Histoire dans une première vie.

— Rien, Veyrenc ? demanda Adamsberg en relevant la tête.

— Pas certain. Ce sont des graines de gratteron ?

— Oui, mais de l'an passé. Elles sont desséchées, mais elles adhèrent encore rudement bien. À moi, cela m'évoque une guillotine. Allez-y, Danglard, développez, sans nécessairement vous étendre trop longuement sur Joseph-Ignace Guillotin.

Un moment de flottement suivit l'exposé de Danglard, énoncé sans aucune conviction, sur Louis XVI, la lame convexe et la correction en une lame droite et oblique. Veyrenc seul adressa un léger sourire à Adamsberg, ce sourire ourlé et posé de biais, signalant sa discrète satisfaction.

— La Révolution ? dit Retancourt en croisant ses bras épais. Je crois qu'on peut tirer un trait dessus, non ?

— Je n'ai pas dit que c'était cela, répondit Adamsberg. J'ai dit que cela me l'évoquait. Et les analyses du signe ont montré qu'il a bien été dessiné ainsi : d'abord les deux barres verticales, puis la ligne courbe, puis le barrage en oblique.

— L'idée est jolie, intervint Mercadet, qui pour l'heure était réveillé et dont l'esprit offrait une vivacité maximale.

Mercadet souffrait d'hypersomnie, obligé à une sieste toutes les trois heures, et la brigade faisait corps autour de lui pour dissimuler le fait au divisionnaire.

— Mais il est vrai, continua-t-il, qu'on comprend mal ce que viendrait faire une guillotine – moitié royale, moitié révolutionnaire – dans ce contexte du drame islandais.

— On ne le voit même pas du tout, approuva Adamsberg.

— Surtout qu'on ne peut pas affirmer qu'il s'agit de meurtres, dit Noël de sa voix rauque, enfonçant ses poings dans son blouson de cuir. Ces deux-là, Alice Gauthier et Henri Masfauré, étaient peut-être des amoureux transis – c'est le cas de le dire, ricana-t-il – qui avaient décidé de disparaître ensemble.

— Mais on n'a pas trace du moindre appel téléphonique entre Gauthier et Masfauré, dit Danglard. Bourlin a remonté sa ligne sur un an.

— Elle a peut-être écrit. Ils se tuent, laissant leur signe de connivence. Non, rien ne prouve les meurtres.

— Maintenant si, dit Adamsberg en ouvrant son téléphone portable. Le labo a fait vite. Danglard vous a exposé que les mains du suicidé, Henri Masfauré, étaient couvertes de poudre. Alors qu'un éventuel assassin, ganté, couvrant le pouce de Masfauré pour tirer, aurait laissé l'ongle vierge de résidus. Mais non, poudre partout. Donc suicide. J'ai demandé un autre examen, plus fin.

— Je comprends, déclara Estalère avec gravité, suivi par une éphémère consternation.

— Et il y a en effet des manques sur les poignets, enchaîna Adamsberg, là où le tueur aurait maintenu les mains de Masfauré dans les siennes. Et on a une trace sans équivoque sur le pouce droit. Une ligne, un trait blanc de trois millimètres de large. Le tueur a donc bien appuyé sur le doigt de sa victime, mais à l'aide d'une ficelle, ou plutôt d'un solide lacet de cuir. Masfauré a été assassiné.

— Si c'est le même signe, s'obstina Estalère en frottant son front, la femme a été noyée de force dans sa baignoire.

— Juste. Et c'est le tueur qui a tracé le signe.

— Ça ne tient pas, intervint Retancourt. S'il veut maquiller les deux meurtres en suicide, pourquoi trace-t-il un signe ? Sans le signe, les deux morts auraient été classées séparément et on n'en parlait plus. Alors ?

— Parce qu'il revendique ? proposa Voisenet. Il inscrit la marque de son pouvoir ? Avec cette supposée guillotine ?

— Considérations banales, dit Retancourt.

— Quand bien même, dit Mordent. C'est le terreau de la vie, la banalité. Rarement, une perle, un grain de sable, une particule luisante tombe sur notre épaule. Et dans cet océan de vagues ordinaires, le pouvoir est le vice banal le plus à son aise chez l'homme. Alors, pourquoi pas le symbole d'une guillotine pour marquer sa puissance ?

— Royaliste ? dit Adamsberg. Révolutionnaire ? Qu'importe au fond. C'est un signe qui indique une exécution suprême.

— Quoi de suprême là-dedans ? dit Mercadet.

— L'Islande. Il y tenait onze êtres sous son emprise, il les tient toujours, et cela le grise. Plus que six à présent.

— Tous en danger de mort, dit Justin.

— Seulement s'ils parlent.

— Mais l'édifice du silence a commencé à se fissurer, dit Adamsberg. Deux morts en deux jours. Divulgués dans la presse. Les six autres ont compris. Vont-ils se taire, vont-ils se terrer, vont-ils s'effondrer ?

— Et impossible de les protéger, ajouta Danglard, affaissé. À part Victor, tous sont anonymes. Nous avons un cadre supérieur – Jean –, un « Doc », une environnementaliste – la compagne de Gauthier –, un spécialiste

112

des manchots empereurs, un sportif. Rien d'autre. On peut ajouter Amédée à la liste des menacés.

— Si Amédée n'a pas tué lui-même, contra Mordent. Et des mobiles, il en avait. À se demander pourquoi on ne lui serre pas la vis dès maintenant.

— Parce que pour le moment, on visserait dans le vide, dit Adamsberg.

Qui rassembla sous ses doigts un petit tas de graines de gratteron et laissa passer un assez long moment.

— Huit d'entre vous partent pour Le Creux sitôt après le déjeuner, ordonna-t-il. Vous aussi, Estalère.

— Estalère peut assurer la permanence à la brigade, dit Noël, de son intonation railleuse.

— Estalère met en confiance ceux qu'il interroge, précisa Adamsberg, contrairement à l'ensemble des flics, et à vous par exemple, lieutenant. Allez me chercher là-bas tous les ragots possibles. Les médisances, les éloges, les ressentiments, les vérités, mensonges, soupçons, rancœurs. Voyez les villageois, les notables, les maires de Sombrevert et de Malvoisine, tout ce que vous pouvez. Qui fut Henri Masfauré ? Quelle fut sa femme ? Et Céleste ? Et Pelletier ? Amédée ? Victor ? Qui, quoi, comment ?

— C'est amusant de remarquer, observa Danglard, que le premier qui passa sous la guillotine nouvelle en 1792 était un voleur nommé Pelletier.

— Danglard s'il vous plaît, dit mollement Adamsberg, ils ont tous faim, et ils partent à 14 heures. Vous aussi. Pour vous, passage chez le notaire d'Henri Masfauré. Mercadet vous accompagne, il est calé en chiffres. La fortune est immense, dit-on. Mordent, prenez qui vous voulez et fouillez dans le passé de l'épouse. Noël, concentrez-vous sur la brute qui dirige le haras, un ex-détenu, c'est votre rayon. Prenez Retancourt avec vous. Étant donné le prototype du gars, ce ne sera pas de trop. Et ne vous placez pas à l'arrière des chevaux, il est capable d'ordonner une ruade sur un simple sifflement. Veyrenc, vous collez au fils, Amédée. Froissy, vous restez ici, vous serrez sur Alice Gauthier, vous réinterrogez le voisin, la garde-malade, les collègues, fouillez tout.

— On pourra aller voir la tour ? demanda Voisenet, curieux des corvidés.

— Pourquoi ?

— Pour se faire une idée de tout.

— Allez-y si ça vous chante, lieutenant. Et si vous en avez le temps, prélevez un seau de fiente pour l'étaler autour de la cabane de Céleste. Ne dites pas que cela vient de la tour, elle la craint comme la peste. Rude à l'abord. Mais brave.

— Pourquoi ? demanda Kernorkian.

— Pourquoi elle est rude ?

— Non, pourquoi la fiente ?

— Il y a des vipères. Ou elle les imagine. Et sa cabane n'est pas bien isolée. Faut en répandre tout autour.

— Très juste, approuva Voisenet, elles en fuient l'odeur. Mais elle ? Rude et brave ?

— C'est souvent comme ça, quand on défend un gosse contre vents et marées. Et pourquoi le défend-elle à ce point ? Cherchez, tous. Dînez à l'*Auberge du Creux*, la cuisine en vaut la peine, de l'avis du commissaire Bourlin.

— L'*Auberge du Creux* ? dit Mercadet, un peu surpris.

— C'est ainsi, lieutenant, ils appellent ça le « Creux ». C'est un morceau de terre errante entre les deux villages et ça n'est pas indiqué sur la carte. L'*Auberge du Creux*, la chapelle du Creux, la tour du Creux.

— On s'en fout de cette tour, gronda Noël.

— On ne se fout jamais de rien, Noël. Ni d'une tour, ni d'un pigeon, ni de Retancourt. Vous vous souvenez ?

Noël inclina à peine la tête, avec désagrément. Il avait tout de même donné son propre sang à Retancourt, pour un cas d'urgence. Adamsberg ne désespérait pas, presque pas, de le rectifier un tant soit peu.

Cette manière de distribuer des ordres – c'était son foutu boulot, qu'il ne pouvait confier à Danglard – l'indisposait. Il fit au plus vite et l'équipe se sépara pour déjeuner, les uns se dirigeant vers l'opulente, bourgeoise et décadente *Brasserie des Philosophes*, les autres vers le petit café du *Cornet à dés*, où l'épouse, couvant sa colère, obéissait muettement aux ordres de son mari abrupt, tout en confectionnant des sandwichs peu communs. On appelait le patron « Gros-Plant ». En réalité, on ne l'appelait pas, l'homme n'aimant pas parler. La lutte sociale fulgurait entre les deux établissements postés face à face. Un jour, il y aura un mort, pronostiquait toujours Veyrenc.

Adamsberg le regarda sortir, Veyrenc, lui qui avait compris le signe de la guillotine. Le soleil entrait maintenant dans la grande salle. Et sous cette lumière d'avril, les quatorze mèches anormalement rousses du lieutenant brillaient dans ses cheveux très bruns.

— J'ai pensé à un truc en me réveillant, glissa Danglard avant de partir, de ce ton comploteur qui n'annonçait rien de bon. Enfin, c'était une pensée du réveil.

— Dépêchez-vous, commandant, vous avez à peine le temps de vous restaurer avant de partir.

— Eh bien, c'est cette histoire du comte de Provence.

— Je ne vois pas.

— Je vous ai dit que Guillotin avait été médecin du comte.

— Vous l'avez dit.

— Dans mon demi-sommeil, le comte de Provence m'a amené, de fil en aiguille, à des familles comtales et ducales.

— Vous avez bien de la chance, Danglard, dit Adamsberg en souriant. Les pensées du réveil sont rarement aussi fastes.

— Eh bien, j'ai songé aux prénoms d'Amédée – qui est rare, vous l'avouerez – et de Victor, qui correspondaient à ceux, de toute éternité, des ducs de Savoie. Cela, c'était presque dans le sommeil et je vous épargne la liste de tous les Amédée de Savoie.

— Merci, commandant.

— Mais à partir de 1630, et jusqu'en 1796, il y eut trois Victor-Amédée de Savoie. Victor-Amédée III s'opposa à la Révolution, et son duché fut envahi par les troupes françaises enflammées.

— Et donc quoi ? dit Adamsberg d'une voix lasse.

— Rien. Cela m'a amusé que l'un s'appelle Victor et l'autre Amédée.

— Je vous en prie, Danglard, dit Adamsberg en décollant une boule de gratteron, ne prenez pas l'habitude de dire des choses déraisonnables. Ou bien à nous deux, nous n'irons pas loin.

— Je comprends, dit Danglard après un silence.

Adamsberg avait raison, songea-t-il en poussant la porte. Son influence était sournoise comme une inondation, et il devait, c'est exact, y prendre garde. Se tenir loin des berges glissantes de son fleuve.

XII

Adamsberg avait gardé Justin auprès de lui pour noter les rapports qui arrivaient depuis Le Creux. Le téléphone était branché sur haut-parleur et Justin tapait sur l'ordinateur, beaucoup plus vite qu'Adamsberg qui n'utilisait que deux doigts.

— Le mort avait épousé l'irrésistible Adélaïde il y a vingt-six ans, exposait Mordent de sa voix plate. Mais leur fils n'est venu vivre avec eux qu'à l'âge de cinq ans. L'arrivée du gamin a surpris tout le monde. On a su après qu'il avait été placé en maison spécialisée durant toute sa petite enfance, pour troubles psychomoteurs. Ce n'est pas le terme qu'ils emploient, mais c'est le sens. Enfin, le petit n'était pas « normal », quoi.

— Mais Amédée n'a presque aucun souvenir de cette période, ni de cette institution, ajouta par-derrière la voix de basse de Retancourt. Il se rappelle de canards qu'on décapitait, par exemple.

— Pardon ? dit Justin en relevant la tête, réajustant sa mèche blonde qu'il coiffait de côté, ce qui lui donnait l'allure d'un écolier modèle d'avant-guerre. Vous avez bien dit « canards » ? Pas « cafard » ou « cabale » ou...

— Canards, trancha Retancourt. Qu'on décapitait.

— Guillotine, murmura Adamsberg.

— Commissaire, dit Retancourt, sauf votre respect, on coupe toujours la tête des canards. Rien que de très normal.

— Ça évoque plus une ferme qu'une institution, observa Justin.

— Peut-être une institution où l'on pratiquait des activités liées aux animaux, dit Mordent, c'est à la mode. Contact avec les bêtes, responsabilités, petits travaux de plein air, donner du grain, changer l'eau.

— Pour un enfant, décapiter des canards n'est pas un « petit travail » de plein air anodin, dit Adamsberg.

— Il a pu le voir par hasard. En tout cas, le petit ne tournait pas rond. Et peut-être ne tourne-t-il toujours pas rond.

— De quoi se souvient encore Amédée ?

— D'un lit froid, d'une femme qui criait. C'est à peu près tout.

— Pas d'autres enfants avec lui ?

— Il se rappelle un grand qui l'emmenait en promenade et qu'il adorait. Sans doute un aide-soignant. Le médecin de la famille est à Versailles, j'y pars avec Veyrenc. Retancourt va se charger de Pelletier, le gars n'est pas clair.

Danglard appela sur l'autre ligne.

— Le notaire est à Versailles, j'en sors.

— Ils faisaient tout à Versailles, ces gens.

— C'est évidemment mieux coté que Malvoisine. Vu les sommes en jeu, Masfauré avait opté pour un grand cabinet. Très beau d'ailleurs, boiseries anciennes du sol au plafond, tapisseries d'Aubusson, une scène de chasse avec quelques détails discrètement licencieux, comme on...

— Danglard, s'il vous plaît, coupa Adamsberg.

— Pardon. Le notaire n'a pas encore achevé l'estimation précise des biens, mais cela atteint quelque chose comme cinquante millions d'euros. Vous vous rendez compte ? Il y avait bien plus avant, mais Henri Masfauré a investi personnellement dans la recherche sur le pompage du CO_2 et la reconversion des résidus. L'usine prototype qui doit tester la technologie est en fin de construction dans la Creuse. Un bienfaiteur et un très grand chercheur, le notaire confirme. Il y a un testament, qui date d'un an et cinq mois.

— Allez-y, dit Adamsberg en sortant de sa veste une cigarette pliée.

Censé ne pas fumer, le commissaire prélevait des cigarettes dans les paquets de son fils, qu'il enfournait à même ses poches, où elles se tordaient, se vidaient, vivaient une vie nouvelle en liberté.

— Tout va à son fils Amédée, à charge pour lui d'achever l'usine et de veiller à sa mise en fonction. Sauf un legs de cent mille euros à Victor, et de cinq cent mille à Céleste.

— Je comprends pour Céleste, dit Adamsberg. Mais laisser cent mille euros à son secrétaire, c'est très rare. On peut se demander quel service il avait rendu pour être si copieusement récompensé.

— Ces gens n'ont pas la même notion de l'argent que nous, commissaire, tout simplement. En tout cas, ce sont des sommes qui suffisent très largement pour inciter à tuer.

— À tuer Masfauré, mais pas la professeur de maths.

— À moins que, dit Danglard. L'idée étant de commettre un autre meurtre avant, accompagné du même signe alambiqué, pour égarer les soupçons. Auquel cas nous aurions affaire à la technique classique du leurre.

— Je continue de noter ? demanda Justin. Parce qu'il ne s'agit plus d'un rapport, mais de commentaires.

La méticulosité de Justin était précieuse, on pouvait compter sur l'excellence de ses procès-verbaux, mais elle agaçait par son revers maniaque.

— Oui, Justin, vous notez tout, ordonna Adamsberg. Et comment Victor ou Céleste aurait connu l'existence d'Alice Gauthier ?

— Victor la connaissait de fait, depuis l'Islande, dit Danglard. Quant à Céleste, elle avait tout moyen de fouiner dans la maison et de tomber sur une éventuelle correspondance entre elle et Masfauré. Si les flics croient à deux suicides, tant mieux. S'ils s'égarent sur l'Islande, très bien aussi. Sinon, il reste toujours le signe, farfelu, conçu pour nous brouiller la vue. Du travail bien fait, avec anticipation des logiques policières.

— C'est possible.

— Je suis d'accord, ajouta Justin. Mais cela, je ne le note pas, précisa-t-il pour lui-même.

— Et comment auraient-ils connu le testament ? reprit Adamsberg.

— Il en existait un double chez Masfauré, dit Danglard. Introuvable. Je coupe, commissaire, je vais réserver nos tables à l'auberge. Au fait, je sais pourquoi on appelle cet endroit « Le Creux ». Rien à voir avec notre enquête, mais c'est divertissant. Ah pardon, Pelletier, très important. Il ne reçoit rien. C'est-à-dire qu'il ne reçoit plus rien. Dans le testament précédent, il emportait un legs de cinquante mille euros. Et selon le notaire, qui est un homme formel mais bienveillant – il se comporte un peu comme un ancien noble, mais selon moi, sa particule est usurpée, car tous les Des Mar...

— Danglard.

— Je n'ai pas noté cela, indiqua Justin d'un ton neutre.

— Donc Pelletier n'a rien, se reprit Danglard. Car Masfauré le soupçonnait de surévaluer le prix d'achat des chevaux et de leurs semences. Rien qu'un étalon de grande famille, ça peut valoir jusqu'à des centaines de milliers d'euros, je ne vous parle pas des bêtes primées à la généalogie mirobolante.

— Non, ne m'en parlez pas, commandant.

— Masfauré suspectait Pelletier de trafiquer avec les vendeurs, d'établir des fausses factures et de partager avec eux la différence en liquide.

— C'est cela dont se doutait Céleste, dit Adamsberg.

— Sans doute. Et si c'est vrai, imaginez le pécule qu'il a pu se constituer. Masfauré a donc modifié son testament.

— Le notaire à la fausse particule sait-il pourquoi Masfauré n'a pas engagé de poursuites contre Pelletier ?

— Parce qu'il voulait avancer son enquête avant d'en venir là. Pelletier est un maître de haras hors du commun, il pourrait faire danser ses chevaux sur une patte en leur sifflant une valse. Si bien que Masfauré voulait une certitude avant de le perdre. C'est un beau motif de meurtre pour Pelletier aussi.

— Et Voisenet ?

— Il pioche sur l'épouse morte en Islande.

— Passez-le moi.

— C'est-à-dire qu'il vient juste d'aller faire une courte visite à la tour des condamnés.

— Très bien, dit Adamsberg. On aura au moins une certitude dans cette nappe de brouillard.

— Savoir si ce sont des choucas ou des corneilles mantelées, confirma Danglard.

Toute la soirée, Adamsberg éplucha les rapports de ses adjoints. Il n'avait pas allumé le chauffage et lançait un feu après le dîner. Les pieds calés sur un des chenets de la cheminée, l'ordinateur – le « tölva » – glissant sur ses cuisses, il passait en revue les informations que Justin continuait à lui adresser depuis chez lui, c'est-à-dire depuis chez ses parents, où il vivait toujours à trente-huit ans. N'ayant à se soucier d'aucune intendance, Justin était un homme très disponible, sauf s'il disputait une partie de poker.

Noël avait choisi de prendre des gants pour interroger Pelletier sur le prix réel des chevaux, comptant parvenir à un résultat par des questions biaisées. Mais Retancourt, à qui l'usage de gants était peu familier, l'avait interrogé sans détour sur la rumeur d'éventuelles malversations. Pelletier s'était aussitôt emporté et, fidèle à ses réflexes, s'était jeté sur la grande femme, sans imaginer qu'il ne la déstabiliserait pas plus qu'un pilier de béton. Retancourt l'avait repoussé au sol d'un lourd mouvement du buste sans porter de coup. Son enfance fruste passée avec quatre frères prompts au combat avait permis à la petite

Violette d'acquérir des techniques de lutte bien particulières. Mais une fois au sol, l'homme avait sifflé des airs assez sophistiqués, et deux étalons agressifs avaient cavalé vers eux sur-le-champ, soufflant des naseaux. De nouveau debout, Pelletier avait fait arrêter les chevaux à cinquante centimètres des flics, et chacun avait compris que les grands mâles, frappant des sabots, pouvaient charger sur un seul signe de leur maître. Noël avait sorti son arme.

— Pas de blague, avait ordonné Pelletier, il vaut quatre cent cinquante mille. M'étonnerait que vous soyez capable de rembourser cela, petite flicaille.

Cela, c'était Retancourt qui l'indiquait dans son compte rendu, et non Noël. Adamsberg imaginait aisément l'humiliation rageuse de Noël. Personne ne l'avait jusqu'ici traité de *petite* flicaille.

— Tandis que vous, pour dédommager votre mort, avait continué Pelletier, calculant la valeur de Noël comme un maquignon, ce serait dix mille, et encore, je vise haut. Elle, avait-il ajouté en désignant Retancourt tout en crachant par terre, ce serait plus cher, dix fois votre prix. Je ne truque pas les ventes, que ceci vous rentre dans le crâne. Et si je dois réentendre ça, je vous colle un procès.

Amédée. Le commissaire comprenait mieux à présent la nature hésitante, repliée, voire excitée et fugueuse du jeune homme. Et son éventuel déséquilibre. Il avait été isolé durant cinq ans. Dans un lit « froid ». Froid, dans une institution psychiatrique de luxe ? Avait-il reçu des visites régulières ? Aucun moyen de le savoir. Selon le médecin de Versailles, Amédée souffrait, outre d'angines

et d'otites à répétition, indices d'angoisse, d'un phénomène de « refoulement ». C'est-à-dire qu'il avait gommé
la presque totalité de ses souvenirs des premières années.
« Trop dur ? » griffonna Adamsberg. « Mauvais traitements ? Abandon ? » Puis il ajouta « canards *décapités* ».

Car sa mère, tout irrésistible qu'elle fût, n'avait pas
eu bonne presse dans les environs, ni à Malvoisine, ni à
Sombrevert, ni même à Versailles. Un avis unanime, sauf
du maire de Sombrevert, pour qui le vote du fils
Masfauré importait. Il y avait seize témoignages concor-
dants, énoncés selon toutes les gammes du langage,
depuis l'expression mesurée d'une adjointe de mairie –
invitée à boire un café par Estalère : « Disons qu'elle
jouait un peu à la grande dame », à la forme plus triviale
de la teinturière, fidèlement reportée par Justin : « Elle
voulait toujours aller plus haut qu'elle avait le train ».
Une femme « sortie de la cuisse de Jupiter », « qui regardait de son haut », « ni bonjour ni merci ». Une séduc-
trice mais une arriviste « qui ne s'occupait pas de son
gosse, heureusement qu'il y avait Céleste », une femme
avide d'argent, « vorace », « fière de ses sous », et
« qu'en avait jamais assez, pauvre M. Henri ». Quant aux
grands bourgeois de Versailles, ils la tenaient avec hauteur pour une très vulgaire parvenue.

Voisenet et Kernorkian avaient réussi, via une correspondance partiellement conservée dans des cartons relé-
gués au grenier, à remonter aux fréquentations de Marie-
Adélaïde Masfauré – née Pouillard – avant son fabuleux
mariage. Le tableau était incomplet, mais indiquait des
parents ouvriers et sans moyens, dont elle avait très vite
eu honte, des débuts chez un coiffeur à Paris, puis un

apprentissage comme maquilleuse, suivi d'une entrée modeste dans le monde du théâtre. Sa beauté et sa vivacité combative l'avaient menée dans les lits d'au moins trois producteurs.

Adamsberg leva les yeux vers son fils qui tournait à pas feutrés dans la cuisine.

— Danglard va passer, dit-il, ce qui amena aussitôt Zerk à sourire et sortir un verre du buffet.

— Il ne dort pas sur place avec les autres ?

— Danglard dort là où sont les enfants. Dans le terrier.

— Tu as dit que les enfants avaient quitté le nid.

— Même. Danglard dort près des lits des enfants.

La barrière grinça et Zerk ouvrit la porte.

— Il s'est arrêté dans le jardin, dit-il. Lucio lui propose une bière.

Le commandant avait posé une bouteille de vin blanc dans l'herbe et discutait avec le vieil Espagnol, Lucio, qui partageait le petit jardin commun avec Adamsberg. Sagace et solennel, Lucio buvait toujours deux bières dehors à la nuit, quel que soit le temps. Puis il pissait contre le hêtre avant de rentrer, et c'était là le seul point de désaccord entre les deux voisins, Adamsberg prétendant qu'il abîmait la base de l'arbre, Lucio affirmant qu'il nourrissait le sol d'un azote bénéfique. Danglard s'était assis au côté du vieux sur la caisse en bois disposée sous le hêtre, et ne semblait pas vouloir en bouger. Adamsberg sortit deux tabourets, suivi de Zerk qui apportait le verre du commandant, deux bières coincées entre ses doigts, et un tire-bouchon. Quand Adamsberg avait connu très tardivement son fils âgé de vingt-huit ans, Zerk disait un

« accroche-bouchon », et usait d'autres termes étranges de ce type. Adamsberg s'était demandé si le jeune homme était intelligent, original, ou bien parfois alenti, limité. Mais comme il se posait la même question sur lui-même sans y accorder d'importance, il avait laissé tomber l'énigme.

— Il y a combien de chats ici, maintenant ? demanda Danglard en voyant passer des ombres délicates.

— La petite a grandi, dit Adamsberg, elle est très féconde. Six, sept, je ne sais pas, je les confonds tous, sauf la mère qui vient toujours se frotter contre moi.

— C'est toi qui l'as mise au monde et elle t'aime, *hombre*, dit Lucio. On a eu deux portées, ils sont neuf : Pedro, Manuel, Esperanza, commença-t-il en comptant sur ses doigts.

Pendant que Lucio énumérait, Adamsberg tendit une liasse de papiers à Danglard.

— Je viens d'imprimer les rapports. Épouse plus vorace que mère. Quant au sort du petit Amédée, inconnu jusqu'à ses cinq ans.

— Carmen et Francesco, conclut Lucio, achevant le décompte des chats.

— Céleste n'est arrivée en effet que quand le petit avait cinq ans, dit Danglard en tendant son verre vers Zerk.

— Elle venait d'où ?

— D'un village près de Sombrevert, avec de bonnes références. Entre ses mots – elle n'aime pas trahir –, elle a fait comprendre que sans elle, le petit n'aurait jamais connu de confort, ni affectif ni même alimentaire. La mère sortait quand ça lui prenait, se rendait à Paris ou ailleurs, pendant que le père travaillait jusqu'à la nuit dans son bureau. Tout reposait sur Céleste, et jusqu'à aujourd'hui. D'une manière ou d'une autre, explique-t-elle, hormis le choc et le chagrin, la mort de la mère n'a rien changé à la vie quotidienne de l'adolescent.

— Comment Amédée a-t-il réagi en apprenant que son père ne s'était pas suicidé ?

— Il est soulagé de ne pas en être responsable. Mais il a très bien saisi qu'il est maintenant un « foutu bon suspect », pour reprendre ses mots. Il s'attend à être arrêté d'un moment à l'autre. Tout s'est figé là-bas, sauf Victor qui classe les papiers de Masfauré et Pelletier qui continue de trimer, meurtre ou pas meurtre, les chevaux doivent bouffer. Amédée rôde dans les prés et les bois, il a des boules de gratteron sur ses pantalons. De temps à autre, il s'assied sur un banc, et il les retire.

— Bon point pour lui.

— Je ne trouve pas, dit Danglard. Il ne sait pas quoi faire de ses dix doigts.

— Ça, intervint Lucio, c'est une question existentielle. Quoi faire de ses dix doigts ? Moi, j'en ai plus que cinq, et je me pose toujours la question. À mon âge.

Lucio avait perdu un bras enfant pendant la guerre d'Espagne, et cette amputation avait engendré une obsession incessante, intacte et réitérative. Car juste avant de perdre ce bras, il avait été piqué par une araignée, et il n'avait donc pas pu finir de gratter sa piqûre. Pour Lucio, « finir de gratter » était devenu un concept déterminant du comportement vital. Finir de gratter, toujours, sauf à devoir en souffrir toute la vie.

— Amédée ne s'anime que quand Victor délaisse son travail pour venir le voir, poursuivit Danglard. Il semble qu'Amédée n'ait pas d'autre point d'ancrage que Céleste et Victor. Pas de fille non plus. Victor le protège, c'est visible. À croire qu'il a fait cela sa vie entière. Toutes les deux heures, il quitte le bureau pour aller faire quelques pas avec lui.

— Et lui, Victor ?

— Il se demande, comme tout le monde, qui a bien pu tuer son patron. Son patron et Alice Gauthier. Voisenet a osé évoquer la culpabilité d'Amédée, et le front de Victor s'est abaissé comme une casquette de combat, un bourrelet lui cachant presque les yeux. Il lui a tourné le dos comme pour éviter de le frapper. Puis il est revenu. Il a dit : « L'Islande, nom de dieu, quoi d'autre ? Je vous ai parlé de ce tueur dément. Quoi d'autre ? » Voisenet a maladroitement répondu qu'on n'avait aucun moyen d'identifier cet homme, pas plus lui que les autres membres du groupe. « Et alors, a dit Victor, parce que vous êtes impuissants, vous vous rabattez sur Amédée ? Parce qu'il faut bien que vous trouviez un oiseau ? » À propos d'oiseau, ce sont des corneilles mantelées. Voisenet est un peu déçu, je crois qu'il espérait des grands corbeaux. Je pense que c'est cette histoire de tour qui a abaissé ses performances à l'interrogatoire. Il a tout de même pris le temps de disposer des lignes de fiente autour de la cabane, sans que Céleste n'en sache rien.

— Très bien. On aura au moins servi à cela.

— Cet Amédée, coupa Lucio, c'est lui qu'a dit qu'on savait rien de lui avant ses cinq ans ?

— Oui.

— Pas étonnant qu'il regarde ses dix doigts comme si c'était pas à lui. Il a pas fini de gratter, c'est tout.

— C'est surtout qu'il ne veut pas gratter, Lucio, dit Adamsberg. Il a effacé tous ses souvenirs, il n'est pas capable de dire où il était, ni avec qui, ni pourquoi.

— Il a été salement piqué, alors.

— Normalement, il était dans un centre de soins, et certainement pas de bas étage. Son père est richissime.

— Centre de soins tu parles, affirma Lucio. Il était quelque part où il en a bavé. Faut le forcer à gratter, il n'y a que ça. Et là où était le gosse, les parents le savaient. Ce qui en ferait deux beaux salauds. C'est pas un mobile pour tuer, ça ? Allez, un bon coup de fusil, c'est fait c'est payé.

— Lucio, il y a eu une autre femme assassinée, à Paris, et elle n'a aucun rapport avec l'enfance d'Amédée.

— Au même moment, la femme ?

— La veille.

— Ben c'est pour vous berner. T'as des chiens à tes trousses ? Balance-leur une charogne et poursuis ton chemin tranquillement.

— C'est ce que je disais cet après-midi, observa Danglard, mais autrement. En tout cas, Henri Masfauré n'a pas esclavagisé Céleste. Non seulement il lui lègue un demi-million, mais c'est elle qui a voulu à toute force habiter la cabane dans les bois, aucun doute là-dessus. Amédée l'a expliqué à Estalère. En fin de journée, il ne voulait plus parler qu'à Estalère.

— On t'écoute, *hombre*.

C'était la première fois que Lucio l'appelait ainsi, et Danglard l'entendit comme un honneur. Il lui semblait que le vieil homme avait plutôt tendance à tenir ses circonvolutions en faible estime.

— Elle avait repéré ce cabanon depuis longtemps – un ancien séchoir à pommes –, mais elle a attendu qu'Amédée ait douze ans pour adresser sa requête au patron. Chaque soir de sa vie – j'essaie de reprendre ses termes, tels qu'Amédée les a rapportés –, quand elle s'endormait, elle « partait dans sa cabane », pour chasser les soucis. Une fausse cabane dans sa caboche bien sûr, elle dit, cernée de dangers, le vent, l'orage, les bêtes. Elle l'a refaite mille fois, jamais satisfaite, jamais ne trouvant la sécurité parfaite de la cabane idéale, jusqu'à ce qu'elle découvre cette masure dans les bois. Masfauré a d'abord refusé : trop dangereux. Mais c'est justement ce qui l'avait séduite. Car pas de sensation de sécurité sans impression de danger. Elle ne dort jamais si bien que quand la pluie cingle le toit et qu'un sanglier se frotte aux cloisons de bois.

— Ça a dû changer avec l'arrivée de Marc ?

— Un peu. Il dort dehors et la protège. Elle l'a trouvé orphelin et crevant de faim, couinant devant sa porte.

— Qui est ce couineur ? demanda Lucio.

— Un marcassin, expliqua Adamsberg. D'où son prénom. Marc la défend mieux qu'un régiment de soldats.

— C'est juste une affaire de ventre, cette cabane, dit Lucio. Une fois que t'es sorti de là comme un crétin, t'as plus qu'à te battre, on disait chez nous, ou à te refaire un ventre.

— De là où ? demanda Zerk.

Adamsberg demanda une cigarette à Zerk, peut-être pour voiler la gaucherie de son fils.

— Du ventre de la mère, expliqua-t-il rapidement.

— À ce compte-là, dit Zerk en donnant du feu à son père, on vivrait tous dans une cabane.

— C'est bien ce qu'on essaie de faire, dit Lucio. Cette femme ? S'est passé un truc avec sa mère ?

— Une dispute quand elle était jeune, dit Danglard. Mais la mère est morte avant qu'elles aient pu se réconcilier.

— Qu'est-ce que je disais ? dit Lucio en ouvrant une nouvelle bière avec ses dents. Elle a pas pu enterrer la dispute, elle a pas pu finir de gratter. Et ça, ça te mène droit à la cabane. Faut surtout pas la bouger de là, cette femme.

La chatte vint se frotter contre la jambe d'Adamsberg, ramassant au passage quelques graines de gratteron. Adamsberg lui caressa la tête, ce qui avait pour effet de l'endormir en quelques minutes. Il faisait de même avec son jeune fils, Tom, pour un résultat identique. Il y avait dans les doigts d'Adamsberg – dans sa voix aussi – un produit lénifiant et soporifique plus efficace que n'importe quelle cabane. Mais il n'allait pas se mettre à gratter la tête de Céleste.

— Je monte dans ma cabane, dit-il en se levant. Il va pleuvoir, c'est le bon moment. Lucio, ne pisse pas contre l'arbre.

— Je fais ce que je veux, *hombre*.

XIII

Le commissaire Bourlin réveilla Adamsberg à 6 heures du matin.

— J'ai un autre suicidé sur les bras, collègue. T'as de quoi noter ? C'est dans le 15ᵉ bien sûr, sinon je ne serais pas sur le coup.

— Bourlin, tu vas m'appeler chaque fois que tu as un mort ?

— 417, rue de Vaugirard, 3ᵉ étage, code 1789B.

— La Révolution, toujours la Révolution.

— Qu'est-ce que tu marmonnes ?

— Rien. J'essaie de m'habiller d'une main.

— Mais le code est cassé, on s'en fout.

— Tu as des traces d'effraction sur la porte de l'appartement ?

— Aucune. C'est un suicide parfait. Enfin, atroce plutôt, à la japonaise, le type s'est enfoncé un couteau dans le ventre. Causes probables : il dirigeait une maison d'édition de livres d'art, dépôt de bilan, endettement, et ruine.

— Tu as des empreintes sur le couteau ?

— Les siennes.

— Et donc pourquoi je m'habille, Bourlin ?

— Parce que dans sa bibliothèque, il y a trois livres sur l'Islande. Alors que ce n'était pas un voyageur. Un truc sur Rome, un plan de Londres, une visite de la Camargue et ça s'arrête là. Mais trois sur l'Islande. Alors j'ai fait chercher le signe. J'en ai bavé, crois-moi. Parce que blanc sur blanc, ça n'a pas été facile à repérer. Fallait avoir la foi.

— Dépêche-toi.

— Il est bien là, gravé à la pointe du couteau, sur une plinthe au ras du sol. C'est tout récent, il y a un petit dépôt de peinture écaillée au sol.

— Redonne-moi l'adresse, je n'ai pas écouté.

L'homme avait été tué dans sa cuisine, transformée en mare de sang, à présent surmontée par des passerelles pour la circulation des agents. L'équipe technique était déjà passée, on enlevait le corps avec difficulté. La victime était petite mais grasse et lourde, et les gants glissaient sur la robe de chambre ensanglantée.

— À quelle heure ? demanda Adamsberg.

— 2 h 05 du matin, pile, dit Bourlin. Le voisin a entendu un cri terrible, et le bruit d'une chute. Il nous a appelés. Regarde le signe, ici.

Adamsberg s'agenouilla, puis ouvrit son carnet pour le reproduire.

— C'est lui, oui. Mais il me paraît plus petit, plus hésitant.

— J'ai vu. Tu penses à une imitation ?

— Bourlin, pour le moment, nous errons comme des bulles au vent. Mieux vaut ne pas trop penser.

— Comme ça t'arrange.

— Les photos de la victime sont déjà dans ta machine ?

— Dans ma « sorcière qui compte » ? Oui. Victor pourrait l'identifier. Il s'appelle Jean Breuguel. Pas comme Brueghel l'Ancien, dirait Danglard, juste Breuguel.

— Entendu, dit Adamsberg qui ne voyait pas à quoi Bourlin faisait allusion. Envoie-les à Victor. Explique-lui en deux mots la situation. Voici son adresse électronique, dit Adamsberg en lui tendant son carnet.

Carnet couvert de dessins dans les marges ou en pleine page, nota Bourlin, tout en préparant son envoi de photos vers Le Creux.

— C'est toi qui fais ça ? Ces dessins ?

Adamsberg observait la passerelle de plastique ployer sous le poids de Bourlin, cerné par la mare de sang.

— Oui, dit Adamsberg en haussant les épaules.

— C'est le portrait de Victor, là, sous son adresse ?

— Oui.

— Et là, Amédée, Céleste, Pelletier, dit Bourlin en feuilletant les pages.

— Sache que Masfauré l'a rayé de son testament. Suspicion de fraude sur l'achat des chevaux et des semences.

Bourlin n'écoutait pas, occupé à examiner les dessins, toujours suspendu à vingt centimètres au-dessus du sang figé. Finalement, il encoda l'adresse électronique de Victor et rendit son carnet au commissaire, suspicieux.

— Moi aussi, tu m'as dessiné ?

Adamsberg sourit et revint au tout début de son carnet.

— Fait de mémoire, précisa-t-il, à notre première visite au Creux.

— Tu ne m'as pas trop amoché, dit Bourlin, assez ravi de l'image de lui-même que lui renvoyait le dessin.

— Tiens, dit Adamsberg en déchirant la feuille et la tendant à son collègue. Si t'en as envie.

— Tu pourras faire mes gosses ?

— Pas maintenant, Bourlin.

— Oui mais un jour ?

— Un jour, oui, quand on retournera dîner à l'*Auberge du Creux*.

— Les photos sont parties, dit Bourlin en fermant l'ordinateur. Viens voir ces livres sur l'Islande. Ici, dit-il en passant dans le salon. Je les ai posés sur la table basse. Tu peux y aller, il n'y a pas d'empreintes.

Adamsberg secoua la tête.

— Normal, les livres sont neufs. Tous les trois. Pas de poussière, pas de page cornée, état impeccable.

Adamsberg en ouvrit un et mit son nez dedans.

— Ça sent le neuf, même.

— Une seconde, dit Bourlin en s'asseyant près d'Adamsberg sur un canapé gris défoncé. Une seconde. Tu veux dire qu'on nous a collé ces livres pour nous orienter sur l'Islande ? Mais que, comme ils sont neufs, la piste est fausse ?

— Exactement. On s'est trompés, Bourlin.

— Et il a gaffé. Il aurait pu acheter des livres d'occasion.

— Manque de temps sûrement. Trois meurtres en huit jours, rends-toi compte. Il court. Mais ses livres nous ont au moins dirigés vers une cible : chercher le signe.

— Pourquoi toujours cette saleté de signe s'il veut faire croire à des suicides ?

— Il sait qu'on ne croit plus aux suicides. Ou il ne le veut pas réellement. Un meurtrier qui signe est rongé d'orgueil, et c'est banal, dirait Retancourt. Un jour ou l'autre, si on avait classé les affaires, il aurait fait savoir qu'il s'agissait d'assassinats, des siens, de son boulot. Afin qu'on ne jette pas ces morts aux oubliettes de la tour du Creux.

— À moins que le signe ne soit pas dessiné pour nous. Mais pour que les autres sachent. Ceux qui restent du groupe islandais.

— Mais ce gars n'a pas été en Islande, Bourlin.

— Merde, j'oubliais, dit Bourlin en secouant la tête. Et cette fois, le signe est un peu différent. Qui d'autre connaît le lien entre les deux premiers meurtres et le signe ? Victor et Amédée, et eux seuls. Tu leur as montré le dessin.

Les deux hommes méditèrent un moment en silence. C'est-à-dire qu'Adamsberg songeait, tandis que Bourlin réfléchissait, et même ruminait, tournant sa pensée vingt fois dans sa tête tout en mouchant son rhume de printemps.

— À moins que ce ne soit pas le même tueur, dit Adamsberg. À moins qu'un type sache pour les deux autres meurtres et le signe, et qu'il les utilise pour commettre celui-là. En glissant des livres sur l'Islande. Mais en n'ayant pas une bonne pratique pour dessiner le signe.

— Tu penses à Victor.

— Oui, pour laver Amédée de tout soupçon. Amédée qui doit avoir pour cette nuit un très solide alibi. Qui peut surveiller les allées et venues de Victor ? Au soir,

Céleste est dans les bois et Pelletier bien loin dans son haras.

Bourlin cala son front dans ses deux grandes mains.

— Ce n'est pas que je me défile, Adamsberg, mais je ne suis pas mécontent que tu écopes de tout cela. Je me perds.

— C'est que tu n'as pas dormi.

— Tu ne te perds pas, toi ?

— Moi, je suis habitué, ce n'est pas pareil.

— Je vais chercher la thermos.

Bourlin servit deux cafés dans des verres à pied gravés, les seuls récipients qu'il ait trouvés hors de la cuisine.

— Habitué à quoi ? demanda Bourlin.

— À me perdre. Bourlin, suppose que tu marches sur une grève de sable et de rochers.

— Je veux bien.

— Est-ce que tu visualises ces algues desséchées qui s'accrochent les unes aux autres et s'emmêlent en une sorte de pelote inextricable ? Qui forment une grosse, parfois une très grosse boule ?

— Très bien.

— Eh bien c'est cela qu'on a.

— Une boule de merde.

— Hélas non. Tu n'as pas de sucre ?

— Non, il est dans la cuisine. Je n'ose pas aller y voler du sucre. Question de respect, Adamsberg.

— Je ne te parle pas du sucre, mais de la boule de merde. Je dis : hélas non. Parce que la merde est une matière cohérente, homogène. Tandis qu'une boule d'algues est faite de milliers de morceaux enchevêtrés qui proviennent eux-mêmes de dizaines d'algues différentes.

Les deux hommes burent leurs cafés amers, fatigués. Il était triste, ce petit salon à l'aube, pas refait depuis au moins vingt ans, à peine éclairé par le lever d'un soleil pâle, il sentait le naufrage et l'abandon. Et c'était incongru d'y boire du café dans des verres à pied.

— Regarde sur le tölva si Victor a répondu, dit Adamsberg sans bouger, avalé par le vieux canapé gris, troué de brûlures de cigarettes.

Bourlin tapa son code à trois reprises, les touches étaient petites pour ses gros doigts.

— Tu peux ajouter une autre algue à la pelote, dit-il finalement. Victor assure qu'il n'a jamais vu ce gars. Et c'est pourtant un… hypermnasique, a dit Danglard.

— Hypermnésique, je crois. Mais je n'en suis pas sûr.

— Alors c'est ce que tu disais. Breuguel n'a jamais fait partie du voyage. Mais on nous pousse à le croire.

— Tu as pu déterminer comment le tueur est entré ?

— La porte de la cuisine donne sur l'escalier de service, expliqua Bourlin, mais surtout sur le vide-ordures, installé sur chaque palier. Tous les soirs – information du voisin du dessous, toujours – Breuguel y jetait son sac-poubelle avant d'aller dormir. Il suffisait de l'attendre sur le palier, et de l'agresser au retour dans sa cuisine.

— Et de connaître ses habitudes.

— Ou de le surveiller quelque temps pour les apprendre. Comme les autres, ce type risquait de parler. Ruine, dépression, des facteurs combinés pour un possible aveu.

— Un aveu sur quoi ?

— Mais sur l'Islande.

— Ce type n'était pas en Islande, dit Adamsberg.

— Merde, dit Bourlin en renfonçant son front entre ses mains.

— C'est ce que je te disais. C'est l'effet de la pelote d'algues. On n'y échappe pas. Tu as l'heure ?

— Tu as deux montres à ton poignet. Pourquoi tu ne regardes pas toi-même ?

— Parce qu'elles ne marchent pas.

— Pourquoi tu les portes alors ? Et pourquoi deux montres, d'ailleurs ?

— Je ne sais pas, ça remonte à loin. Tu me donnes l'heure ?

— 8 h 15.

Bourlin leur resservit deux cafés dans les verres gravés.

— On n'a toujours pas de sucre, dit-il d'un ton désolé, comme s'il résumait par cette pénurie l'état alarmant de l'enquête. Et j'ai faim.

— Tu ne peux pas aller chaparder de la nourriture dans la cuisine, Bourlin. C'est toi qui l'as dit. On ne détrousse pas les morts en se glissant sur une mare de sang.

— Eh bien je m'en fous.

Adamsberg se hissa hors du vieux canapé, déambula dans le petit salon défraîchi. Bourlin revenait avec du sucre en poudre et une boîte de raviolis, qu'il avalait froids de la pointe de son couteau de poche.

— Ça va mieux ? demanda Adamsberg.

— Oui, mais c'est dégueulasse.

— Il faut envisager, exposa lentement Adamsberg, quasi scientifiquement, que la pelote dont nous parlions, dit-il en écartant ses mains, peut être encore plus grosse que nous l'imaginions.

— Grosse comment ?

— Comme toi.

Les deux hommes pesèrent en silence cette éventua-
lité. Puis Bourlin plongea de nouveau dans la boîte de
raviolis.

— Alors nous sommes foutus, dit-il. On ne trouvera
jamais le tueur.

— C'est très possible. Quand on vous balance trente
boules de billard dans les pattes, il est presque impossible de reconnaître la bonne. C'est-à-dire celle du
départ.

Adamsberg attrapa un morceau sur la pointe du couteau de Bourlin.

— T'en penses quoi, de ce ravioli froid ? demanda
Bourlin.

— Dégueulasse.

— Ça nous fait déjà un point d'acquis.

— Avec les corvidés de la tour, qui sont des corneilles mantelées.

— Deux, donc.

— Face à cela, reprit Adamsberg en arrêtant sa
marche, il faut lancer notre propre boule. Si dérisoire
soit-elle. Recourir aux méthodes archaïques.

— Un communiqué dans la presse ?

— Dans la presse et sur les réseaux sociaux. Ça tou-
chera le monde entier en moins de six heures.

— Pour dire au tueur qu'on sait qu'il ne s'agit pas
de suicides ?

— Ça lui fera sûrement très plaisir. Mais on ne joue
pas à provoquer un type obsédé par la guillotine.

— Si c'est une guillotine.

— Si c'en est une. Je n'oublie pas, Bourlin. On se préoccupe de protéger les autres membres du groupe islandais. Les vannes sont ouvertes, rien ne nous dit qu'il n'a pas en tête de les supprimer les uns après les autres, et être tranquille une bonne fois.

— Tu te fous de moi ? Tu as dit qu'on laissait tomber l'Islande. À cause de lui, à cause des livres neufs.

— Et si Victor ment ? Et s'il le connaissait ?

— Alors on y repart ?

— Comment veux-tu qu'on s'éloigne de quelque chose quand on ne sait pas où on est ?

— Dans le communiqué, on parle du signe ?

— Non, dit Adamsberg après un instant. On se le garde encore. On publie quelque chose comme – Danglard me rédigera ça : « Trois meurtres en huit jours. » On donne les noms et les photos.

— Trois ? coupa Bourlin. Mais si Breuguel n'était pas en Islande ?

— Tant pis. Puis : « Les autorités policières ont des raisons de croire que les membres du dramatique voyage, etc., qui eut lieu en Islande, etc., seraient menacés par un tueur. Que les personnes concernées par, etc., se signalent dans les meilleurs délais auprès d'une gendarmerie ou d'un commissariat aux fins d'assurer leur protection, etc. » Avec adresse mail de la brigade et contact téléphonique.

Bourlin acheva son petit-déjeuner, plia la boîte d'une seule pression de son poing, ferma l'ordinateur et s'extirpa du canapé gris en s'appuyant sur l'accoudoir.

— Lance la boule, dit-il.

XIV

À 10 h 30, Adamsberg, pas rasé et son tee-shirt enfilé à l'envers, avait achevé d'informer les membres de la brigade des circonstances du troisième meurtre. Et du fait que le verre à whisky trouvé chez Céleste ne contenait rien de suspect, ce qui pouvait la blanchir, sauf drame d'amour secret, avait rappelé Danglard. Elle aurait gardé pour elle la dernière trace des lèvres d'Henri Masfauré.

Le communiqué de presse était rédigé, et le lieutenant Froissy se chargeait de le diffuser dans l'instant. Tous ou presque étaient revenus ce matin de leur mission dans les Yvelines.

La salle du concile se vidait et Adamsberg retint Froissy par la manche.

— Lieutenant, dit-il, après avoir lancé l'annonce, mais seulement après, trouvez-moi quelque chose à manger. Je n'ai rien avalé depuis hier soir.

— Je vous fais cela tout de suite, dit Froissy avec fébrilité.

La nourriture était un point faible d'Hélène Froissy, pathologique disaient certains. Loin d'avaler des masses d'aliments avec la décomplexion de Bourlin, Froissy mangeait peu, restait mince et élégante, mais était tenaillée par une crainte panique de manquer. L'armoire métallique de son bureau était convertie en une sorte de réserve de survie en cas de guerre, et les membres de la brigade allaient y piocher çà et là quand les vivres manquaient, durant les heures supplémentaires. Ces ponctions affolaient assez Froissy pour qu'elle les remplace sur-le-champ, prétextant d'irréels motifs pour s'échapper et aller faire des courses. La brusque faim du commissaire retentissait en miroir sur sa propre angoisse. Elle aurait lâché n'importe quelle mission pour nourrir les autres. Hormis ce point douloureux, Froissy était de loin la meilleure informaticienne de l'équipe, suivie de Mercadet. Mais à cette heure, Mercadet dormait, là-haut, dans la pièce du distributeur à boissons.

— Aucune urgence, la rassura Adamsberg. Le communiqué d'abord. Aussi vite que possible. Puis, pendant que je me restaurerai, vous me raconterez ce que vous avez trouvé sur Alice Gauthier.

En dix minutes, la rapide Froissy avait diffusé le communiqué, à présent projeté dans sa course autour du monde, puis apporté de quoi s'alimenter sur le bureau d'Adamsberg. Sur une assiette, avec couteau et fourchette, car le lieutenant ne négligeait pas le service. Adamsberg devinait pourquoi il n'y avait pas de pain frais : Froissy avait craint, le temps d'aller et revenir de la boulangerie, que le commissaire tombât d'inanition. L'urgence nutritionnelle commandait.

— Allez-y, dit Adamsberg en entamant une tranche de pâté.

— C'est de la mousse de sanglier à l'armagnac. J'ai aussi du jambon italien à la chiffonnette, sous vide bien sûr et c'est moins bon, ou du magret de canard, ou des...

— C'est parfait, Froissy, dit Adamsberg en levant une main. Racontez-moi. Vous avez pu savoir quelque chose sur le visiteur d'Alice Gauthier, celui du mardi 7 avril, le jour suivant le passage d'Amédée ?

— Pour le voisin, c'est le même gars qui a frappé à la porte, parce qu'il a entendu ce « Dé » dans le prénom. Et que c'était à la même heure, quand la malade était seule. Mais il ne le jure pas.

— Et que disent les collègues de Gauthier ?

— J'en ai vu deux, et le proviseur. À son retour d'Islande, ils l'ont accueillie comme une sorte d'héroïne, mais elle ne voulait pas entendre parler de ça. Elle refusait toute compassion. Comme on l'a compris, c'était une dure à cuire. Elle a imposé silence sur le sujet et elle l'a obtenu. De sa vie, ils ne savaient rien. Une des collègues pense qu'elle était homosexuelle, mais elle n'en est pas certaine et elle s'en moque. Rien à tirer de tout cela. J'ai questionné le proviseur sur d'éventuels jeunes gens à qui elle en aurait fait baver, et qui pourraient s'être vengés d'elle. Mais selon lui, même en colère, les gosses rentraient dans le rang.

— Même les racketteurs qu'elle a dénoncés ?

— Il semble que oui. Ils étaient jeunes, ils n'ont pas même eu une peine avec sursis. On ne va pas tuer des années après pour cela. Non, le seul point brûlant de sa vie – enfin, glacial –, c'est ce drame en Islande.

— Il n'existe pas de confidente, d'ami, d'amie, à qui elle aurait pu révéler quelque chose, avant de parler à Amédée ?

— Personne en vue. Les deux collègues disent qu'après le drame, elle s'est recluse. Que la femme qu'on voyait parfois l'attendre à la sortie du collège a disparu. Je suppose qu'il s'agissait de son amie, « l'environnementaliste ». Il y aurait donc eu rupture. Quant aux dîners bisannuels entre professeurs, elle n'y venait plus. Les copies étaient toujours rendues corrigées dès le lendemain, preuve qu'elle restait chez elle. Le concierge de son immeuble confirme : pas de sorties, pas d'invités. Et puis elle est tombée malade il y a deux ans. Claquemurée.

— Impasse, conclut Adamsberg. Soit des impasses, soit cent hypothèses qui s'entortillent dans les contradictions et les méandres.

— Ce communiqué va nous tirer de là, commissaire. Quand on aura interrogé tous les survivants de cet îlot de la mort, la brume va se lever en dix minutes, comme là-bas, en Islande.

Adamsberg sourit. Froissy avait l'art de placer parfois quelques phrases optimistes et naïves, comme elle aurait parlé à un enfant. Nourrir, rassurer, consoler.

— Ne quittez pas votre écran, Froissy, ne ratez pas un seul message, je vous en prie.

— Jour et nuit, commissaire, assura Froissy en débarrassant l'assiette vide. J'ai installé une alerte sonore axée sur toute réponse à cette annonce.

Et jour et nuit, elle était capable de le faire. Somnoler dans son fauteuil, guetter le signal. Alerte sonore ciblée, Adamsberg ne savait même pas que cela existait, dans les « sorcières qui comptent ».

XV

Et un silence stupéfait, puis anxieux, enveloppa peu à peu la brigade.

Le lendemain soir de la parution de l'annonce, pas un des membres restants du groupe islandais ne s'était manifesté. Adamsberg avait ôté les dernières boules de gratteron de son pantalon et rôdait d'un bureau à un autre, parmi ses agents perplexes dont l'activité s'alentissait à mesure que passaient les heures, chacun guettant une apparition revigorante de Froissy hors de son bureau. Un petit groupe de discussion s'était formé dans le couloir.

— Même s'ils ne sont pas tous sur les réseaux sociaux, disait Voisenet, voire aucun d'entre eux, quelqu'un devrait déjà les avoir prévenus. Un ami, un membre de la famille.

— Ils ont peur, dit Retancourt.

Elle portait sur son bras le gros chat blanc de la brigade qui, amorphe, reposait sur elle comme un linge propre plié en deux, détendu et confiant, ses pattes ballottant d'un côté et de l'autre. Retancourt était l'être préféré du chat, autrement nommé La Boule, boule qui pouvait atteindre quatre-vingts centimètres en extension. Elle s'apprêtait à aller le nourrir, c'est-à-dire le porter à l'étage où l'on déposait sa gamelle, car le chat – en parfaite santé – refusait de monter l'escalier lui-même et de se nourrir s'il n'avait pas de compagnie. Il fallait donc attendre près de lui qu'il ait avalé sa portion, puis le redescendre pour le poser sur son lieu de prédilection, la photocopieuse tiède qui lui servait de couche.

— Plus peur du tueur que d'être assassinés demain ?

— Ils suivent la consigne du silence. S'ils se présentent, s'ils nous parlent, ils seront exécutés. À quoi bon devancer l'appel ? Ils se figurent à l'abri tant qu'ils se tairont.

— Après trois morts, l'un d'eux au moins devrait tenter de chercher refuge.

— Victor dit vrai quand il assure que le gars les a terrifiés.

— Dix ans après ?

Adamsberg les rejoignit.

— Oui, dix ans après, confirma-t-il. Et s'il les tient encore à ce point sous son emprise, c'est qu'il ne se laisse pas oublier. Il les voit, ou il leur écrit. Il maintient une vigilance et une pression continues.

— Et pourquoi, finalement ? demanda Mordent. Dans ce groupe qui s'est formé sur un coup de tête un soir, dans une auberge, personne ne connaissait le nom des autres. Au fond, que pourraient-ils nous dire qui le mette en danger ?

— On pourrait obtenir un portrait-robot, dit Voisenet. Certains connaissent peut-être sa profession. Ou en savent beaucoup plus que ce qu'on imagine.

— Vous pensez à Victor ? demanda Adamsberg.

— Par exemple. Il n'a pas eu d'autre choix que de nous parler. Mais peut-être n'a-t-il livré que le minimum. Trop risqué pour lui, comme pour les autres, de nous donner une information précise sur le gars. Même chose pour Amédée. Possible qu'Alice Gauthier lui en ait dit bien plus. Et lui, il doit également la boucler pour survivre.

— Qu'est-ce qu'on fait ? demanda Estalère, que la paralysie de l'équipe décontenançait.

— On nourrit le chat, dit Retancourt en montant l'escalier.

— Mercadet dort, dit Estalère en comptant sur ses doigts, Danglard boit un verre, Retancourt remplit la gamelle, Froissy surveille son écran. Mais nous ?

Adamsberg secoua la tête. Il n'y avait pas un brin de cette pelote d'algues que l'on puisse attraper sans qu'il casse. Il passa le week-end sans s'éloigner de son téléphone de plus d'un mètre, le son monté au maximum, guettant un appel de Froissy. Mais il n'espérait plus. Tous terrifiés, terrés, muets. Et à la protection policière, nul ne croyait. Qui allait imaginer que deux flics postés devant une porte dissuaderaient le meurtrier de les atteindre ? Eux, ils savaient à quoi s'attendre, eux, ils l'avaient connu, ils l'avaient vu agir. Et combien de temps durerait cette protection ? Deux mois ? Un an ? La police était-elle seulement capable de mobiliser cinquante hommes pour leur sauvegarde pendant dix ans ? Non. Le tueur les avait prévenus : la prison même ne l'empêcherait pas de les éliminer. Eux, les conjoints, les enfants, les sœurs, les frères. Alors à quoi bon se présenter stupidement aux flics ? Autant aller à l'abattoir.

Si tant est que l'Islande fût une véritable piste.

Il faisait doux, ce dimanche soir. Adamsberg allait et venait dans le jardin, portable à la main, suivi de la mère chatte. Comme s'il le guettait depuis sa fenêtre, le vieil Espagnol le rejoignit avec deux bières.

— Tu n'y arrives pas, *hombre* ?

— Je ne trouverai pas, Lucio. Trois sont morts en huit jours, d'autres sont en danger, dont quatre que je ne connais même pas. Ils seront tués demain, dans un an, dans vingt, on ne peut pas dire.

— Tu as tout tenté ?

— Je le crois. Même une erreur.

Car cette annonce qu'il avait lancée, elle n'aurait finalement servi qu'à placer le tueur en alerte. Sans apporter un seul grain au moulin. Une connerie, et voilà tout. Peut-être n'avait-il pas pensé correctement. Peut-être n'avait-il pas tourné l'idée sept fois. Lucio décapsula sa bière avec les dents.

— Tu vas te péter les dents, à ouvrir tes bouteilles comme ça.

— C'est pas mes dents.

— C'est vrai.

— C'est pas comme une enquête que t'arrêterais au beau milieu, dit Lucio. C'est une histoire qui se termine. Ça ne devrait pas te gratter.

— Ça ne me gratte pas. Mais l'histoire n'est pas terminée. Un autre jour, un autre mort. Voilà où j'en suis, à attendre un mort, à espérer qu'il laisse une trace. Et il n'en laissera pas, crois-moi.

— Il y a une route que t'as pas vue.

— Il n'y a pas de route. C'est une grosse pelote d'algues enchevêtrées. Et sèches. Il n'y a pas de route dans ces trucs-là. Et c'est lui qui l'a fabriquée. Et quand on croit qu'on y trouve un sens, il réembrouille la pelote autrement.

— S'amuse bien, ton gars.

Lucio gratta son bras manquant dans le vide, à l'endroit où l'araignée l'avait piqué.

— T'es comme ça parce que t'as pas de femme depuis des mois.

— Comment cela, « comme ça » ? dit Adamsberg en ouvrant sa bouteille d'un geste sec, en en frappant le goulot contre le tronc du hêtre.

— Ça aussi, ça abîme l'arbre. « Comme ça », à désoler tout le monde avec ta pelote d'algues.

— Et comment tu sais que je n'ai pas de femme ? J'ai toujours une femme quelque part.

— Mais non.

XVI

Il n'arriva qu'à 9 h 20 à la brigade le lundi matin. Pelote, mauvais sommeil. Une douzaine de ses hommes s'était groupée à la réception autour du brigadier Gardon, tous dominés par la masse de Retancourt, qui semblait équilibrer la composition de l'ensemble, conférer un axe à cette scène un peu picturale. Ils attendaient, muets, tendus, les regards portés vers le bureau d'accueil, comme si Gardon tenait entre ses mains une aumône de la Providence ou un engin explosif. Jamais Gardon ne s'était trouvé dans une telle situation, devenu le centre de la curiosité de tous, et il ne savait que dire ou faire. Bien qu'on sût les capacités de Gardon limitées, personne ne s'avisait de lui prendre la lettre des mains. C'eût été offenser le réceptionniste. C'était lui qui avait reçu la missive, c'était lui qui devait s'acquitter de sa tâche.

— Ça a été déposé par porteur spécial, expliqua-t-il au commissaire.

— Ça quoi, Gardon ?

— La lettre. Elle vous est adressée. Mais comme le papier est épais, comme l'écriture est jolie, comme sur un faire-part de mariage, commissaire, et comme il y a ça, dit-il en pointant son index sur l'angle gauche de l'enveloppe, je l'ai montrée au lieutenant Veyrenc et ensuite, tout le monde est arrivé pour la voir.

Gardon la remit à plat entre les mains d'Adamsberg, comme s'il la lui tendait sur un plateau d'argent, et chacun conserva sa posture, sans que les corps ne bougent, seuls les regards se tournant à présent vers le commissaire. « Ils savent un truc que tu sais pas », pensa Adamsberg en entendant la voix éraillée de Lucio.

Adresse libellée à la plume, et non au feutre ou au stylo-bille, écriture presque calligraphiée, enveloppe de luxe, doublée. Il hésitait presque à déchiffrer le petit nom de l'expéditeur, en haut à gauche, qui semblait avoir statufié son équipe :

ASSOCIATION D'ÉTUDE DES ÉCRITS DE MAXIMILIEN ROBESPIERRE

Ses doigts se serrèrent légèrement sur l'enveloppe et il releva la tête.

— La guillotine, dit Veyrenc à voix basse, résumant les pensées – la pensée unique – de tous, qui hochèrent la tête, écartèrent les mains, frottèrent leurs joues.

L'interprétation du signe par Adamsberg les avait amusés ou agacés : simple perte de temps, balade hors piste dans les nuées, ce à quoi il les avait habitués depuis longtemps, et ils n'y avaient pas attaché d'importance, à l'exception de Veyrenc. Adamsberg croisa son regard, qui souriait.

— *Sa lame affreuse brille dans le jour qui lève,* déclama le lieutenant à voix basse,

Ses tréteaux noirs se dressent vers la voûte céleste,
Elle se penche glacée vers une vie qu'on enlève
Nous refusions de voir cette image funeste.

— Les « e » muets, bon sang, Veyrenc, les « e » muets, dit Danglard.

Veyrenc haussa les épaules. Sa manie – héritée de sa grand-mère pourtant inculte – de débiter des faux et mauvais vers qu'il disait « raciniens », indisposait le commandant. Seul parmi les autres, Danglard avait la tête baissée, les épaules voûtées. Adamsberg pouvait saisir ses pensées. Son adjoint remâchait son échec à déchiffrer le signe, puis son opposition un peu caustique à l'interprétation d'Adamsberg. Comme les autres, il avait refusé de considérer *cette image funeste.*

— Ben une lettre, commissaire, ça s'ouvre, non ? dit Gardon sans offense, et son intervention brisa prosaïquement ce moment de tension collective qui les avait emportés dans quelque terre inquiétante ou, peut-être, poétique.

— Un coupe-papier, dit Adamsberg en tendant la main. Je ne vais pas déchirer cela avec le doigt. Salle du concile, ajouta-t-il, réunissez tous ceux qui traînent dans les bureaux ou au distributeur.

— Mercadet nourrit le chat, précisa Estalère.

— Eh bien descendez-moi le chat et Mercadet.

— J'y vais, dit Retancourt, et nul ne s'y opposa, car descendre La Boule et le lieutenant à moitié endormi n'était pas une prouesse facile, surtout avec cette foutue marche inégale sur laquelle chacun trébuchait régulièrement.

Adamsberg lut d'abord la lettre pour lui-même pendant qu'Estalère officiait en distribuant les cafés en salle du concile. Adamsberg ne savait pas lire à haute voix de manière fluide, et il butait sur les mots, voire les modifiait. Non qu'il en éprouvât de la gêne devant ses adjoints, mais il préférait leur livrer un texte à peu près clair, pressentant que la prose de son correspondant raffiné ne serait pas des plus simples.

Froissy entra la dernière dans la pièce, les yeux battus par sa veille de trois jours et trois nuits devant l'écran muet.

— Finalement, une réponse nous est parvenue, mais à l'ancienne, lui dit Adamsberg.

Adamsberg attendit que le tintement des petites cuillères dans les tasses se soit apaisé pour commencer sa lecture.

— De François Château, Président de l'Association d'Étude des Écrits de Maximilien Robespierre.

Monsieur le commissaire,

Ce n'est qu'hier tard dans la nuit que j'ai su, par un collègue, l'annonce que vos services ont fait paraître concernant l'assassinat récent de trois personnes, à peu de jours de distance, soit de Mme Alice Gauthier, et de MM. Henri Masfauré et Jean Breuguel. Votre dite annonce m'en a appris les noms, dont je n'avais pas connaissance. En revanche, j'ai reconnu sur les photographies ces trois malheureuses victimes, et ce sans le moindre doute.

Il me paraît de la plus haute importance de vous faire savoir qu'elles étaient toutes trois membres de l'Association susnommée dont j'ai l'honneur d'être le président. Bien que visiteurs occasionnels, ces personnes apparaissaient à nos assemblées depuis quelque sept à dix années

– je ne saurais être plus précis – une ou deux fois l'an, et vers le début de l'automne et au printemps.

Leur « disparition » ne m'aurait aucunement inquiété sans la lecture de votre communiqué. Il n'existe dans nos statuts aucune obligation de présence, et chacun est libre de venir et partir à sa guise. Néanmoins, la coïncidence entre ces trois décès et leur fréquentation de notre groupe d'études m'alerte légitimement. D'autant que je relève l'absence notable d'un quatrième membre, beaucoup plus assidu, et qui semblait entretenir quelque contact avec les disparus. Tout au moins se saluaient-ils, j'en suis certain.

Veuillez pardonner par avance la longueur de ce courrier, mais vous comprendrez aisément que je redoute – pour choisir une formule qu'un policier ne désavouerait pas – qu'un assassin ne sévisse dans nos murs, ce qui aurait pour effet d'autres possibles morts tragiques et la fin assurée de nos activités.

Pour ces raisons, je vous serais vivement reconnaissant d'accepter de me rencontrer dans les meilleurs délais, et si possible à 12 h 30, au reçu de cette lettre. Au vu de ces éléments alarmants, il semble hautement préférable que nul ne me voie entrer dans vos locaux. Je vous serais donc très obligé – tout en vous priant de m'excuser pour ces façons inhabituelles que dictent les circonstances – de vous rendre au Café des joueurs, rue des Tanneurs, et de vous présenter au patron comme une de mes connaissances. Il vous fera sortir par l'issue arrière, et par une ruelle qui vous mènera à un parking en sous-sol. Par l'escalier 4, vous déboucherez à deux pas de la porte arrière du café La Tournée de la Tournelle, sur le quai du même nom. Je serai assis à une

table mal éclairée dans le fond de la salle à droite, je
lirai, face à vous, Motos d'hier et d'aujourd'hui. *Merci*
de prendre cette lettre sur vous afin que je sois assuré
de votre identité.

Je vous prie de croire, monsieur le commissaire, en
l'expression de mes sentiments les plus respectueux.

Adamsberg n'avait buté que sur une dizaine de mots
– et qui ne l'aurait pas fait ? se dit-il. Un silence déconte-
nancé suivit cette lecture, plus dû sur l'instant au ton de
la lettre qu'à son contenu.

— On peut réentendre ? demanda Danglard, en
notant les yeux affolés d'Estalère, qui avait manifeste-
ment perdu prise.

Adamsberg regarda machinalement ses deux montres
arrêtées, demanda l'heure – 10 h 10 – et s'exécuta sans
que nul ne soulève d'objection.

— Adieu l'Islande, résuma Voisenet quand le commissaire reposa la lettre.

— En effet, dit Noël. Ce n'est pas demain la veille
que tu iras scruter les poissons dans les eaux arctiques.
En revanche, et si je comprends bien, on va plonger dans
un aquarium où nagent des poissons autrement bizarres
que tous ceux que tu connais. Un aquarium à cinglés de
robespierristes, ça vaut le détour, sûrement.

— Climat également glaciaire, dit Voisenet.

— Rien n'indique qu'il s'agisse d'une société de
« robespierristes », dit Mordent avec ce léger mépris
qu'il avait pour s'adresser à Noël. Mais de chercheurs
qui analysent les textes de Robespierre. C'est une
grosse nuance.

— Même, dit Noël, c'est quand même des types qui se passionnent pour ce gars. On est à la brigade criminelle ici. On ne va pas se mettre à défendre les tueurs de masse, si ?

— Fin du débat, Noël, dit Adamsberg.

Noël se renfonça dans son gros blouson de cuir, cette carapace virile le faisant paraître deux fois plus râblé qu'il ne l'était.

— Piège ? demanda Justin en tendant un doigt délicat vers la lettre. Il vous demande de passer par un véritable dédale pour le rejoindre.

— C'est fou ce que les gens connaissent comme trucs pour semer les flics, dit Kernorkian.

— Ce qui est plutôt rassurant, en un sens, commenta Adamsberg.

— On vous demande, insista Justin, d'aller retrouver là-bas, si la ruelle ou le parking ne sont pas un coupe-gorge, un inconnu qui parle comme un livre, dont on ne sait pas s'il dit la vérité, ni s'il est vraiment président de cette association. Tout cela fait très conspirateur, cela sent son intrigue à l'ancienne.

— Je ne serai pas seul, Justin. Veyrenc et Danglard viennent avec moi, ils m'aideront à faire le liant, l'enveloppement historique de la conversation.

— Le fond de sauce en quelque sorte, dit Voisenet.

— L'Histoire n'est pas un fond de sauce, protesta Danglard.

— Pardon, commandant.

— Et en protection, continua Adamsberg, car on ne sait jamais en effet, cinq agents avec moi sur les arrières. C'est-à-dire vous seule, Retancourt. Attendez-nous dans le parking et suivez-nous. C'est le point dangereux du parcours. Puis entrez à *La Tournée de la Tournelle* par la porte principale, comme n'importe quelle cliente qui vient déjeuner. Ne vous faites pas remarquer.

— Ce qui sera difficile, ironisa Noël.

— Moins qu'à vous, lieutenant, dit Adamsberg. Vous sentez la flicaille d'assaut à cent mètres. Au lieu que Retancourt inquiète et rassure à son gré.

Adamsberg lut sur le calme visage de Retancourt que l'offense de Noël se paierait, ce ne serait pas la première fois.

— L'Association existe bel et bien, je viens de vérifier, dit Froissy qui quittait rarement son écran et à qui le dernier échange avait échappé. Elle a été fondée il y a douze ans. Mais sur ce lien, on ne sait pas les noms de ceux qui la gèrent.

— On vérifiera au *Journal officiel*, dit Mercadet. Je m'en charge.

— Leur site est on ne peut plus sobre, continua Froissy. Reproductions d'époque, quelques textes de Robespierre, photos du lieu, dates des assemblées, et une adresse. Cela ressemble à une ancienne halle ou que sais-je.

Danglard se déplaça pour examiner l'écran.

— Sans doute une grange à grains, dit-il. La légère voussure au haut des fenêtres indique une construction de la fin du XVIIIe siècle. Où est-ce ?

— Tout au nord, en lisière de Saint-Ouen, au 42, rue des Courts-Logis, répondit Froissy. Ils déclarent six cent quatre-vingt-sept membres inscrits. Ils disposent d'une vaste salle de débats, avec tribunes, plus une cafétéria, un salon, des vestiaires. Les réunions – dites « ordinaires » ou « exceptionnelles » – ont lieu une fois par semaine, le lundi soir.

— Ce soir donc, dit Adamsberg avec un léger frémissement.

— Et ce soir est une « exceptionnelle », ajouta Froissy.

— À quelle heure ?

— 20 heures.

— Il faut beaucoup d'argent pour louer un lieu pareil. Cherchez là-dessus, Froissy. Propriétaire, locataires, etc.

La station assise avait assez duré pour le commissaire qui se leva pour arpenter la grande salle.

— N'oublions pas qu'on nous balade depuis le début, dit-il. On nous envoie sur l'Islande, en même temps qu'on nous prépare à la guillotine, avec un signe assez peu clair pour qu'on ne le décrypte pas facilement. Puis, avec l'assassinat de Jean Breuguel, on nous conduit à nouveau sur l'Islande, à tort, pour nous renvoyer sur la guillotine, mais avec un signe gravé un peu différemment. Tremblant. On rebondit de suicides en meurtres, puis de suspects en suspects, Amédée, Victor, Céleste, Pelletier, ou le « tueur de l'île ». Et maintenant nous voici face à Robespierre. Ou plutôt face à un meurtrier qui, au sein de cette association, dézingue des passionnés de Robespierre.

— Un infiltré, quoi, dit Kernorkian.

— Ou des infiltrés. Meurtres politiques ?

— Ou vengeance personnelle, proposa Voisenet. Car pour des robespierristes, nos trois victimes ne semblaient pas très assidues aux assemblées.

— Si ce président dit la vérité.

— Et s'il existe.

— Ou bien, dit Mordent, comme le suggère le gars – comment s'appelle-t-il au fait ?

— François Château.

— Ou bien, comme le suggère ce François Château, on cherche à ruiner cette association. Qui resterait dans un groupe où un tueur fou élimine ses membres ? En moins d'un an, il sera dépeuplé et fermé. Soit cause politique, soit cause personnelle.

— Mais pourquoi alors, dit Justin en fixant ses notes, nous envoie-t-on au début sur le drame islandais ?

— Je ne sais pas si on nous y a jamais « envoyés », dit lentement Adamsberg en revenant sur ses pas. J'ai fait une erreur, ou je me suis mal exprimé, ou je me suis perdu. C'est cette foutue boule d'algues, une chatte n'y retrouverait pas ses petits.

— Même pas La Boule, dit Estalère.

— Personne ne nous a orientés, poursuivit Adamsberg. On s'est orientés tout seuls. Dès le premier meurtre, le tueur avait laissé un signe qui n'avait rien à voir avec l'Islande. Mais il y avait eu cette lettre d'Alice Gauthier, alors il y a eu Amédée, et le deuxième assassinat au Creux, et le rocher islandais. Nous sommes allés tout seuls en Islande.

— Là où la brume tombe en cinq minutes et nous avale, dit Mordent en hochant la tête.

Pourquoi mènes-tu
ton chargement de brouillard
sorcière du crachin
sur les champs ?

Danglard le regarda, un peu stupéfait.

— Pardon d'interrompre, dit Mordent. Et ce n'est pas de moi, Veyrenc, c'est un poème islandais.

Puis Mordent allongea son maigre cou, signe de préoccupation du héron embarrassé.

— Il n'empêche que les premières victimes avaient toutes deux été en Islande, dit-il. Coïncidence ? On n'aime pas les coïncidences.

— Pas forcément, dit Adamsberg en amorçant un nouveau tournant dans sa marche. Ces deux-là ont pu se revoir après le drame. Supposons que l'un d'eux soit affilié à cette association d'études. Et que le premier, disons Henri Masfauré, ait initié le second, disons Alice Gauthier, aux réunions de la société Robespierre.

— Rien n'indique une activité de ce genre chez Gauthier ou Masfauré.

— Et pourtant, si ce président dit vrai, ils étaient bel et bien membres de cette société, Mordent. Et Jean Breuguel de même. Ce n'est pas forcément le genre de choses que l'on crie sur les toits. « Études robespierristes », ça n'aurait pas forcément plu au proviseur de Mme Gauthier ou aux commanditaires industriels de Masfauré.

— Le sujet reste brûlant, confirma Danglard.

— Mais si le tueur n'a rien à voir avec l'Islande, dit Mercadet, pourquoi a-t-il apporté des livres chez Jean Breuguel ?

— Pour se foutre de nous, lieutenant, pour nous encourager sur la fausse piste sur laquelle nous étions lancés, et pour nous éloigner de l'association. Ce qui expliquerait que cette guillotine fût si alambiquée. Il avait besoin de la dessiner, mais non pas qu'on l'identifie.

— Je l'ai, dit la voix fluette de Froissy.

— Quoi ?

— La halle, dite la « Grange au blé », appartient à la ville de Saint-Ouen. Elle est louée par divers groupements, et une fois par semaine par l'association Robespierre. Locataire déclaré pour les lundis : Henri Masfauré, ajouta-t-elle tranquillement, pour cent vingt mille euros par mois.

— Tiens, dit Adamsberg en stoppant sa déambulation. Voici qu'apparaît un pan entier de montagne inexploré, une face du philanthrope demeurée invisible.

— Entre un philanthrope et Robespierre, c'est la terre et la lune.

— Détrompez-vous, Kernorkian, dit Danglard, d'une voix un peu acide. L'esprit de Robespierre était philanthrope, croyez-m'en. Le bonheur des humbles, la subsistance pour tous, l'abolition de l'esclavage, la suppression de la peine de mort – oui, parfaitement –, le suffrage universel, un statut honorable pour tous les conspués, pour les Noirs, les Juifs, les bâtards, et la perfection « sublime » sur cette terre.

— Danglard, coupa Adamsberg, tentons tous de rester collés au sujet. Qui est : un meurtrier dans l'association Robespierre, et qui en exécute les membres. Collés au sujet.

Consigne surprenante de la part d'Adamsberg, qui avait tout de l'éponge dérivante et rien d'un coquillage « collé », plaqué obstinément sur son rocher. Il demanda de nouveau l'heure : 11 h 15.

— Il faudrait changer les piles de ses deux montres, chuchota Froissy.

— On reste collés au sujet, répéta plus fermement Adamsberg. Veyrenc, Danglard, préparez-vous, non armés surtout. Mordent, vérifiez cette affaire de location de la Grange au blé auprès du notaire de Masfauré. Était-ce officiel, ou versé en liquide ? Joignez Victor pour connaître le contenu de sa bibliothèque, livres d'histoire, études sur la Révolution ? Ou bien Masfauré dissimulait-il son inclination ?

— À cent vingt mille par mois, j'appelle cela plus qu'une inclination, dit Mercadet.

— En effet. Vous, Froissy, lancez un avis d'enquête en urgence, mais en interne cette fois, à destination de tous les commissariats et gendarmeries du territoire : on cherche un « suicidé » avec un signe de guillotine. Envoyez-leur le dessin, sous ses trois formes déjà connues.

— Quel suicidé ? demanda Estalère.

— Rappelez-vous, expliqua Adamsberg avec la patience protectrice dont il faisait toujours preuve avec le brigadier, que François Château nous signale un quatrième homme manquant, ayant eu quelques contacts avec nos morts. Vrai ou faux, on le cherche. Les flics ont pu passer à côté d'un faux suicide.

— Sans remarquer le signe, compléta Mercadet. Il était presque invisible chez Masfauré, et Bourlin ne l'a trouvé chez Breuguel qu'en raison des livres sur l'Islande.

— On commence à prospecter sur les suicidés du dernier mois. Que les agents retournent sur les lieux en quête du signe. Si cela ne donne rien, même investigation pour les suicidés du mois précédent, et ainsi de suite. Prévenez le divisionnaire de l'extension des recherches. Justin, rédigez l'avis et vous, Froissy, imitez ma signature. On quitte les lieux dans dix minutes. Retancourt, préparez-vous et partez en avant-garde.

— Danglard, demanda Adamsberg en sortant de la salle, c'est à propos de quoi ce truc de « Si la montagne ne vient pas à toi, c'est toi qui iras à la montagne » ?

— Je croyais qu'on devait coller au sujet, dit Danglard un peu sèchement.

— C'est vrai. Mais Mordent n'était pas obligé de nous réciter ce poème islandais. Vous les contaminez, commandant, tous autant qu'ils sont. À la fin, il n'y aura plus un seul flic concentré dans cette brigade. Et j'ai besoin de flics concentrés.

— Parce que vous ne l'êtes pas.

— Exactement. Alors, ce truc de la montagne ?

— Ce n'est pas à proprement parler un « truc », commissaire. Il s'agit d'une parole coranique. Il s'agit même de Mahomet, tout bonnement. « Si la montagne ne vient pas à Mahomet, c'est Mahomet qui ira à la montagne. »

— Eh bien en ce qui me concerne, et plus modestement, je dis : « Si je n'ai pas été à la montagne, la montagne est venue à moi. » Parce que je n'ai pas vu la route.

— Si. Vous avez compris le signe.

— Mais je n'ai pas été au-delà, Danglard. Je n'ai pas franchi cette guillotine.

— Mieux vaut pas, commissaire.

— Et sans la lettre de ce matin, on serait toujours figés sur place.

— Mais il y a eu la lettre. Et il y a eu la lettre parce qu'il y a eu votre annonce.

— Commandant, vous êtes clément avec moi, aujourd'hui, dit Adamsberg en souriant.

XVII

Adamsberg appela le commissaire Bourlin depuis la voiture.

— On quitte l'Islande, Bourlin, dit-il. Définitivement.

— On appareille pour où ?

— Pour l'Association des études de Robespierre.

— L'Association d'Étude des Écrits de Maximilien Robespierre, corrigea Danglard à forte voix.

— Merde, dit Bourlin. Ta guillotine.

— Le président nous a écrit en personne, il déplore trois membres manquants.

— Nos trois suicidés.

— Parfaitement. Et un quatrième serait absent, selon lui.

— Ils sont combien là-dedans ?

— Presque sept cents.

— Merde, répéta Bourlin.

— C'est ce que je voulais te dire.

— Tu crois possible que le tueur y foute une bombe ? Histoire de gagner du temps ?

— Non, il s'amuse trop. Pour le moment.

Le patron du petit *Café des joueurs* guettait leur arrivée.

— On ne m'a pas dit que vous seriez trois.

— On ne nous l'a pas interdit non plus, dit Adamsberg en tirant la lettre de sa poche.

La simple vue de l'écriture sophistiquée apaisa l'homme, qui les mena à la porte de sortie arrière. Puis à une courette, puis à une seconde, puis à une ruelle et une porte en fer de sécurité incendie.

— Par là, vous descendez dans le parking de la Tournelle. Je suppose qu'on vous a indiqué quelle sortie prendre ?

— Oui.

— Alors dépêchez-vous, ajouta l'homme en regardant de droite et de gauche. Et faites-vous discrets. Encore qu'avec lui, ajouta-t-il en désignant la chevelure de Veyrenc, c'est perdu d'avance.

Puis il rebroussa chemin sans un signe. Justin avait raison : relents de conspiration, de conjuration, de comploteurs à l'ancienne mode.

— Un peu ridicule, non ? dit Veyrenc.

— Sans doute, dit Adamsberg. Mais il n'a pas tort en ce qui te concerne.

— À qui la faute ?

Adamsberg grimaça. Il était certain que personne ne pouvait oublier Veyrenc, ce visage lourd et beau mais coiffé de cette chevelure bicolore, à la manière d'une fourrure de léopard inversée. Il était le dernier flic qu'on enverrait en filature, ou dans une conspiration du XVIIIe siècle. Des gosses qui l'avaient torturé enfant, entaillant son cuir chevelu de quatorze coups de couteau, les cheveux avaient repoussé roux sur les cicatrices. Cela s'était passé là-haut, chez eux, dans le Haut Pré de Laubazac, derrière la vigne. Adamsberg ne s'en souvenait jamais sans une secousse au ventre.

Ils sortirent par l'escalier 4 et poussèrent la porte arrière de *La Tournée de la Tournelle*. Vaste salle assez luxueuse, nappes blanches, emplie de clients à cette heure. Danglard repéra Retancourt assise en angle, bandeau rose pâle sur ses cheveux courts et blonds, et tailleur assorti. Sur la table, un magazine de lainages pour bébés. L'imposante lieutenant tricotait sans même regarder ses aiguilles, s'interrompant seulement pour prendre une bouchée dans son assiette, tirant sa laine blanche d'un gros cabas fleuri posé à ses pieds.

— Tu étais au courant ? souffla Veyrenc. Qu'elle savait tricoter ? Et si bien ?

— J'avoue que non.

— On ne dirait pas un char d'assaut posté en camouflage ? Non, elle est impeccable. Avec son flingue sous ses pelotes de laine.

— Notre gars est là-bas, dit Danglard, près du portemanteau. Celui en chemise blanche et gilet gris sans manches, celui qui se nettoie les ongles.

— Je ne crois pas, dit Veyrenc. J'imagine mal le président Château se faire les ongles au restaurant.

— Il prend la revue, dit Adamsberg, *Motos d'hier et d'aujourd'hui*. Il nous jette un œil. Il hésite parce que nous sommes trois.

Ils se présentèrent à sa table, et l'homme se leva à moitié pour leur serrer la main.

— Messieurs ? Avez-vous la lettre ?

Adamsberg ouvrit sa veste, l'enveloppe dépassant de sa poche intérieure.

— Vous êtes le commissaire Adamsberg, n'est-ce pas ? dit François Château. Je crois connaître votre visage. Et ces messieurs sont ?

— Le commandant Danglard et le lieutenant Veyrenc.

— Nous assemblons nos compétences, dit Danglard.

— Prenez place, je vous prie.

Rassuré, Château glissa son cure-ongles en acier poli dans la poche de son gilet et les pria de choisir leur menu, leur recommandant le feuilleté de champignons à l'oseille et le foie de veau à la vénitienne. L'homme n'était pas grand, étroit d'épaules, le visage rond, les joues rosées. Des cheveux châtain-blond clairsemés sur le dessus du crâne, de petits yeux bleus qui n'attiraient pas l'attention. Rien de remarquable, sauf ce cure-ongles incongru et sa posture bien droite, appliquée, tel qu'il serait assis sur une chaise d'église. Adamsberg était désappointé, comme si le président de l'association Robespierre se devait d'être intimidant.

— Vous buvez ? demanda Danglard en examinant la carte des vins.

— Modérément, mais avec plaisir en votre compagnie, dit Château en décrispant son sourire. Du blanc de préférence pour moi.

— Cela me va, dit Danglard en passant aussitôt la commande.

— Je vous prie une nouvelle fois de me pardonner ces manières de vous convoquer. J'y suis hélas contraint.

— Menacé ? demanda Veyrenc.

— Depuis longtemps, dit le petit Château en serrant de nouveau les lèvres. Et cela s'aggrave. Veuillez pardonner de même ces soins d'hygiène pour mes mains, dit-il en tendant ses doigts aux ongles noirs de terre. J'y suis tenu.

— Vous êtes jardinier ? demanda Adamsberg.

— Je viens de mettre en terre trois orangers du Mexique, j'en escompte une belle floraison. Quant aux menaces, messieurs, comprenez que diriger une association centrée sur Robespierre n'a rien de commun avec le pilotage d'un navire de commerce, n'est-ce pas. Il s'agirait plutôt d'un bâtiment de guerre affrontant ennemis et tempêtes, dans la mesure où le seul nom de Robespierre ravive des passions qui montent à l'assaut et déferlent à son bord. J'avoue que lorsque j'ai créé ce groupe d'étude, je ne m'attendais pas à son immense succès, ni à ce qu'il déclenche tant d'ardeurs, qu'elles soient ferventes ou haineuses. Et parfois, dit-il en jouant de la pointe de son couteau sur son assiette, je songe à abdiquer. Trop de cristallisations, de réactions enflammées, de manifestations de culte ou de rejet, qui finissent par transformer notre formation de recherche en une arène à fantasmes. Je le déplore.

— À ce point ? dit Danglard en emplissant les verres, évitant celui d'Adamsberg.

— J'avais anticipé votre défiance, ma foi, c'est très normal. Tenez, je vous ai apporté deux lettres récentes, qui prouvent que ces menaces, n'est-ce pas, n'ont rien d'une plaisanterie. J'en ai beaucoup d'autres au bureau. En voici une, qui date d'il y a environ un mois.

> *Tu te crois un grand homme, et tu te crois déjà triomphant, mais sauras-tu prévoir, sauras-tu éviter le coup de ma main ? Oui, nous sommes déterminés à t'ôter la vie et à délivrer la France du serpent qui cherche à la déchirer.*

— Et en voici une autre, enchaîna Château. Postée le 10 avril. Juste après les assassinats d'Alice Gauthier et d'Henri Masfauré, si je ne me trompe. Comme vous le voyez, le papier est banal et le texte tapé sur ordinateur. Rien à en dire sur l'auteur, hormis que la lettre est partie du Mans, ce qui ne nous aide nullement.

Danglard se jeta avec avidité sur la seconde lettre.

Tous les jours je suis avec toi, je te vois tous les jours. À toute heure mon bras levé cherche ta poitrine. Ô le plus scélérat des hommes, vis encore quelques jours pour penser à moi, dors pour rêver de moi. Adieu. Ce jour-même, en te regardant, je vais jouir de ta terreur.

— Peu banal, n'est-ce pas ? dit Château, tentant un rire. Mais mangez, messieurs.

— D'autant peu banal, dit Danglard d'une voix grave, que ces deux textes sont des copies exactes de véritables courriers adressés à Maximilien Robespierre, après le vote de la terrible loi du 10 juin 1794.

— Qui êtes-vous ? s'exclama Château en reculant brusquement sa chaise. Vous n'êtes pas des flics ! Qui êtes-vous ?

Adamsberg retint l'homme par le bras, chercha son regard pâle. Château respirait vite, mais sembla trouver un peu d'apaisement dans l'expression du commissaire, si tant est qu'il fût commissaire.

— Des flics, nous sommes des flics, l'assura-t-il. Danglard, montrez-lui discrètement votre carte. Le commandant en sait beaucoup sur la période révolutionnaire.

— Je ne connais personne, dit sourdement Château, toujours sur la défensive, qui sache le texte de ces lettres, hormis les historiens.

— Lui, dit Veyrenc en désignant le commandant de sa fourchette.

— La mémoire du commandant Danglard, confirma Adamsberg, est un abîme surnaturel où mieux vaut ne pas mettre les pieds.

— Désolé, dit Danglard en secouant sa longue tête inoffensive. Mais ces lettres sont néanmoins assez connues. Croyez-vous, si j'appartenais à ceux qui vous menacent, que je me serais découvert aussi stupidement ?

— C'est ma foi vrai, dit Château, qui rapprocha sa chaise, un peu rasséréné. Mais tout de même.

Danglard resservit du vin, et adressa un léger signe de tête à Château, en manière de réconciliation.

— À qui ces lettres sont-elles adressées ? demanda-t-il. Sur l'enveloppe, j'entends.

— Croyez-le ou non, à « M. Maximilien Robespierre ». Comme s'il vivait encore. Comme s'il menaçait encore. C'est pourquoi je vous dis que des déments authentiques hantent nos assemblées et s'attaquent à présent à nos membres. Dans le but, du moins je le crois, d'instaurer un climat de terreur qui finira par m'atteindre, moi. Vous avez lu la phrase : *Ce jour même, en te regardant, je vais jouir de ta terreur.* J'ai créé l'association, j'en ai eu l'idée, j'en ai imaginé le concept, et à ce titre, je la préside depuis douze ans. Il serait ma foi logique que l'auteur des lettres, ou quelque autre forcené, finisse par viser à la tête, n'est-ce pas ?

— Il n'y a personne d'autre avec vous ? demanda Adamsberg.

— Un trésorier et un secrétaire, qui me servent également de gardes du corps. Ce ne sont pas leurs véritables noms qui sont déclarés au *Journal officiel*. Le mien oui. Ma foi, je ne prenais pas garde, au début.

— Et un financier, ajouta Veyrenc.

— Peut-être.

— Un mécène, même.

— Oui.

— Henri Masfauré.

— Vrai, dit Château. Et qui vient d'être assassiné. Il payait le loyer de la salle. Quand il nous a rejoints, il y a neuf ans, nous étions en mauvaise posture, il a repris les choses en main. Avec sa disparition, le meurtrier coupe le nerf de la guerre, l'argent.

Adamsberg observait le petit président découper avec précision son feuilleté de ses mains terreuses, cherchant une raison d'être à ce contraste chez un homme aussi maniéré. Le noir de la terre ennoblit les mains, celui de la malpropreté les avilit. Quelque chose de cet ordre.

— Si Masfauré, dit-il, était assez passionné pour vous financer, pourquoi ne venait-il pas plus souvent ? Vous avez écrit qu'il était, comme les deux autres victimes, un membre épisodique.

— Henri poursuivait un but scientifique fameux – et même révolutionnaire, le mot n'est pas de trop – et sa tâche l'absorbait tout entier. Il préférait ne pas courir le risque d'être repéré à l'association. Cela n'aurait pas été du goût, n'est-ce pas, de tous ses collaborateurs. Et ma foi, le même problème se pose pour nous tous et pour moi. Je suis chef comptable au *Grand Hôtel des Gaules*, cent vingt-deux chambres. Vous connaissez ?

— Oui, dit Veyrenc. Mais je vous croyais jardinier.

— Si l'on veut, dit Château d'une voix languissante en regardant ses ongles. Je m'occupe du jardin de l'hôtel, les autres ne savent pas s'y prendre. Cela dit, que mon directeur apprenne quelle association je préside et je suis à la rue. Car qui cherche à s'approcher de Robespierre est nécessairement douteux, c'est aussi simple que cela dans l'esprit des gens. Henri se satisfaisait simplement de savoir que l'association vivait. Il y venait deux fois par an.

— À votre idée, demanda Adamsberg, est-ce Masfauré qui a invité Alice Gauthier, la femme assassinée, à assister à quelques séances ?

— C'est ma foi probable. Car ils étaient parfois l'un à côté de l'autre. J'ai dû voir cette Mme Gauthier, et ce M. Breuguel, environ une vingtaine de fois, pas plus. J'ai pu les reconnaître sur vos photos car eux n'étaient pas déguisés. Ils assistaient aux séances derrière la barrière, en arrière des députés.

— Déguisés ? dit Adamsberg.

— Je ne comprends pas, intervint Veyrenc. Il existe en France d'autres groupes de recherche sur Robespierre. Des historiens qui étudient, épluchent, analysent et publient leurs résultats dans une ambiance studieuse. Mais votre association déclenche des troubles, des ferveurs et des haines.

— C'est un fait, dit Château en se redressant plus encore pour faire place à l'arrivée des foies de veau à la vénitienne.

— C'est que M. Château, dit Danglard, nous a parlé d'un « concept », qui nécessite la location coûteuse d'un vaste bâtiment. Avec des séances « exceptionnelles ». J'imagine que nous sommes là au cœur du problème : vous ne faites pas qu'éplucher des archives ?

— C'est juste, commandant. Je vous ai apporté quelques photos qui vous éclaireront mieux que mes propos. Car je reconnais, ajouta-t-il en plongeant dans sa sacoche pour en tirer les documents, qu'à force d'entendre des discours du XVIIIᵉ siècle à longueur d'année, j'ai pris la fâcheuse habitude de m'exprimer d'une manière ampoulée qui ne facilite pas les choses. Même à l'hôtel, n'est-ce pas.

Une douzaine de clichés circulèrent sur la table. Dans une très vaste salle, éclairée par de hauts lustres équipés de fausses bougies, quelque trois à quatre cents personnes, toutes en habit de la fin du XVIIIᵉ siècle, se pressaient autour d'une tribune, les unes au centre, les autres sur des gradins, certaines assises, certaines debout, ou bien dressées, des mains levées, des bras tendus, semblant apostropher ou applaudir l'orateur sur son estrade. Au-dessus d'eux, dans des tribunes latérales, une centaine d'hommes et de femmes en costume ordinaire mais discret, se fondant dans l'ombre, dont beaucoup se penchaient par-dessus la balustrade. Des drapeaux tricolores qui flottaient çà et là. Les prises de vue étaient trop larges pour distinguer un visage. Mais on pouvait presque entendre le son de cette salle, son bruit de fond, la voix de l'orateur, des murmures, des éclats, des invectives.

— Étonnant, dit Danglard.

— Cela vous plaît-il ? demanda Château avec un vrai sourire et quelque fierté.

— C'est une représentation ? demanda Adamsberg. Un spectacle ?

— Non, dit Danglard en passant d'une photo à une autre. Il s'agit d'une très fidèle reconstitution des séances de l'Assemblée nationale pendant la Révolution. Je me trompe ?

— Non pas, dit Château dont le sourire s'élargissait.

— Je suppose que les discours déclamés par les orateurs et les députés sont fidèles aux textes historiques ?

— Cela va de soi. Chaque membre reçoit avant la date de l'assemblée le texte complet qui sera déroulé ce soir-là, y compris ses propres interventions, selon son rôle. Cela s'effectue via un site Internet dont chacun a le code.

— Son rôle ? demanda Adamsberg.

À quoi bon « jouer » la Révolution ?

— Nécessairement, dit Château. Tel membre va jouer Danton, tel incarnera Brissot, Billaud-Varenne, Robespierre, Hébert, Couthon, Saint-Just, Fouché, Barère, et à la suite. Il doit connaître par avance le discours qu'il a à tenir. Nous fonctionnons par cycles, sur deux ans : depuis les séances de l'Assemblée constituante jusqu'à celles de la Convention. Nous ne les reproduisons pas toutes ! Ou bien les cycles dureraient cinq ans, n'est-ce pas. Nous choisissons les journées les plus représentatives, ou mémorables. En bref, nous faisons vivre l'Histoire, scrupuleusement. Le résultat est assez impressionnant.

— Et qu'appelez-vous, dit Adamsberg, les séances « exceptionnelles » ? Comme celle de ce soir ?

— Celles où paraît Robespierre. Elles attirent beaucoup plus de monde. Il n'est présent que deux fois par mois car son rôle est long et épuisant. Et lui, on ne peut pas le remplacer. En ce moment pourtant, il joue toutes les semaines, nous avons pris du retard.

Château reprit sa mine inquiète.

— Il y a un « mais » à ce succès, dit-il.

— La passion, suggéra Danglard.

— Et c'est un phénomène que nous n'avions en rien prévu, acquiesça Château. Une dérive, n'est-ce pas. Nous reste-t-il un peu de vin, commandant ? Au début, nous avions réparti les rôles selon les physionomies et les tempéraments de nos membres. On disposait d'un formidable Danton, très laid avec une voix de stentor. De grands talents également pour le paralytique Couthon, l'archange Saint-Just, le grossier Hébert. Mais au bout d'un an, chacun des députés, et jusqu'au plus modeste, s'était totalement imprégné de son personnage et de la cause de son groupe, qu'ils soient des centristes du Marais, des modérés de la Gironde, des radicaux de la Montagne, des dantonistes, des robespierristes, des Enragés, des Exagérés, c'était une épouvantable foire d'empoigne. Les membres ne suivaient plus leur texte, ils s'apostrophaient ou s'insultaient spontanément en pleine séance : « Qui es-tu citoyen, pour oser avilir la République de tes hypocrites paroles ? » Il a fallu y mettre un terme.

Château secoua tristement la tête, le vin rosissant ses joues rondes.

— Par quel moyen ? demanda Danglard.

— Tous les quatre mois, nous obligeons les membres à changer de camp politique : tel du Marais retourne à la Montagne, tel Enragé devient un modéré, vous suivez le principe. Et croyez-moi, ces conversions forcées ne se font pas toujours sans heurts.

— Intéressant, dit Veyrenc.

— Si intéressant, ma foi, que nous avons entrepris une recherche novatrice. Explorer le phénomène que nul historien n'a jamais su percer : comment le livide et glacé Robespierre, dénué de charisme et d'empathie, avec sa voix aigrelette et son corps sans vie, a-t-il pu générer une telle adoration ? Avec sa face lugubre et ses yeux vides cillant derrière ses lunettes ? Eh bien cela, nous l'observons, nous le consignons.

— Depuis combien de temps menez-vous cette recherche ? demanda Danglard, qui semblait à présent plus rivé à cette association d'exception qu'à l'enquête en cours.

— Environ six ans.

— Vous obtenez des résultats ?

— Certes oui. Nous détenons déjà des milliers de feuillets, de notes, d'observations et de synthèses. C'est notre secrétaire qui pilote le projet. Les femmes, par exemple, ces milliers de femmes si ferventes de Robespierre, si désirantes, et dont lui ne voulait pourtant pas. Eh bien nous les avons, commandant, dans nos tribunes. Elles s'éprennent de lui à ne pas le croire.

— J'aimerais bouger, dit Adamsberg. Pourrions-nous marcher sur les quais ?

— Au contraire, messieurs, j'ai déjà traîné trop longtemps ici.

Les trois hommes se retrouvèrent, par quelque contraste, auprès de la statue équestre du roi Henri IV, au square du Vert-Galant, et s'installèrent sur un banc ensoleillé.

— Des photos, dit Adamsberg, en avez-vous de plus rapprochées ?

— Nos statuts nous l'interdisent, dit Château, qui avait repris le curetage de la terre sous ses ongles. Nos membres s'inscrivent anonymement et toutes les prises de vue sont interdites. Pour les raisons de confidentialité que j'ai évoquées. Et chacun doit laisser son téléphone portable à l'entrée, déconnecté.

— Si bien que vous ne pouvez pas nous donner le nom du quatrième homme dont l'absence vous inquiète, ni nous fournir une photo de lui.

— C'est bien cela. En outre, celui-là est grimé, et il participe. Pas au début. Mais après quelque temps, la fièvre l'a pris, comme tant d'autres n'est-ce pas. C'est pourquoi son absence me tracasse. Il devait être là il y a deux semaines, il avait un rôle à jouer. Il n'y aurait pas manqué, il aimait trop cela. Mais parmi tous ces masques agités, je serais incapable de vous désigner un suspect. Je dirai néanmoins que ceux que l'apparition de Robespierre ébranle le plus follement sont au nombre d'une cinquantaine. Cependant le meurtrier, n'est-ce pas, peut tout aussi bien être un homme de l'ombre, discret comme un furet et ne laissant rien paraître de sa haine.

Château travaillait à présent aux ongles de ses annulaires, méticuleusement.

— Et ceci ? coupa Adamsberg en lui montrant le dessin du signe. L'avez-vous déjà vu ? Il est présent sur le lieu des trois assassinats.

— Jamais, dit Château en secouant la tête. C'est censé représenter quoi ?

— On se le demande. À votre idée ? Dans le contexte ?

— Dans le contexte ? dit Château en frottant son crâne chauve.

— Oui. Dans votre contexte.

— La guillotine ? proposa Château, un peu comme un élève hésitant sur l'estrade. Mais laquelle ? Celle d'avant ? Ou celle d'après ? Des guillotines mélangées ? Cela n'aurait pas de sens commun.

— C'est vrai, dit Adamsberg.

Qui enfonça ses mains dans ses poches. Lui non plus ne voyait pas comment pister un homme parmi quelque sept cents membres anonymes et grimés. Une nouvelle masse d'algues se formait à son horizon, plus tentaculaire encore que celle qui l'obsédait la veille, mais s'y agglomérant, et fusionnant indécemment.

— Vous dites qu'on peut assister à vos séances comme « membres occasionnels ».

— Oui, trois fois par an.

— Ce soir, par exemple, dit Adamsberg.

— Qui ? Vous trois ? demanda Château, surpris, lâchant son outil.

— Pourquoi pas ?

— Mais qu'espérez-vous y glaner ?

— Une impression, dit Adamsberg en haussant les épaules.

— C'est une séance importante, ce soir. Il s'agit du discours fleuve du 5 février 1794, du 17 pluviôse, an II. Qui sera écourté, je vous rassure.

— J'aimerais voir cela, dit Danglard.

— À votre convenance. Présentez-vous à 19 heures devant la porte arrière du bâtiment, au n° 17. Je vous ferai avoir costumes et perruques. Si cela ne vous importune pas. En habit ordinaire, ma foi, vous seriez relégué à l'arrière ou aux tribunes, et vous ne verriez rien.

— Votre Robespierre, dit Adamsberg, pourquoi ne pouvez-vous pas le remplacer ?

Château se tut, pensif et contrarié.

— Messieurs, vous comprendrez ce soir, dit-il.

XVIII

Adamsberg, les cheveux noirs et lisses, longs jusqu'au milieu du dos et retenus en queue-de-cheval, s'observait devant les hauts miroirs des vestiaires de l'association, vêtu d'une redingote anthracite à double rangée de boutons, d'une chemise blanche au col relevé jusqu'aux oreilles et d'un large foulard serré autour du cou, noué en une ample boucle sur le devant. « Élégant mais sobre », avait préconisé Château pour le commissaire. « Sans plus, avait-il ajouté, car je doute que cela vous siérait. Vous serez le fils d'un petit notable de province, n'allons pas plus loin. En revanche, pour votre commandant Danglard, gilet crème, habit violet sombre, jabot de dentelle, un descendant un rien amolli d'une illustre famille de soldats. Quant à votre collègue aux mèches rousses, perruque, gilet bleu sombre, habit assorti, culottes blanches, fils d'un avocat parisien, brillant mais plus austère. »

Des dizaines d'hommes affairés les dépassaient, vêtus de soie, de velours, de dentelles, se rendant à pas pressés vers la grande salle de l'Assemblée nationale. Certains s'étaient reculés dans un angle pour relire le texte de leur intervention. D'autres se parlaient en un langage passé, se nommant les uns et les autres « citoyen », dissertant d'une femme décédée d'une irritation du bas-ventre, d'un meunier lapidé pour avoir soustrait de la farine, d'un cousin, prêtre de son état, échappé en exil. Un peu perdu au sein de ce qui lui parut une immense mascarade infantile, mais distrait par sa propre allure, Adamsberg faillit manquer ses deux adjoints.

— Hâte-toi, « citoyen », lui dit Veyrenc en posant sa main sur son épaule, la séance débute dans dix minutes.

C'est à sa lèvre en biais qu'Adamsberg avait reconnu le lieutenant, avec un léger choc. Oui, il était facile à un meurtrier de se couler dans cette enceinte où les hommes étaient méconnaissables et les noms inconnus, et d'y observer chacun selon son bon plaisir.

Un Danglard un brin virevoltant dans sa soie violette remettait son portable entre les mains d'un surveillant.

— Dommage, dit-il, assez enjoué, que ces habits ne soient plus de mise. Je perds beaucoup de moi-même avec l'indigent vêtement contemporain. Comment avons-nous pu en arriver à une imagination aussi pauvre ?

— En scène, Danglard, dit Adamsberg en le poussant vers les grandes portes en bois, oubliant un instant dans cet étrange théâtre qu'il n'était venu ici que pour fouailler le cœur glissant des algues.

Ils s'installèrent dans la « Plaine » des centristes, à quelques pas de la tribune où un orateur inconnu vantait les récentes victoires des armées patriotes de la République. Il faisait froid entre ces murs de pierre drapés de tentures, et sous cette immense voûte de bois. On ne chauffait pas, on respectait les conditions du Temps. À la lumière des grands lustres, Danglard scrutait la foule, et particulièrement les gradins de gauche où s'agitaient les Montagnards.

— Là-bas, voilà Danton, souffla-t-il à Adamsberg, 3e rang, 6e place. Il sera guillotiné dans deux mois exactement, et il le pressent.

— Du 8e escadron, grogna un député à ses côtés, il n'est resté que douze chevaux et neuf hommes debout.

Le président de l'Assemblée passait à présent la parole au citoyen Robespierre. Un silence, un homme qui monte droitement les marches de la tribune, et se retourne. Des applaudissements frénétiques, des cris de femmes massées dans les tribunes, des drapeaux agités.

L'acteur, impassible, le teint livide sous sa perruque blanche, le buste raide et mince serré dans un habit rayé, balaya les visages des députés puis ajusta de petites lunettes rondes avant de se pencher vers son texte.

— Il est blanc comme un mort, dit Adamsberg.

— Il est poudré, il l'est toujours, murmura Danglard, qui lui intima l'ordre de se taire, en même temps que l'assistance faisait soudain silence, sur un geste à peine visible de l'acteur.

Sa voix s'éleva dans l'enceinte, froide, grinçante, sans coffre. Déroulant son discours, parfois réitératif, parfois terriblement talentueux, pernicieux, apaisant, agressif, le ponctuant de quelques grands gestes mécaniques.

— *Il est temps de marquer nettement le but de la Révolution et le terme où nous voulons en arriver ; il est temps de nous rendre compte à nous-mêmes, et des obstacles qui nous en éloignent encore...*

Après quinze minutes, Adamsberg sentit ses paupières s'alourdir. Il se tourna vers Danglard mais le commandant, penché en avant, regardait l'orateur, captivé, bouche bée dans son jabot de dentelle, comme s'il assistait à l'apparition d'un animal d'une espèce inconnue. Il parut impossible à Adamsberg d'arracher le commandant à cet état de stupeur.

— ... *Nous voulons un ordre des choses où toutes les passions basses et cruelles soient enchaînées, toutes les passions généreuses et bienfaisantes éveillées par les lois...*

En son ennui, Adamsberg chercha quelque complicité vers sa droite, auprès de son compatriote et fils de vigneron Veyrenc. Moins défiguré que Danglard mais tout aussi sidéré, Veyrenc fixait intensément le petit homme blafard et crispé qui déclamait au-dessus d'eux, ne manquant pas un détail de la scène. Adamsberg revint vers l'acteur, cherchant par quel effet il subjuguait ainsi ses adjoints. Très élégant, subtil et précis dans chacun de ses gestes, l'homme pouvait intéresser par ses déclarations incantatoires, étonner par son maintien austère, gêner par son regard fixe d'un bleu trop pâle, par ses yeux qui clignotaient par intervalles, inquiéter par ses lèvres contractées qui ne semblaient jamais s'être assouplies pour sourire. C'était l'Histoire en vie, le président les avait prévenus, l'acteur incarnait au mieux l'Incorruptible de la Révolution. Et il y réussissait pleinement.

— ... *Nous voulons substituer dans notre pays la morale à l'égoïsme, l'empire de la raison à la tyrannie de*

*la mode, le mépris du vice au mépris du malheur, la fierté
à l'insolence, l'amour de la gloire à l'amour de l'argent, les
bonnes gens à la bonne compagnie, le génie au bel esprit,
le charme du bonheur à l'ennui de la volupté...*

— Citoyen Robespierre ! interrompit une voix venue
de la droite de l'Assemblée. Quel démon te pousse à
supposer l'homme à ce point perfectible ? Veux-tu, à
force de vertu, faire perdre à ces « bonnes gens » la
raison que tu prônes tant ?

— Ce n'est pas dans le texte, glissa Danglard, agacé,
à l'oreille d'Adamsberg. Le discours du 17 pluviôse ne
fut pas interrompu.

Adamsberg prit conscience que Danglard était authen-
tiquement choqué de cet écart. Tout comme Robespierre
qui ôta ses lunettes et dont le regard presque décoloré
glissa, inflexible, vers l'importun, qu'il gratifia d'une
simple torsion des lèvres. L'homme se rassit aussitôt,
toute flamme éteinte.

— Nom de Dieu, murmura Veyrenc.

L'orateur avait repris, impassible.

— *... et qu'en scellant notre ouvrage de notre sang,
nous puissions au moins voir briller l'aurore de la félicité
universelle. Voilà notre ambition, voilà notre but.*

L'assistance se leva tout entière et la salle s'emplit du
fracas des chaises, du raclement des bancs, des applaudissements, des cris, des apostrophes entre députés,
tandis que se déployaient depuis les tribunes populaires
les drapeaux tricolores de la Révolution.

Abasourdi, Adamsberg avait quitté discrètement la
salle. Il attendait ses collègues, adossé contre un arbre,
fumant une des cigarettes de Zerk. Cette soirée ahuris-
sante l'avait agacé autant que troublé, et il considérait

184

d'un œil presque surpris personnes et objets ordinaires qui l'entouraient, grille d'arbre, passants en jeans, vitrine éteinte d'une pharmacie, kiosque à journaux. Il n'avait pas fallu plus d'une heure pour que cet autre siècle l'apprivoise sur ses marges, qu'il s'accoutume aux habits, aux lumières, aux déclamations, aux bruissements de l'Assemblée. Quant à Danglard et Veyrenc, ils étaient perdus pour ce soir, fascinés, avalés par la fièvre du temps. Alors oui, il comprenait. Quel objet admirable et dangereux avait créé ce petit François Château. Quels élans imprévisibles pouvaient saisir ces hommes, emportés depuis tant d'années dans l'engrenage de ces soirs, et de quel tueur effarant ils pouvaient accoucher.

Une heure et demie plus tard, les trois hommes roulaient vers le sud sans échanger un mot. Observant leurs visages choqués, Adamsberg choisit de les laisser revenir en silence dans le siècle. Ce n'est qu'une fois passée la Seine et bloqué à un feu, qu'il murmura calmement :

— Piétons, asphalte, puanteur, XXIe siècle.

— Tu n'as pas compris, répondit Veyrenc.

— Tant que tu ne m'appelles pas « citoyen », j'ai espoir.

— Vraiment rien compris, insista Veyrenc.

— Vous vous rappelez, dit Danglard depuis son siège arrière, ce que Château nous a dit ? Qu'on ne pouvait pas remplacer Robespierre ? Qu'on comprendrait ce soir ?

— Oui, dit Adamsberg. Parce que leur acteur est remarquable.

— Non, commissaire. Parce que c'est lui.

— Lui qui ?

— Robespierre. L'acteur, comme vous dites, c'est Lui, *c'est* Robespierre. *C'est* l'Incorruptible.

Adamsberg sentit qu'il serait inutile et malvenu, et presque vulgaire, de rappeler à ses adjoints enflammés que Robespierre était mort décapité. Ce que lui confirma Veyrenc en murmurant comme pour lui-même, le visage tourné vers la vitre :

— Il n'y a rien à ajouter. C'était Lui.

XIX

— On l'a, commissaire, dit Mordent en entrant à grands pas dans le bureau d'Adamsberg.

Il est certain que la longueur des jambes maigres de Mordent accentuait son allure d'échassier.

— Quoi ? dit le commissaire sans lever les yeux.

Adamsberg était debout derrière sa table, et ce n'est pas cela qui contraria Mordent, car le commissaire travaillait presque toujours debout. C'était que, justement, il ne travaillait pas. Il dessinait. Alors que toute la brigade surveillait nerveusement les appels des commissariats et gendarmeries du pays entier, suite à l'avis de recherche lancé par Adamsberg lui-même sur le quatrième faux suicidé. Pire que dessiner, il aquarellait, ayant certainement emprunté du matériel à Froissy, qui composait quelques paysages à ses heures.

— Vous dessinez ? demanda Estalère, qui avait emboîté le pas à Mordent.

Il fallait toujours – et on ne sait pourquoi – qu'Estalère emboîte le pas à quelqu'un. Comme un caneton perdu qui s'installe dans une file. Peu importe sur qui tombait le brigadier au détour d'un couloir, Mordent, Voisenet, Noël, Justin, Kernorkian, Froissy ou autre, il se mettait à la roue et suivait. Si bien que chaque agent était accoutumé à découvrir soudain le jeune homme dans ses pas, et à lui déléguer une partie de ses tâches en cours.

— Cette nuit, Estalère, vers 4 heures du matin, je me suis réveillé avec une idée en tête, expliqua Adamsberg. Je l'ai griffonnée sur un bout de papier, et je me suis rendormi.

Adamsberg sortit une feuille chiffonnée de sa poche et la tendit au jeune homme.

— « Dessiner », lut Estalère. C'était cela votre idée, commissaire ?

— Voilà. Donc j'obéis. Il faut obéir aux idées de la nuit. Attention, Estalère, pas du tout à celles du soir, qui sont souvent exaltées et pernicieuses.

— Tandis que celles de la nuit ? Elles sont quoi ?

— Elles ne le disent pas, dit Adamsberg en secouant la tête, trempant son très fin pinceau dans un bol d'eau.

— Commissaire, coupa Mordent, je vous annonçais quelque chose en entrant.

— Je sais, commandant. C'est vous qui vous êtes interrompu. Vous avez dit : « On l'a », et j'ai répondu : « Quoi ? » Vous voyez que je vous écoute.

— On a notre mort, dit Mordent sur un ton appuyé.

— Le quatrième ? Avec le signe ?

— Oui. Encore qu'on ne sait pas si c'est le bon mort.

— C'est quoi, un « bon mort » ? demanda Estalère.

— C'est-à-dire, expliqua Adamsberg en se reculant pour juger de son dessin, qu'on ne sait pas si c'est l'homme manquant que nous a signalé le président de l'association. Ou bien si nous sommes tombés sur un autre. Dans l'affaire islandaise, qui n'est plus une affaire, on craignait six autres morts, une fois l'assassin lancé sur son erre. Dans celle-ci, on peut en redouter plus de six cents. Excusez-moi, dit-il en posant son pinceau et en regardant Mordent, mais en aquarelle, il y a des touches qu'on ne peut pas laisser sécher avant de les avoir achevées. Qui ? Où ? Comment ? Drainez tous les agents vers la salle du concile.

Estalère fila hors du bureau, cette fois sans suivre personne. Salle du concile égale réunion, égale cafés à préparer. Avec sucre, sans sucre, un ou deux morceaux, avec lait, sans lait, ou un nuage, serré ou allongé, il savait tout cela par cœur selon les goûts de chacun. Lui-même ne buvait pas de café. Adamsberg regarda ses montres arrêtées et Mordent lui signala qu'il était onze heures.

— L'appel nous est arrivé de la gendarmerie de Brinvilliers-le-Haut, près de Montargis, annonça Mordent une fois tout le monde installé en salle.

— Dans le Loiret, précisa Danglard.

— Ils ont eu, non pas un suicide, mais un accident mortel il y a dix-neuf jours, au village de Mérecourt-le-Vieux.

— Soit quatre jours avant la mort d'Alice Gauthier, calcula Veyrenc.

— Pourquoi ont-ils répondu à notre appel ? demanda Justin. On n'avait pas précisé « accident », mais « suicide présumé ».

— Parce que l'un des brigadiers, en allant sur les lieux le soir de l'« accident », a taché sa manche contre un mur avec de la craie, bleu vif. Après notre appel – il était assez excité au téléphone, et je vous présente donc les choses telles qu'il les a dites – il s'est demandé ce que de la craie bleue pouvait bien faire dans l'escalier d'une vieille cave noire. L'escalier était étroit et c'est comme cela qu'il s'est taché, en frottant sa veste contre le mur.

— Parce que l'accident a eu lieu dans une vieille cave noire ? demanda Voisenet.

— C'est cela.

— Homme ? Femme ?

— Un homme de soixante ans. Tous les soirs, il allait à la cave après le dîner – à la nuit donc – chercher deux bouteilles de vin à bonifier pour le lendemain. Deux bouteilles qu'il tenait toujours à plat dans ses mains, pour ne pas secouer la lie. C'est ce qu'a dit la sœur, parce qu'il vivait avec la famille de sa sœur. Elle a signalé ce fait pour expliquer l'accident : il a buté sur une des marches en remontant, et il est tombé à la renverse. Ses deux mains étant prises – par les bouteilles –, il n'a eu aucun moyen de se raccrocher. Il a dévalé tout l'escalier en arrière. Les bouteilles aussi, dont l'une est d'ailleurs restée intacte, a précisé le brigadier.

— Il n'y a pas de justice, dit Kernorkian.

— Qu'avait donné l'enquête ? demanda Adamsberg. Un des membres de la famille aurait-il pu le pousser ?

— Ils étaient encore tous à table au moment de la chute. Ils achevaient le vin bonifié de la veille, dit Mordent en consultant ses notes.

— Donc, le brigadier ?

— Un vieux de la vieille. Il est retourné ce matin examiner l'escalier, à cause de cette tache de craie.

— Il est fin, le gars, dit Veyrenc.

— Plutôt, oui. Et il a trouvé un petit motif bleu vif sur le mur crasseux. D'une quinzaine de centimètres de haut environ. Le dessin est abîmé par le frottement de la veste, mais le signe reste clair.

Mordent fit circuler le tirage photo envoyé par le gendarme.

— Le tueur ne cherche pas à raffiner, dit Danglard. Craie, crayon à maquillage, pointe de ciseaux, de couteau. Tant qu'il pose sa marque, c'est ce qui lui importe. Et comme on l'a remarqué, il ne cherche pas à la rendre voyante. Mais il ne peut s'empêcher de la tracer et c'est un trait d'orgueil de certains meurtriers. Banalement, ajouta-t-il en regardant Retancourt.

— Je pense, dit Adamsberg en considérant le graffiti bleu, que dans le cas de Jean Breuguel, le tueur a gravé le signe de la main gauche. Ce qui pourrait nous expliquer la maladresse du dessin.

— Pourquoi de la main gauche ?

— Parce que sa main droite était trop ensanglantée.

— Ça nous avance à quoi ? demanda Noël, qui, pour être un homme sommaire, misogyne et agressif, n'était certes pas un imbécile.

— À savoir, lieutenant, que le cas de Breuguel, qui n'est pas Brueghel, ne sort pas de notre série.

— C'est quoi, cette histoire de Breuguel qui n'est pas Brueghel ?

— Demandez à Bourlin, c'est lui qui me l'a dit.

— Quand on dit « Breuguel », expliqua Danglard, on a tendance à penser qu'il s'agit de Brueghel l'Ancien, un peintre flamand du XVIe siècle.

— Non, dit Noël, on n'a pas tendance à penser ça.

— C'est vrai, reconnut Adamsberg. Mordent, quel est le nom de la victime, sa photo, sa profession ?

— Angelino Gonzalez. Il a été professeur de zoologie à l'université de Laval, au Québec, puis à celle de Jussieu, à Paris. Depuis sa retraite, il vivait chez sa sœur en attendant de trouver un appartement en Bretagne. Il est breton.

— Angelino Gonzalez, un Breton ? dit Noël en ricanant.

— Fermez-la, Noël, dit simplement Adamsberg, sur le point d'ajouter : « Et d'où êtes-vous ? », attendu que le lieutenant était un enfant de la DDASS récupéré un matin de Noël sous un porche enneigé, comme dans un conte, aurait dit Mordent. Sauf que ça n'avait pas été exactement féerique.

— Quel genre de zoologue ? demanda Voisenet.

— Un spécialiste des oiseaux.

— Victor a parlé d'un spécialiste des manchots empereurs, dans leur groupe, dit Kernorkian.

— Il n'est pas spécifié que Gonzalez était spécialiste des oiseaux nordiques, dit Mordent.

— On a laissé tomber l'Islande, rappela Mercadet avec fermeté.

— Totalement, approuva Adamsberg. Justin, faites tout de même vérifier son passeport.

— Cela a été fait, dit Mordent, mais il ne date que de huit ans. Deux allers-retours France-Canada, c'est tout.

— On a laissé tomber l'Islande, répéta Mercadet.

— On va le dire combien de fois ? dit Danglard avec un brin d'énervement.

— Il est normal, dit Adamsberg, que l'Islande coure encore dans nos têtes. Envoyez la photo d'Angelino Gonzalez au président de l'Association. À Victor aussi.

— Merde, dit Danglard. Pourquoi à Victor ?

— Pourquoi pas, commandant, dit Adamsberg en se levant. Ne vous en faites pas, nous avons quitté les rochers blancs. Je crains d'ailleurs que notre nouveau voyage dans le cercle arctique de Robespierre soit encore plus glaçant.

L'équipe se sépara sans discipline pour déjeuner entre *Le Cornet à dés* et *La Brasserie des Philosophes*, d'autres demeurant sur place avec un sandwich, ce qui fut le choix d'Adamsberg, qui avait « à faire », c'est-à-dire à dessiner.

Les réponses ne tardèrent pas. Celle de Victor, qui n'« avait jamais vu ce type, qui ne ressemblait pas du tout à l'amoureux des manchots », et celle de François Château qui, oui, lui semblait-il, le reconnaissait. Mais pouvait-il voir d'autres clichés pour s'en assurer ?

Ils avaient pris rendez-vous pour 15 heures à son bureau, au siège de l'association. Une marque de confiance, mais à la condition expresse que, si Veyrenc s'y joignait, il se couvre la tête. Ce qu'il fit, en cachant sa chevelure sous une casquette noire sur laquelle « Paris » était inscrit en lettres dorées.

— C'est tout ce que j'ai trouvé dans les réserves, dit Veyrenc. Et j'ai pris ce blouson kaki à Retancourt. C'est bien, non ? Je suivrai derrière vous.

— Pourquoi, quoi qu'on fasse, dit Adamsberg, nous prend-on toujours pour des flics ?

— À cause de notre regard perverti, dit Danglard, de notre vigilance hors de propos, de notre suspicion, du pouvoir qu'on croit détenir, d'une offensive que chacun sent possible. Affaire de phéromones, l'habit ne fait pas le moine.

— À propos d'habits, dit Adamsberg, est-ce vous, Danglard, qui nous avez hier soir photographiés en tenue de députés du XVIIIe siècle ? Et qui avez diffusé ces images sur les portables de tous les agents de la brigade ?

— Parfaitement. Je nous trouvais très honorables.

— Mais tous ont ri.

— Le rire est une défense contre ce qui impressionne. Vous avez, je vous le signale, beaucoup plu. Froissy est tombée amoureuse de vous dès 9 h 20 du matin. Cela perturbe la vision habituelle qu'ils ont de vous. Hommes ou femmes.

— Très bien, Danglard. Et qu'est-ce que j'en tire ?

— De l'ambiguïté.

Adamsberg avait l'habitude de rester sans réponse aux répliques de son adjoint.

XX

— Ma foi, je crois que, oui, je crois que je l'ai vu ici, dit François Château en passant en revue les quatre photographies que lui avait apportées Adamsberg. Vous pouvez ôter votre casquette à présent, lieutenant, ajouta-t-il en souriant.

— Il s'appelle Angelino Gonzalez, dit Veyrenc en s'exécutant et en secouant sa chevelure.

— Vous, lieutenant, ce n'est pas à l'Assemblée révolutionnaire que vous auriez dû jouer, continua Château en souriant toujours. Mais au Sénat romain. Un véritable buste antique, vous y auriez été parfait. Mais pardon, je m'égare, je vous cherche un rôle. Angelino Gonzalez ? Je ne connais pas leurs noms, je vous l'ai dit.

— Mais vous les observez, dit Adamsberg.

— Il nous faut bien savoir quel genre de gens fréquente ici, n'est-ce pas. Après les séances – vous êtes partis trop tôt hier – un buffet est servi dans une salle annexe. Payant, mais presque tous y viennent. C'est le moment, non seulement de se restaurer et de boire, mais de discuter à tout-va. J'y suis parfois, j'y participe, je saisis les conversations. Je peux presque assurer que soixante-quinze pour cent de nos membres sont des historiens professionnels, ce qui ne les empêche pas de s'enflammer, je vous l'ai conté. Quinze autres pour cent sont des historiens amateurs, de toutes professions, des curieux, des assoiffés de connaissance. Comme, pardon, on pourrait trouver parmi nous un policier tel que le commandant Danglard, n'est-ce pas. Les dix pour cent restants sont divers, des professions libérales, des fonctionnaires, des psychologues et psychiatres, des industriels, des éducateurs, des professeurs, des gens de théâtre aussi. Je compte quelques artistes, mais je note un faible lien entre le goût pour l'Histoire et la pratique de l'art. Depuis quelque douze ans, on peut dire que je les connais tous. Et tous, quels qu'ils soient, sont séduits par la représentation en costumes, la fidélité des textes, l'atmosphère d'époque et, je crois pouvoir le dire, le fait de porter habit. Cela rehausse.

— J'ai remarqué, dit Danglard.

— Vous voyez. Sans compter le fait de jouer un rôle, même muet. Ici, commandant, chacun existe, chaque voix compte. On vote aux assemblées. On participe à la création des idées et des lois. En bref, on prend de l'importance.

— Et les « occasionnels » ? demanda Adamsberg.

— Je ne les néglige surtout pas. C'est parmi eux qu'on pourrait trouver des « infiltrés », des « espions », des adversaires. Ceux-là, sans payer la cotisation annuelle – qui est chère, imaginez le seul prix des costumes et de leur blanchissage –, ont droit à trois séances par an en payant à la soirée, comme on le fait au théâtre. On ne peut pas s'en passer : tous nos membres fixes ont débuté comme « occasionnels ». Mais d'autres demeurent résolument visiteurs. C'était le cas – évidemment – d'Henri Masfauré, mais aussi d'Alice Gauthier et de votre troisième homme, celui au nom de peintre.

— Jean Breuguel.

— C'est cela.

— Si vous ne demandez pas de nom ni de papier d'identité, comment pouvez-vous savoir que vos « occasionnels » ne viennent que trois fois ? demanda Veyrenc. Ou pour vos membres fixes, comment être certain qu'un autre ne prend pas leur place ?

— Nous demandons un pseudonyme et nous photographions la paume de l'une des mains. À l'accueil, nous comparons le dessin des lignes de la main avec notre cliché. C'est sûr et très rapide, et cela n'a rien d'une empreinte.

— Bien conçu, dit Veyrenc.

— Pas si mal ma foi, dit Château avec satisfaction. Les autres pensaient au verso de la carte d'identité, mais c'est trop d'information. Vous remonteriez aisément à la personne.

— Quels « autres » ? demanda Adamsberg.

— Mes deux cofondateurs, je vous ai parlé d'eux, le secrétaire et le trésorier, qui sont également anonymes et veillent sur ma personne.

— Des comptables eux aussi ?

Château sourit de nouveau. Une fois passées ses premières réticences, l'homme était tout compte fait agréable, et subtil.

— Ne tentez pas de savoir, commissaire. Disons que l'un et l'autre sont très férus d'Histoire.

— Férus, releva Danglard. Ce ne sont donc pas des historiens professionnels.

— Je n'ai pas dit cela, commandant. Ce sont eux qui prennent en charge l'aspect expérimental de notre travail.

— L'étude de « l'effet Robespierre ».

— Pas seulement. L'effet thérapeutique aussi. On ne l'a découvert que plus tard. Beaucoup de dépressifs, ou de timides maladifs, ou d'êtres inquiétés par la vie, se sont ici redressés. Reprenant pied dans la réalité, l'affrontant de nouveau par le biais de cette autre réalité décalée. Vous me suivez, n'est-ce pas ? Rencontrez mes associés – appelons-les Leblond et Lebrun, si vous en êtes d'accord –, ils connaissent nos membres mieux que moi, et particulièrement les étranges, les insolites. Et peut-être ces « occasionnels », fidèles mais déterminés à vouloir demeurer en marge. C'est un souci.

— Et un point obscur, dit Veyrenc. Pourquoi s'en prendre à eux, qui sont les moins représentatifs de vos assemblées ?

— Fâcheuse coïncidence peut-être, puisque la quatrième victime, Gonzalez n'est-ce pas, ne l'était pas. Mais je ne peux rien affirmer pour lui. Car, si c'est l'homme auquel je pense, il portait toujours perruque et habit. Il m'est donc bien difficile de l'identifier d'après cette photo d'un mort. Néanmoins il avait un long nez, des yeux las et des lèvres denses, je ne pense pas faire erreur.

— Une seconde, dit Adamsberg en se levant. Vous avez du papier ?

— Bien sûr, dit Château un peu étonné, en lui tendant une feuille.

Adamsberg choisit une photo de Gonzalez et en tira un dessin rapide et précis.

— Joli, dit Château. Vous ne devez pas avoir trop de goût pour l'Histoire, n'est-ce pas ?

— Je n'ai pas de mémoire de l'écrit, je ne retiens que ce que je vois. À présent, observez bien.

À traits sûrs et légers, Adamsberg ajouta au visage de Gonzalez une perruque, un foulard enroulé autour du cou, un col dressé, un savant nœud de tissu en jabot.

— Et maintenant ? demanda-t-il en tendant le dessin à Château.

Le président hocha la tête, puis frotta sa calvitie, impressionné.

— Bien sûr, dit-il, je le connais. Je le vois même parfaitement à présent.

— Un occasionnel ?

— Non. Un amateur de sensations fortes. Il vient souvent, pour les grandes séances. Ce Gonzalez se portait toujours volontaire sur les listes de rôles. Il a fait un excellent Hébert, insultant, grossier comme un porc – c'est lui qui rédigeait *Le Père Duchesne*, vous savez.

— Pas du tout, dit Adamsberg.

— Pardon, se reprit Château en rosissant. Je ne voulais pas vous offenser.

— En rien.

— Je voulais dire « foutre ceci », « foutre cela », tous les cinq mots, dans la bouche d'Hébert. Gonzalez s'en est donné à cœur joie, ce furent de belles séances. « Que les crapauds du Marais aillent éternuer dans le sac ! » Robespierre était affreusement choqué, comme chaque fois qu'Hébert invectivait dans sa langue si triviale.

— Éternuer dans le sac ? demanda Adamsberg.

— Une expression d'époque pour « passer à la guillotine ». Gonzalez a également fait un succès avec le rôle débraillé de Marat. Il avait, ma foi, particulièrement soigné son maquillage, pour se forger des yeux tombants. Nous avons trois maquilleuses ici, précisa le petit Château en s'animant à nouveau, comme chaque fois qu'il parlait de son « concept ». Dans un tout autre registre, il a fait l'incontournable Couthon. Oui, dit-il en rendant le portrait à Adamsberg, il aimait cela. Cafés ? demanda-t-il en se levant.

Adamsberg regarda ses montres, puis la pendule accrochée à la boiserie.

— Nous prenons beaucoup de votre temps, dit-il.

— J'ai encore plus à cœur que vous de découvrir qui assassine nos sociétaires. Mon temps est à vous, dit-il dans le vrombissement de la machine à café. Quatre meurtres en trois semaines. Mais il sera terriblement ardu de cerner le tueur parmi cette foule.

— C'est-à-dire, observa Adamsberg, que nous aurions de meilleures chances si chacun disait la vérité.

Et il revit l'infernal entrelacement des algues qui l'enserrait jusque dans ses nuits. Ce qu'il avait à faire à présent lui déplaisait.

— Où donc vous faufilez-vous, commissaire, et à quel propos ? interrogea calmement le président.

— À propos de Robespierre.

— Exceptionnel, n'est-ce pas ? dit Château en déposant les tasses sur le bureau. Je ne vous l'ai pas caché. Et pourtant, le discours du 17 pluviôse est à n'en pas douter un morceau de bravoure, mais passablement ennuyeux par endroits, comme très souvent chez l'Incorruptible. Eh bien, lui, il parvient tout de même à faire passer cela.

— Comme lui.

— Lui qui ?

— Ce qu'ont dit mes adjoints en rentrant hier soir. Ils sont sortis de la séance en quasi-état de choc.

— Déjà ? dit Château en souriant, proposant du sucre à la ronde.

— « C'était Lui », ont-ils dit. *Lui-même* : Robespierre.

Le président jeta un regard surpris à Danglard et Veyrenc qui, eux, regardaient Adamsberg sans comprendre, embarrassés que le commissaire révèle leurs réactions de la veille.

— Ils avaient raison, reprit Adamsberg. C'était Lui. Et c'est pourquoi, bien sûr, on ne peut pas le changer.

— Où vous engagez-vous, commissaire ? demanda Château, secouant la tête. Vos adjoints eux-mêmes ne vous suivent pas, je me trompe ?

— Je peux fumer ?

— Je vous en prie, dit Château en sortant un cendrier de son tiroir.

Adamsberg extirpa une cigarette tout en attrapant d'une main un dossier qu'il posa sur le bureau. Il en sortit une aquarelle sur papier fort, qu'il tendit à Château.

— Qu'en pensez-vous ? demanda-t-il.

— L'homme n'est pas beau, dit Château après un silence, en desserrant ses lèvres un instant refermées, mais le portrait est exquis. Vous êtes réellement doué.

— Et est-il ressemblant ? continua Adamsberg en passant le dessin à ses adjoints.

Il alluma sa cigarette, s'adossa à la chaise et, pour une des rares fois de sa vie, chercha un calme qu'il ne trouva pas.

— Très, dit Château. C'est moi.

— Sans conteste, dit Danglard, un peu médusé, et qui reposa délicatement l'aquarelle sur le bureau pour ne pas l'abîmer.

— Est-ce un cadeau, commissaire ? dit Château, sur ses gardes.

— Avec plaisir, mais plus tard. Rappelez-vous l'expérience que nous avons faite tout à l'heure avec le visage de Gonzalez, en lui ajoutant perruque et costume. Je me suis permis de choisir pour vous la tenue exacte que portait Robespierre hier soir. Habit rayé de deux teintes de brun doré ton sur ton, blanc crème du jabot de dentelle plate, blanc brillant de la perruque, cercles des lunettes et, bien sûr, visage poudré et livide.

Adamsberg montra le second dessin à ses adjoints avant de le passer au président. Les trois hommes s'étaient raidis, et Adamsberg laissa tomber sans le vouloir sa cendre sur le parquet.

— Visage dénué de cette carnation rose qui est la vôtre à l'état naturel, ajouta-t-il.

C'était dit c'était fait, et Adamsberg se leva pour marcher un instant, étirant discrètement ses bras vers le bas.

— C'est Lui, dit Danglard à voix basse, tandis que Veyrenc, saisi, se contentait de fixer le portrait.

— Lui qui ? demanda doucement Adamsberg. Lui, Maximilien Robespierre, mort décapité en 1794 ? Ou bien vous, face à nous, monsieur François Château ? Robespierre revenu du territoire des ombres ? Ou François Château qui le connaît si bien, si totalement, qu'il sait accuser la crispation du sourire, cligner des yeux, maintenir son visage impassible, jouer des mouvements délicats de ses mains, imiter sa voix, se tenir en une posture rigide, le dos droit comme une planche ? Dos, dit-il en revenant vers le bureau et en se penchant vers Château, que vous tenez d'ailleurs naturellement très droit, gestes que vous avez naturellement délicats, voix que vous avez naturellement faible, yeux que vous avez naturellement pâles, sourire que vous avez naturellement crispé.

Château souffrait et sa douleur se diffusait comme un parfum toxique dans la petite pièce, touchant chacun des hommes. Dans sa détresse, et à présent que les dessins d'Adamsberg avaient dévoilé le double, on reconnaissait à présent en lui le Robespierre d'hier. Il s'était contracté sur son siège, ses lèvres s'étaient étrécies, et le rose juvénile avait quitté ses joues. Adamsberg se laissa retomber, las, sur sa chaise, comme fatigué et désolé par sa propre attaque. Il déposa son mégot éteint dans le cendrier et secoua la tête assez tristement.

— Mais vous, monsieur Château, vous savez sourire, tandis que Lui ne le pouvait pas, pour son malheur. Vous, vous n'avez pas son teint blême, vous, vous ne portez pas de lunettes, vous, vous n'avez pas de tic facial. Comme vous n'avez pas d'escarres aux jambes ni ne saignez du nez. Je me suis un peu documenté hier, comme vous le voyez.

— Alors c'est simplement, dit Château d'une voix neutre, que je suis un très bon acteur. Mais une fois de plus, commissaire, je vous félicite. Je suis moi-même un observateur avisé, mais j'étais convaincu que nul ne pourrait jamais deviner mon visage si commun derrière le sien. Vos adjoints eux-mêmes ne l'ont pas reconnu, à ce que je constate.

— Si bien que vous avez raison de vous croire en danger. Si j'ai pu voir François Château derrière Robespierre, un autre que moi a pu le faire. Nul ne pourra vous remplacer à cette tribune. Personne n'en sera capable. Avec votre mort, l'association s'éteint. Et plus que cela : vous disparu, Robespierre s'en va à son tour, il retourne une seconde fois au néant. On avait pourtant pris la précaution à l'époque de couvrir son corps de chaux pour l'anéantir plus sûrement. Mais l'âme ? Où est passée son âme ?

— Je n'adhère pas à ces histoires d'âme, commissaire, dit Château en durcissant le ton.

— Nous allons vous laisser, monsieur Château. Je me permettrai de revenir dans trois heures.

— Et pour quel motif, je vous prie ?

— Parce que vous n'êtes pas un « très bon acteur ». Vous êtes *Lui*, comme l'ont exprimé mes adjoints. Ou, pour le dire autrement, vous êtes un excellent acteur, car vous êtes *Lui*.

— Vous désertez les terres de la raison, commissaire.

— Je reviens à – Adamsberg jeta un œil à la pendule – 19 h 30. En attendant, prenez soin de vous, plus encore que vous ne l'imaginez.

XXI

Dès sa sortie du bureau de l'association – deux grilles à passer avec un gardien, munies de serrures sécurisées et de codes électroniques, le président était protégé comme dans un bastion –, Adamsberg donna ordre à Retancourt de se placer en protection continue de François Château. Le tueur avait éliminé Masfauré, car sans son apport financier l'association n'existait plus. Ce premier coup était fatal. On pouvait supposer qu'après ce meurtre, Robespierre était la future cible. En installant peu à peu la crainte, puis la peur, enfin la *terreur*, comme l'avait fait Robespierre, avant de frapper au cœur. *Vis encore quelques jours pour penser à moi, dors pour rêver de moi. Adieu. Ce jour même, en te regardant, je vais jouir de ta terreur.* Combien de membres avait-il programmé de tuer ? Assez pour que la rumeur prenne corps et pour dépeupler l'association avant d'en attaquer l'âme ? Assez pour laisser Robespierre-Château assister, seul, à l'effondrement de son œuvre ? Son signe, oui, était bien antirobespierriste, c'était le dessin de la guillotine « à la

Louis XVI ». C'était la marque du dernier pouvoir du roi, même sur la machine qui allait le décapiter.

— Collez à lui, Retancourt – mettez le petit Justin là-dessus, on ne le remarque pas –, avec Kernorkian à moto. Tournez avec qui vous voulez, sauf Mercadet, Mordent, Noël.

Retancourt en déduisit : l'un trop ensommeillé, l'autre trop courbatu, le dernier trop impulsif.

— Laissez Froissy à son poste, j'ai besoin d'elle pour les recherches. Vous savez si elle a abouti ?

— Pas encore. Elle cherche une voie plus directe, c'est-à-dire illégale.

— Parfait. Je pense quitter le siège de l'association vers 20 h 30. Que Justin et Kernorkian soient déjà en place, je crois l'homme en réel danger. Mais pas forcément maintenant. Cela peut durer des semaines, prévint Adamsberg, qui savait combien une planque incertaine et sans fin était nerveusement épuisante. Danglard et Veyrenc rentrent à la brigade, ils exposeront la situation à l'équipe.

— Tu as visé au centre, dit Veyrenc, François Château joue Robespierre. Mais à quoi cela nous avance ? Pourquoi retournes-tu t'acharner sur lui ?

Les trois hommes s'attardaient près de leur voiture. Adamsberg s'en allait marcher, le fait était patent sans qu'on ait à le préciser. Il avait confié sa sacoche à dessins à Veyrenc, pour l'exposé aux collègues, et partait mains dans les poches.

— Parce qu'à présent, on sait l'homme menacé, dit Adamsberg.

— On a compris cela, dit Danglard. La question est : pourquoi s'acharner ?

— Danglard, avez-vous jamais laissé une bouteille à moitié vide, une fois entamée ?

— Quel rapport ?

— Vous le voyez très bien. Nous n'avons pas vidé la bouteille François Château. On peut présenter la chose sous deux points de vue : François Château *est* Robespierre, et il est menacé. Ou bien : François Château *est* Robespierre, et il est dangereux. Ou c'est encore moins simple.

Veyrenc – ses cheveux à nouveau enfoncés sous sa casquette de touriste – fronça les sourcils et alluma une cigarette, tendant mécaniquement son paquet à Adamsberg.

— Château serait imprégné de Robespierre au point de fusionner avec lui ? dit-il. De reproduire les tueries ? Et à peine aurait-il détruit un ennemi qu'il s'en découvrirait un autre ?

— Un engrenage sans fin, nuança Danglard, puisque l'ennemi que traquait Robespierre était en lui-même. Mais en ce cas, pourquoi Château nous aurait-il écrit ?

— Je n'en sais rien, dit Adamsberg, qui se balançait d'une jambe sur l'autre, signe imminent du départ. Il nous faut vider la bouteille. Jusqu'au truc qui est au fond.

— La lie, dit Danglard.

— Non, rectifia Adamsberg. C'est comme une bouteille à deux bouchons. Nous avons évacué la première partie. Si Froissy achève son travail à temps, j'ai espoir de faire sauter le second bouchon.

— Qu'avez-vous demandé à Froissy ?

— Une recherche d'identité sur François Château.

— Vous pensez qu'il vit sous un faux nom ?

— Pas du tout. Depuis la brigade, envoyez-moi une photo de Victor.

— Qu'est-ce que Victor vient encore faire là-dedans ? demanda Danglard.

— Il était secrétaire de Masfauré, il a donc pu l'accompagner à l'association, entendre, savoir. Dites, Danglard, Robespierre a-t-il eu des descendants ?

— Fausse route totale, commissaire. On dit que Robespierre avait le ventre mort. C'est-à-dire, comprenez-moi, le bas-ventre.

— J'avais saisi.

— Je ne parle pas d'impuissance, mais d'impotence. Symptôme remarquable de sa vaste pathologie.

— Zerk a préparé un gigot pour ce soir, coupa Adamsberg. C'est trop pour nous deux.

— Je me charge du vin, dit hâtivement Danglard, car le blanc que Zerk achetait au coin de la rue tordait le ventre comme un détersif.

— Ce n'est pas tant pour votre compagnie, ajouta Adamsberg en souriant, mais j'ai encore besoin de savoir ce que vous savez.

— Quand l'enquête sera close, si tant est, pourrai-je conserver un des dessins ? demanda Danglard.

— Vous aussi ? Pourquoi ?

— C'est un beau portrait de Robespierre, tout simplement.

— Un portrait de Château, rectifia Adamsberg. Vous-même confondez les deux à présent. Alors que dire de lui ?

La Seine était trop éloignée pour qu'il ait le temps de faire l'aller-retour, surtout au rythme tranquille auquel il marchait. Le mieux était de rejoindre le canal Saint-Martin. Cela faisait toujours de l'eau. Ce n'était pas le gave de Pau, bien sûr, mais c'était toujours une sorte de rivière à suivre, avec ses mouettes au-dessus. Les immeubles qui le bordaient n'étaient pas non plus des pans des Pyrénées, mais cela faisait toujours de la pierre. Pierre et eau, feuilles aux arbres, mouettes, si abîmées soient-elles, n'étaient jamais à négliger.

Son portable vibra alors qu'il atteignait le canal et aspirait l'odeur de chiffon mouillé que dégageait l'eau crasseuse des villes. Il espérait ardemment une réponse de Froissy et leva la tête vers les mouettes criardes pour leur adresser une prière païenne. Mais les mouettes ne s'occupaient pas de lui et il reçut la photo de Victor. Tout ceci, bien loin de l'Islande, remettait en selle les jeunes gens du Creux. Car si Victor était informé des activités parallèles de son patron philanthrope, il aurait pu le confier à Amédée. Et qui sait comment Victor et lui jugeaient la passion d'Henri pour Robespierre ? Dangereuse ? Coûteuse ? Victor avait assuré que la bibliothèque de Masfauré ne contenait aucun livre sur la Révolution. Logique, s'il entendait garder son secret sur l'association. Et c'était en effet ce qu'il faisait : Mordent avait confirmé que le notaire n'avait pas trace de versement à une quelconque association culturelle. L'argent passait donc en liquide.

Pierre, eau, oiseaux. Il s'inclina sur le banc qu'il avait choisi, mains croisées sous la nuque, surveillant le ciel, repérant les mouettes les plus dociles. Il était facile pour Adamsberg d'en choisir une, de grimper sur son dos, sans la serrer, d'orienter sa course en en dirigeant doucement les ailes, de survoler les champs, d'atteindre la mer, et là, de jouer à résister vent debout.

Après quelque six cents kilomètres ainsi parcourus, Adamsberg se redressa, demanda l'heure et arrêta un taxi. L'idée de retourner dans le bureau sombre de Château ne lui plaisait pas. Et surtout pas celle de le forcer à vider cette bouteille. S'il avait les moyens d'en arracher le second bouchon.

À 19 h 25, le gardien lui ouvrit à nouveau bruyamment les grilles du bâtiment, et le pria d'attendre M. Château dans son bureau, il ne tarderait pas. À court de cigarettes chiffonnées de Zerk, Adamsberg s'était acheté un paquet neuf. Marcher et fumer dans le bureau boisé du petit président ne serait pas de trop pour extirper ce bouchon. La seconde réponse de Froissy lui était parvenue sept minutes plus tôt. Excellente Froissy. D'avoir eu raison sur ce point lui donnait un léger vertige, comme s'il s'aventurait dans des sphères de déraison dont il ne connaissait pas les mécanismes ni, pire, le futur. Alors que seul sur une crête de montagne à la nuit, il était autant à son aise qu'un izard. Mais le monde de François Château, qui venait de s'épaissir encore, n'était pas son territoire. Il pensa à ce conte que Mordent aimait : celui où, à peine entré dans la forêt, les branches se refermaient derrière vous et où le chemin du retour n'était plus ni praticable, ni visible.

Adamsberg n'avait pas osé ouvrir le tiroir du bureau pour en sortir le cendrier et il regardait les ouvrages de la bibliothèque sans en lire les titres.

— Bonsoir, commissaire, dit une voix grinçante derrière lui.

Une voix qu'il avait entendue la veille. François Château venait d'entrer, ou plus exactement cette fois

Maximilien Robespierre. Adamsberg demeura stupéfait devant le personnage, qu'il n'avait pas vu de si près hier au soir. Bras croisés, dos rigide, l'homme, en très bel habit bleu, perruqué et poudré, lui adressait ce sourire figé qui n'en était pas un, clignant des yeux derrière de petites lunettes rondes aux verres teintés. Adamsberg ne bougea pas, pas plus que d'autres ne l'avaient fait, en leur temps. Parler à Château était une chose, discuter avec Maximilien Robespierre en était une autre.

Sans un mot, le personnage ouvrit son tiroir et posa le cendrier sur la table.

— Joli costume, dit platement Adamsberg en s'asseyant mal sur le bord de la chaise.

— Je le portais pour la fête de l'Être suprême, qui devait être ma consécration, expliqua sèchement l'homme en reprenant sa posture. Le seul matin où l'on me vit un vrai et tendre sourire, dirent certains, épris d'anecdotes, tant une lumière céleste était au rendez-vous dans le ciel de Paris. Vous n'avez jamais contemplé cette clarté inouïe, vous ne la verrez jamais. J'endossai à nouveau cet habit le 8 thermidor devant l'Assemblée. Mais il ne put conjurer ma mise à mort, qui survint deux jours plus tard, sonnant le glas de la République.

Adamsberg décacheta son paquet de cigarettes et le tendit inutilement vers Château, ou comment fallait-il nommer cet homme ? Lui qui avait su deviner le visage du petit président derrière celui de Robespierre n'aurait pas dû être saisi par cette apparition. Mais avec l'habit, la personnalité de l'homme avait changé, comme si l'impassible visage de Robespierre avait chassé, et même brutalement délogé, l'aimable figure un peu infantile de Château. Du modeste président il ne restait plus rien, et

Adamsberg s'interrogeait sur cette mise en scène excessive et ridicule, qui le déroutait malgré tout. Château espérait-il puiser en Robespierre une force qu'il craignait de ne pas trouver pour cet entretien ? L'impressionner par cette glaçante allure ? Mais il y avait autre chose, conclut-il en l'observant à travers la fumée. Château avait pleuré, et n'avait voulu à aucun prix qu'on le remarque. À travers la poudre, Adamsberg distinguait malgré tout le liseré rougi des paupières inférieures et les poches qui se formaient sous les yeux gonflés. Adamsberg plaça instinctivement sa voix au plus bas, au plus doux.

— Vraiment ? dit Adamsberg, toujours mal placé sur sa chaise.

— En douteriez-vous, monsieur le commissaire ? La Réaction balaya la France qui tomba comme une femme oublieuse et facile dans les bras d'un tyran. Et par la suite ? Qu'advint-il ? Quelques courts élans de révolte, mémoires de nos glorieux efforts à présent engloutis dans une république avilie, où la bassesse et l'avidité ont terrassé nos idéaux, mais dont les noms, Liberté, Égalité, Fraternité, parcourent encore le monde comme une nostalgie. Devise qui orne vos frontons mais que nul ne songe en son âme à scander.

— Est-elle de vous ? Cette devise ?

— Non pas. Les termes vagabondaient çà et là mais c'est moi, oui, c'est moi qui les ai forgés en une seule lame : *Liberté, Égalité, Fraternité, ou la mort.*

Château, narines frémissantes, brisa soudain son discours et se pencha vers Adamsberg, posant ses mains fines à plat sur le bureau.

— Est-ce assez à présent, monsieur le commissaire ? Nous sommes-nous assez divertis ? Car c'est bien ainsi que vous souhaitiez me voir, n'est-ce pas ? Me voir en « Lui » ? Cette représentation vous a-t-elle agréé ? En avons-nous fini ?

— Que va-t-il advenir de tout cela ? demanda prosaïquement Adamsberg en désignant le bâtiment d'un geste large.

— En quoi cela vous concerne-t-il ? Nos finances nous permettront d'aboutir au terme de notre recherche.

Le ton cassant, presque pétrifiant, de Robespierre persistait dans la voix du président et continuait d'incommoder Adamsberg.

— Lui, le connaissez-vous ? enchaîna-t-il en lui tendant la photo de Victor.

— Un autre mort ? Un autre traître infâme ? dit Château en saisissant le portable que lui tendait le commissaire.

— L'avez-vous vu ici ?

— Cela va de soi. Il s'agit du secrétaire d'Henri Masfauré, prénommé Victor, bâtard et fils du peuple. Éliminé, lui aussi ? demanda-t-il froidement.

— Encore vivant. Il accompagnait donc son patron lors de ses passages aux assemblées ?

— Henri ne se passait pas de son secrétaire. Victor obéit, Victor mémorise. Interrogez-le, lui aussi.

— C'est mon intention, répondit Adamsberg, conscient que, dans son rôle impérieux, Château venait de lui donner un ordre.

Cela ne l'embarrassait pas, mais le frappait. Il se leva, fit quelques pas, déposa son portable sur le bureau, après avoir composé le « 4 », qui le mettait en communication avec Danglard, de telle sorte que son adjoint puisse suivre cette conversation depuis la brigade. L'opinion du commandant lui importait en cette circonstance singulière.

— Savez-vous d'où vous vient cette ressemblance avec Robespierre ? reprit Adamsberg sans se rasseoir.

— Du maquillage, monsieur le commissaire.

— Non. Vous lui ressemblez.

— Malice de la nature, intervention de l'Être suprême, à votre choix, dit Château en s'asseyant, croisant les jambes.

— Ressemblance qui vous a poussé à vous lancer sur les traces de Robespierre et à fonder cette association, ce « concept ».

— En rien.

— Jusqu'à ce que le personnage vous imprègne peu à peu.

— Sans doute est-ce parce que c'est le soir, monsieur le commissaire, et que votre journée fut harassante, que vous perdez en subtilité. Vous vous apprêtez à présent à me demander si je « fusionne » avec lui, selon je ne sais quel processus mental aberrant, si je suis la proie d'une double personnalité et autres stupidités remarquables. Je vous arrête avant ces insanités. Je joue Robespierre, comme je viens de vous le démontrer, et je m'en tiens là. Et je suis d'ailleurs fort bien payé pour le faire.

— Vous êtes rapide.

— Il n'est pas difficile de vous devancer.

— Il est dominé, dit Danglard, avec le ton anxieux d'un homme qui commente le déroulement d'un match sportif.

Les agents s'étaient rassemblés en une masse compacte, collés les uns aux autres, certains le buste allongé sur la table, pour pouvoir mieux entendre les voix sortant de l'appareil posé sur la table.

— Vous êtes François Château, je sais cela, dit Adamsberg.

— Fort bien. Cela clôt le débat.

— Et vous êtes le fils de Maximilien Barthélemy François Château. Lui-même fils de Maximilien Château.

Château-Robespierre se raidit et, à l'autre bout de Paris, Danglard et Veyrenc firent de même.

— Quoi ? demanda Voisenet, suivi par le regard de ses collègues.

— Ce sont les prénoms du père et du grand-père de Robespierre, expliqua rapidement Danglard. La famille Château s'est attribué les mêmes prénoms que celle des Robespierre.

Le président Château entra dans une de ces fureurs que l'on connaissait à l'Incorruptible attaqué, son poing s'abattant sur la table, ses lèvres fines et tremblantes, invectivant, attaquant.

— Il est en danger ? demanda Kernorkian.

— Taisez-vous, nom de Dieu, dit Veyrenc. Retancourt est toute proche.

Savoir le lieutenant à proximité du commissaire calma sur-le-champ l'équipe, Noël y compris. Les têtes se penchèrent plus avant vers le haut-parleur.

— Traître ! criait à présent Château. Je vous appelle à l'aide en confiance et vous en usez en hypocrite infâme pour fouiner comme un rat jusque dans ma propre famille !

« Hypocrite infâme », une expression favorite de Robespierre, commenta Danglard à mi-voix.

— Et quand bien même ? continuait Château. Oui, toute la famille était furieusement robespierriste, et croyez-moi, je ne vous souhaite pas de le vivre !

— Pourquoi n'avez-vous pas hérité des prénoms sacrés ?

— Grâce à ma mère ! hurla Château. Qui a tout fait pour me protéger de ces furieux dévots et qui s'est noyée sous mes yeux quand j'avais douze ans ! Cela vous contente-t-il, monsieur le commissaire ?

Le petit homme s'était levé, avait arraché sa perruque, et l'avait jetée au sol avec violence.

— Masque tombé, dit Danglard. Le second bouchon de la bouteille a sauté.

— Il y a des bouteilles à deux bouchons ? demanda Estalère.

— Évidemment, dit Danglard. Taisez-vous. On entend l'eau couler. Il y a un lavabo dans le bureau, près de la machine à café. Il se démaquille, peut-être.

Château se frottait brutalement le visage, laissant s'écouler une eau blanche. Puis crachant et reniflant sans vergogne, il essuya sa peau, redevenue mi-rose mi-livide, et revint s'asseoir, à mi-chemin entre orgueil et accablement, tendant une main élégante pour demander, cette fois, une cigarette.

— Vous êtes un combattant qualifié, commissaire, j'aurais dû vous guillotiner plus tôt, dit-il en retrouvant presque un sourire, si malheureux ce soir. Vous guillotiner le premier d'entre eux. Car c'est bien à quoi vous pensez, n'est-ce pas ? Que ma folle famille m'a intronisé comme « descendant » de Robespierre ? Qu'elle a enfoncé cette mission dans mon crâne d'enfant ? Eh bien c'est exact. Mon grand-père fut le forgeron de ce destin, un vieillard intraitable, lui-même élevé dans le grand culte. Ma mère s'y est opposée et mon père était un faible. Dois-je poursuivre ?

— S'il vous plaît. Mon grand-père était un imbécile, abîmé par la guerre, et un despote.

— Le vieux a commencé mon éducation à quatre ans, dit Château, un peu calmé. Il m'a appris les textes mais aussi la posture, la voix, les mimiques, et plus encore, la méfiance envers les ennemis, la défiance envers tous et la pureté comme règles de vie. Persuadé qu'était ce vieux crétin pourri d'orgueil de descendre du grand homme. Ma mère m'aidait à résister. Chaque soir, telle Pénélope et sa tapisserie, elle défaisait pour moi ce que le vieux avait façonné dans le jour. Mais elle est partie. J'ai toujours pensé que le vieux avait fendu la barque dans laquelle elle s'est noyée. À la Robespierre : éliminer l'obstacle qui se dressait entre lui et moi. Après sa disparition, il a accentué sa dictature. Cependant j'avais douze ans, et le bouclier que ma mère avait forgé était prêt. Le vieux a donc trouvé un autre obstacle devant lui : moi-même.

Adamsberg arrêta sa marche devant le bureau, et les deux hommes prirent une autre cigarette. Le spectacle qu'offrait Château, avec son visage sans prestance à moitié nettoyé, couvert de traînées blanches, sa couronne chauve de cheveux mouillés, ses yeux tuméfiés, le tout posé sur le corps encore en habit bleu de Robespierre, était aussi splendide qu'affligeant. Il aurait pu être grotesque. Mais sa détresse, la grâce de son maintien, le burlesque de son aspect l'ébranlaient, le touchaient. C'était lui, Adamsberg, qui avait voulu cette défaite, et même cette débâcle, elle lui était nécessaire pour l'enquête. Jusqu'au second bouchon, jusqu'à la lie. Mais à quel prix.

Pensées du même ordre à la brigade, où les souffles étaient retenus, l'émotion perceptible, mais que seul Estalère exprima.

— C'est triste, hein ? dit-il.

— Mon père aimait Napoléon, dit Voisenet, mais il ne m'a jamais demandé d'aller conquérir la Russie. Encore que moi et mes poissons, ça l'exaspérait sacrément.

— Silence, exigea Danglard.

— Cependant, reprit Château en exhalant la fumée, votre suspicion va plus loin. Vous vous figurez que le vieux a tordu ma personnalité comme le forgeron déforme une barre de fer. Que j'ai intégré le rôle d'« élu » qu'il m'avait assigné et qu'aujourd'hui, n'est-ce pas, je reproduis le comportement destructeur de Robespierre. Que c'est moi qui supprime les membres de ma propre assemblée. Voilà ce que vous pensez. En cela, commissaire, vous vous fourvoyez.

Château serrait et desserrait ses doigts sur sa poitrine, sur le jabot de dentelle mouillé, comme s'il voulait saisir ou caresser quelque chose. Adamsberg l'avait vu faire ce geste compulsif la veille. Un pendentif, supposa-t-il, un talisman, un portrait de sa mère, quelques cheveux.

— Avec ce « bouclier » venu de votre mère, pourquoi fonder malgré tout cette association et endosser ce rôle détesté ?

— Je savais être Robespierre sur le bout des doigts depuis mes quinze ans. Même après la mort du vieux, le personnage me hantait, il suivait mes pas, mes gestes, il m'avait pris en filature, il ne me lâchait pas. Alors je me suis retourné et, ma foi, je lui ai fait face. Face, commissaire. Avec le désir d'en finir, de lui régler son compte. Alors je l'ai saisi. Je l'ai agrippé et je l'ai joué et encore joué. Il est ma créature et non plus moi la sienne. C'est moi qui tire les ficelles à présent.

Adamsberg hocha la tête.

— Nous sommes fatigués, non ? dit-il en se rasseyant, écrasant sa cigarette.

— Oui.

— Vos associés, les cofondateurs – comment les nomme-t-on, déjà ?

— Leblond et Lebrun.

— Leblond et Lebrun savent-ils tout cela ?

— Surtout pas. Puis-je vous prier, si tant est qu'on puisse prier les forces policières, qu'ils demeurent dans cette ignorance ?

XXII

Zerk n'était pas encore un bon cuisinier mais il progressait. Son gigot était à point, et les haricots en conserve acceptables. Danglard servit du vin largement et Adamsberg se donna le temps du dîner avant d'aborder de nouveau l'affaire. Ses adjoints l'avaient compris et faisaient allègrement basculer la conversation d'un sujet à l'autre, ce qui ravissait Zerk, qui n'était guère plus doué que son père pour les joutes verbales. Ce qui reposait également Adamsberg du conglomérat d'algues qui, pour l'heure, ne perdait rien de sa densité ni de sa noirceur.

Ils se regroupèrent avec leurs cafés autour de la cheminée fumante, Danglard occupant sa place coutumière, à gauche. Adamsberg à droite, pieds sur un chenet, Veyrenc au centre.

— Votre impression ? demanda Adamsberg.

— Il semblait sincère, dit Danglard.

— Autant qu'au cours de notre déjeuner quai de la Tournelle, dit Veyrenc, sceptique, tandis qu'il nous cachait qu'il tenait le rôle de Robespierre. Ce qu'il n'était d'ailleurs pas obligé de nous révéler.

— Il y a peut-être un troisième bouchon au fond de la bouteille, dit Adamsberg.

— Il existe des bouteilles à neuf bouchons, cela s'est vu, dit Danglard en se versant un nouveau verre.

— Pas pour vous, commandant.

— Les bouchons ne m'effraient pas, en effet. Ils sautent dans mes mains comme des bestioles apprivoisées.

Zerk avait trop bu, il dormait sur la table, le front sur les bras.

— Il prétend tirer les ficelles du personnage, dit Adamsberg, le jouer à la tribune et donc se jouer de lui. Mais quand il était Robespierre ce soir, quand il s'est mis en rage face à moi, quand ces mots lui ont échappé, « traître », « hypocrite infâme », « bâtard et fils du peuple », il ne me semblait pas alors que le petit Château était aux commandes. Comme si, une fois en habit – il en portait un bleu, celui qu'Il avait revêtu le jour de la fête de Dieu...

— De l'Être suprême, corrigea Danglard.

— Comme si, continua Adamsberg, le petit Château devenait alors perméable, poreux, absorbant le personnage sans rien en maîtriser. Robespierre entre en lui comme il veut et, à ces moments, il n'y a plus de François Château. Plus rien. Contrairement à ce qu'il a tenté de me faire croire. Là encore, il m'a menti. Et pourtant il souffrait. Et son sourire faisait mal.

— *Ce sourire fait mal,* récita Danglard. *La passion qui visiblement a bu tout son sang et séché ses os, laisse substituer la vie nerveuse, comme d'un chat noyé jadis et ressuscité par le galvanisme ou peut-être d'un reptile qui se raidit*

et se dresse, avec un regard indicible, effroyablement gra-
cieux. L'impression toutefois, qu'on ne s'y trompe pas,
n'est point de haine ; ce qu'on éprouve, c'est une pitié dou-
loureuse, mêlée de terreur.

— C'est une description de Lui ?

— Oui.

— Où as-tu pêché l'idée de rechercher les prénoms de sa famille ? demanda Veyrenc.

— Pour que Château soit autant pétri de l'homme, j'ai supposé une éventuelle filiation. À ce moment, je ne savais pas que Robespierre n'avait pas eu d'enfant.

— Aucune descendance, réassura Danglard. Les femmes et tout ce qui se rapportait à la sexualité le terrifiaient. C'est sur cette base qu'il a fondé sa notion récurrente de « vice », sans en avoir conscience bien sûr. Il a perdu sa mère à six ans, et cette mère, allant de grossesse en grossesse, n'a guère eu le temps de voir l'enfant Maximilien avant de mourir en couches. Après son décès, le père modèle, le bon avocat d'Arras, a déserté la maison puis définitivement disparu, abandonnant ses quatre enfants. À six ans, Maximilien devenait chef de famille, sans avoir reçu une once d'amour. L'enfant se figea, dit-on, et on ne le vit plus jamais jouer ni rire.

— Est-ce que cela ne correspond pas assez bien à Château ? dit Veyrenc.

— Plutôt bien, même.

— À l'état nu, dit Adamsberg, je veux dire, quand Château quitte l'enveloppe de Robespierre, il paraît plutôt asexué.

— Si Robespierre n'avait pas croisé la Révolution, dit Danglard, il eût peut-être, petit avocat à Arras, ressemblé en effet à notre Château. Talentueux et pétrifié, exalté et bâillonné. Sans jamais pouvoir approcher une femme. Et pourtant, Dieu sait si elles l'aimèrent follement. Mais non, pas de descendance. Pas un des quatre enfants Robespierre n'a porté fruit. Peut-être Maximilien a-t-il dérogé quelques fois, ou même une seule fois, avant de devenir Robespierre. On en doute beaucoup.

Danglard s'interrompit, songeur, puis sourcils froncés, comme un animal hésitant, soudain insatisfait et sur le qui-vive.

— Nom de Dieu, dit-il. Château ! Non, ne dites rien, cela va m'échapper.

Le commandant appuya son verre sur ses lèvres, fermant à moitié les yeux.

— J'y suis, dit-il. C'est cette histoire de rumeur. Et je l'avais tout à fait oubliée. Elle a manqué me filer entre les doigts comme les chats du jardin.

— Allez-y commandant, dit Adamsberg, tirant une cigarette de son paquet personnel.

Il le laisserait à Zerk demain et lui en volerait d'autres. C'était celles de son fils qu'il convoitait. Mais on ne vole pas un homme endormi.

— Il existe une rumeur persistante sur un fils caché de Robespierre, expliqua Danglard, qui serait né en 1790. Il s'appelait Didier Château.

— Château ? dit Adamsberg en se redressant.

— Comme Château.

— Continuez, commandant.

— Il s'appelait même *François* Didier Château. François, comme François. On n'a qu'une seule « preuve » de cette ascendance, et c'est une lettre. En 1840, quand François Didier Château a alors cinquante ans, le président de la Cour d'appel de Paris, rien de moins, sollicite avec force un emploi pour lui. Lui qui n'est pourtant qu'un simple aubergiste de province. Comment l'humble François Didier Château, « bâtard et fils du peuple », a-t-il pu nouer une telle relation avec le puissant président parisien ? C'est une première énigme. Dans une lettre au préfet, ce président demande que l'on confie à l'aubergiste le relais de poste de...

Danglard frotta son front, puis se redressa et avala une gorgée de vin blanc.

— De Château-Renard, dans le Loiret, compléta-t-il d'une voix brève avec soulagement. Mieux que cela, le président de la Cour signale que son protégé est également recommandé par des personnalités telles que le juge de paix, le maire, des châtelains. Qu'avait donc cet aubergiste pour s'attirer tant de hauts défenseurs ?

— Une réputation, dit Veyrenc.

— Exactement. Car dans sa réponse, négative, le préfet... Passez-moi votre ordinateur, commissaire.

— Voici, reprit Danglard après quelques instants : *... Or, le sieur Château que vous voulez bien me recommander est le fils naturel de Robespierre.* Notez avec quelle assurance le préfet l'affirme, sans le moindre doute. Je reprends. *Il n'est pas responsable de sa naissance, je le sais, mais malheureusement son origine a influé d'une manière fâcheuse sur ses opinions et sa conduite et il est tout ce qu'il y a de plus radical.*

Danglard posa l'ordinateur au sol et croisa les bras, souriant et satisfait.

— Quoi d'autre, Danglard ? demanda Adamsberg, stupéfait, et penché vers son adjoint comme vers une lampe magique d'Aladin.

— Peu de chose, mais tout de même. Après la mort de Robespierre, la mère de François Didier s'est réfugiée à Château-Renard avec son fils de quatre ans. Des bruits circulaient-ils ? A-t-elle eu peur pour son fils ? Risquait-il sa vie ? C'est très possible. On craignait bien, quelques années plus tôt, que l'enfant du Temple ne représente une menace. Celle de la voix du sang qui s'éveille et vient clamer vengeance. Comme celles des suppliciés de la tour du Creux.

— C'est quoi, l'enfant du Temple ? demanda Adamsberg.

— Le fils de Louis XVI.

— Quoi d'autre sur le fils caché ?

— On possède une description physique de lui, quand il était dans l'armée de Napoléon. Rien de probant mais rien non plus de contradictoire avec son supposé père. J'entends par là que ce n'était pas un géant au nez aquilin et aux yeux noirs. Non, il mesurait moins d'un mètre soixante, il avait des yeux bleus et des cheveux clairs, un petit nez et une petite bouche.

— C'est vague en effet.

— Mais, seconde énigme : cinq ans après avoir échoué à devenir maître du relais de poste, notre aubergiste devient directeur des voitures publiques. Des diligences d'État ! Comme cela, dit Danglard en claquant des doigts. Hautes relations, toujours. C'est tout, je n'ai plus rien dans ma besace.

— C'est beaucoup, Danglard. L'affirmation du préfet n'est pas mince.

— Je n'y crois pas, dit Danglard. Que Robespierre ait couché avec une femme. Qui nous dit que cette Denise Patillaut – c'est le nom de la mère, cela me revient à présent –, enceinte hors mariage, ne s'est pas vantée de cette paternité illustre pour atténuer l'opprobre de sa condition de fille-mère ? Ensuite, la famille Château aura pérennisé la légende. Jusqu'à notre actuel François. S'il est bien un descendant de ce François Didier.

— Nous avons un autre élément, dit Veyrenc. Sa ressemblance inouïe avec Robespierre.

— On ne saura jamais, dit Danglard. Ni nous, ni la famille Château. Pas de comparaison ADN possible, les restes de Robespierre furent finalement dispersés dans les catacombes de Paris.

— Mais le plus important n'est pas la vérité, dit Adamsberg en calant de nouveau ses pieds sur le chenet. C'est que les Château y aient cru. Que le grand-père s'y soit accroché dur comme fer, comme ses ancêtres avant lui. Qu'ils aient maintenu la flamme, entretenu le culte. Dès lors, que croit notre François ? Qu'il est un descendant de robespierristes, comme il me l'a raconté, ou bien de Robespierre *lui-même*, en chair et en os ? Cela changerait bien des choses.

— Ce type ment comme un arracheur de dents, dit Veyrenc.

— S'il se pense descendant, dit Danglard, et s'il est notre tueur, pourquoi, je le répète, nous aurait-il écrit ?

— Tout comme son aïeul, dit Veyrenc. Parce que Robespierre ne tue pas en douce, comme un « hypocrite » brigand des bas-fonds. Parce qu'il exécute sur la place publique. Parce que ses morts doivent être exemplaires.

— Il y a donc bien un troisième bouchon, au fond de la bouteille, conclut Adamsberg à voix basse.

XXIII

Sur convocation d'Adamsberg, les deux associés de François Château acceptèrent sans réticence de se présenter à la brigade à 15 heures. Pendant que Froissy recherchait à présent, aux archives de Château-Renard, la descendance de François Didier Château, aubergiste en 1840, et que Retancourt et ses hommes poursuivaient leur garde auprès du président.

« RAS, avait signalé Retancourt par texto. Rentré à son domicile à 22 heures, dîné seul, dormi seul, vit seul. Actuellement à son travail à l'hôtel, horaires 11 heures-17 heures. Pour l'anecdote, ai été agressée cette nuit en planque rue Norevin par trois petits connards au crâne rasé qui m'avaient prise pour une femme désirable. Suis très flattée. Justin témoin, pas d'embrouille en vue, mais les gars sont au commissariat du 18ᵉ, un peu amochés. »

Pas mal amochés, rectifia Adamsberg, en décrochant son téléphone pour joindre son collègue du 18.

— Montreux ? Adamsberg. T'as récolté trois gars cette nuit ?

— Cela vient de chez toi, ce qui leur est tombé dessus ? Un arbre ou quoi ?

— Un arbre sacré, c'est exact. Comment sont les gars ?

— Humiliés jusqu'à l'os. Elle les a tout simplement plaqués par direct à l'estomac, pas de casse, ton « arbre » sait retenir ses coups. Pas de dommages aux testicules.

— Tout en douceur.

— Mais tout de même, avant l'assaut final, un nez écrasé pour l'un, une oreille déchiquetée pour l'autre, avec ses trois piercings – le gars hurle pour récupérer ses boucles d'oreille sur les lambeaux de sa peau – et une bonne entaille à la joue pour le troisième. Elle était dans son droit, ils ont essayé de se la faire, bourrés comme des outres. On a le témoignage de son collègue. C'est qui ce petit gars, par rapport à l'arbre ? Une pousse de jonquille ?

— Un doux roseau pensant.

— C'est bien, c'est diversifié au moins. Moi j'ai cinq cons. Et toi ?

— Un seul, je crois.

Adamsberg raccrochait quand Estalère introduisit les deux associés de François Château. Un fragile et un costaud, comme dans les meilleurs tandems, mais tous deux barbus à profusion, très chevelus pour leur âge – la cinquantaine environ – et porteurs de lunettes.

— Je vois, dit Adamsberg en souriant et les invitant à s'asseoir. Vous redoutez des photos clandestines. Estalère, du café s'il te plaît. Je me suis déjà engagé à ne pas vous demander vos noms.

228

— Nous travaillons dans la discrétion, dit le costaud, nous y sommes contraints. Les gens ont l'esprit si étroit qu'un malentendu est vite arrivé.

— Le président m'a expliqué vos règles de confidentialité en long et en large. Elles sont bien faites, ces barbes.

— Vous savez sans doute que nous disposons d'excellentes maquilleuses à l'association. Les barbes, ce n'est rien. Tout est transformé.

— Alors sentez-vous à l'aise, dit Adamsberg.

— Il a vu quelque chose ? demanda le plus mince, une fois le jeune homme sorti.

— Estalère ? Il a toujours les yeux comme cela.

— Avec des cheveux noirs, il ferait un bon Billaud-Varenne.

— Un robespierriste ?

— Oui, dit le costaud.

— Estalère est un agneau.

— Mais il est beau, comme l'était Billaud. Quant au caractère, peu importe. Vous avez vu comment François Château parvient à subjuguer la salle. Mais je vous garantis qu'il ne produit pas cet effet à son hôtel ! Quant à votre planton, à la réception, qui lui n'est pas très beau, pardonnez ma franchise, il serait un bon Marat.

— Je doute qu'il puisse déclamer un texte. J'en serais moi-même incapable.

Adamsberg se tut pendant qu'Estalère apportait les cafés.

— Mais François vous a sûrement expliqué que notre assemblée libérait les paroles et les comportements, dit le costaud.

— Jusqu'à faire éclore d'authentiques passions, des identifications ferventes aux personnages qui sont joués, dit le mince.

— Et même si, dans la vie réelle, l'acteur n'a pas la moindre affinité politique avec son personnage, et parfois tout le contraire. On voit des gars de la droite la plus raide se muer en authentiques Exagérés de l'extrême gauche. C'est un des objets de notre étude : l'effet de groupe qui balaie les convictions individuelles. Mais comme nous tournons tous les quatre mois, nous cherchons actuellement un Billaud-Varenne et un Marat.

— Et un Tallien.

— Mais pas un Robespierre, dit Adamsberg.

Le mince sourit, suavement.

— Vous avez compris pourquoi, l'autre soir ?

— Presque trop.

— Il est exceptionnel, irremplaçable.

— Lui arrive-t-il, à lui aussi, d'être victime d'une « identification fervente » ?

Le costaud travaillait sans doute du côté de la psychiatrie. On pouvait comprendre qu'il ne souhaitât pas que ses patients le sachent en dentelles et jabot.

— À ses débuts, cela pouvait se produire, dit le mince en réfléchissant. Mais cela fait douze ans qu'il interprète Maximilien. La routine s'est installée, il fait cela comme un autre jouerait aux dames. Avec concentration, intensité, mais sans plus.

— Une seconde, interrompit Adamsberg. Lequel de vous deux est le trésorier, soi-disant Leblond, et lequel est le secrétaire, soi-disant Lebrun ?

— Leblond, déclara le mince à la barbe claire et soyeuse.

— Et vous êtes donc Lebrun. Je peux fumer ? demanda Adamsberg en fouillant dans sa poche, ayant fait une petite provision au matin dans les réserves de Zerk.

— Vous êtes chez vous, commissaire.

— Quatre morts déjà, tous membres de votre association. Henri Masfauré, le pivot financier, Alice Gauthier, Jean Breuguel et Angelino Gonzalez. Vous connaissez leurs visages ?

— Parfaitement dit Lebrun, à la barbe sombre et drue. Gonzalez était costumé, mais nous avons vu votre dessin. C'est bien lui.

— François Château m'a instamment conseillé de vous consulter. Car plus encore que lui, dit-il, vous surveillez les adhérents.

— Pire, dit Leblond en souriant. Nous les espionnons.

— À ce point ?

— Vous voyez que nous sommes francs avec vous. Cette « histoire vivante », nous a dépassés et a généré des bouleversements psychologiques stupéfiants.

— Voire, enchaîna Lebrun, des dérives pathologiques. Ce à quoi nous assistons certainement en ce moment. Ce qui nous prouve que nous avions raison de surveiller nos membres de près.

— Comment vous y prenez-vous ?

— La grande majorité des présents adopte une attitude classique, reprit Lebrun. Ils se donnent, ils y vont de leur rôle, et parfois trop. Cela couvre une large gamme de comportements, depuis ceux qui s'amusent – comme Gonzalez le faisait tant, ce qui ne l'a pas empêché de camper un formidable Hébert, hein, Leblond ?

— Excellent. Cela m'a fendu le cœur de devoir repasser Hébert à un autre, qui n'est pas mauvais mais ne l'égale pas. Ce n'est pas grave, à la prochaine séance, il sera mort depuis une semaine. Pardon, dit-il en levant les mains, nous parlons boutique.

— Donc, reprit Lebrun, cela va de ceux qui s'amusent à ceux qui se prennent au sérieux, de ceux qui participent à ceux qui s'enflamment.

— Le tout en parcourant tout le spectre des diversités et des nuances graduelles entre ces deux pôles.

« ... le spectre des diversités et des nuances graduelles... », nota Adamsberg. Leblond, un physicien ?

— Mais tout cela reste endigué dans les bornes usuelles de la « normalité », de cette « folle normalité », dit Lebrun, surtout depuis que nous faisons tourner les rôles. Ce sur quoi mon collègue et moi avons l'œil, ce sont les autres, une vingtaine de membres. Les « infras », comme on les nomme entre nous.

— Cela ne vous distrait pas que je marche ? demanda Adamsberg en se levant.

— Vous êtes chez vous, répéta Lebrun.

— Qu'appelez-vous les « infras » ?

— Ceux qui se situent au-delà du spectre commun, expliqua Leblond, comme les rayons infrarouges par exemple, que notre œil ne détecte pas. Supposez un spectacle comique où quelqu'un ne rit pas. Ou bien un film déchirant où un spectateur reste de marbre.

— Alors que ceux qui viennent à nos assemblées, dans l'ensemble, « sortent d'eux-mêmes », pour vous l'exprimer simplement.

— Et l'on ne vous parle pas d'un « moment », précisa le Leblond. Mais d'une constante. D'un trait invariable.

« D'un trait invariable. » Un scientifique, en tout cas.

— Les « infras », reprit Lebrun – et Adamsberg nota l'harmonie de leur duo presque interchangeable – demeurent étonnamment neutres. Non pas tristes ou distraits, mais indéchiffrables. Certes pas indifférents – ou bien que feraient-ils parmi nous ? – mais distants.

— Je suis, dit Adamsberg en poursuivant sa marche.

— En réalité, dit Leblond, ils sont là, attentifs, mais leur participation est d'un tout autre ordre que l'ordinaire.

— À vrai dire, ils surveillent, enchaîna Lebrun. Et nous, nous surveillons ceux qui nous surveillent. Ils ne sont pas des nôtres. Que viennent-ils faire chez nous ? Que cherchent-ils ?

— Votre réponse ?

— Difficile, continua Lebrun. Avec le temps, mon collègue et moi avons identifié deux groupes distincts parmi les infras. On nomme l'un les « infiltrés » et l'autre les « guillotinés ». Si nous ne nous sommes pas trompés, ils étaient moins d'une dizaine chez les infiltrés.

— On ne compte pas Henri Masfauré, bien que, lui aussi, les ait épiés. Il parlait parfois à l'un, parfois à l'autre. Victor était là pour lui servir d'oreille enregistreuse. Parmi eux, il y avait Gauthier et Breuguel, assassinés, et un homme qu'on n'a plus revu depuis quelques années. Vous voyez que, hormis Gonzalez, le tueur a choisi d'éliminer ces infiltrés, ces guetteurs, ces fouineurs. C'est donc qu'ils ne sont pas inoffensifs.

— Comment décririez-vous les autres ? Les survivants ?

Adamsberg s'arrêta devant sa table et, toujours debout, s'apprêta à prendre quelques notes.

— On en identifie quatre avec certitude, dit Lebrun. Une femme et trois hommes. Elle, la soixantaine, avec des cheveux mi-longs, raides et teints en blond, un visage bien découpé, des yeux bleus brillants, elle a dû être très belle. Leblond a pu lui parler quelques fois, bien que les infiltrés se laissent peu aborder. Il suppose qu'elle a pu être actrice. Quant à l'ancien cycliste, décris-le, tu le connais mieux que moi.

— On l'appelle l'« ancien cycliste », à cause de ses jambes larges qu'il tient toujours un peu écartées. Comme si, pardonnez-moi, la selle du vélo lui faisait encore mal. D'où son surnom. Je dirai quarante ans, les cheveux bruns taillés court, les traits réguliers mais sans expression. À moins qu'il n'efface toute expression pour dissuader les éventuels causeurs. Comme tous les infiltrés, à leur manière.

— Une actrice, un cycliste, nota Adamsberg. Le troisième ?

— Je le soupçonne d'être dentiste, dit Lebrun. Il a une manière de vous observer comme s'il jaugeait votre denture. Il y a aussi une légère odeur de désinfectant qui provient de ses mains. Cinquante-cinq ans peut-être. Des yeux bruns scrutateurs, tristes aussi, des lèvres minces, des dents refaites. Il a quelque chose d'amer, et des pellicules.

— Dentiste scrutateur amer à pellicules, résuma Adamsberg en notant. Le quatrième ?

— Rien de notable, dit Lebrun avec une moue. C'est un type inconsistant, sans signe remarquable, je ne peux pas le saisir.

— Ils restent ensemble ?

— Non, dit Leblond. Mais ils se connaissent assurément. C'est un étrange ballet entre eux. Ils se croisent, se disent un mot rapide, font voile vers un autre et ainsi de suite. Contacts éphémères, comme nécessaires et discrets, volontairement je crois. Ils partent toujours avant la clôture de la soirée. Si bien que ni Lebrun ni moi n'avons jamais pu les suivre. Car nous sommes tenus de rester pour veiller sur la sécurité de François.

Adamsberg ajouta à la liste des « infiltrés » les noms des morts : Gauthier, Masfauré, Breuguel, et plus bas, hors cadre : Gonzalez. Il traça une barre de séparation et intitula sa seconde colonne : les « guillotinés ».

— Un autre café ? proposa-t-il. Ou du thé, du chocolat ? Une bière ?

L'intérêt des deux hommes s'éveilla, Adamsberg monta d'un cran.

— Ou du vin blanc si vous le désirez. On dispose d'un excellent cru ici.

— Bière, choisirent les deux hommes d'une même voix.

— C'est à l'étage, je vous accompagne. Faites attention, il y a une marche irrégulière qui nous a déjà valu pas mal de soucis.

Adamsberg était tant habitué à l'agencement de la petite pièce où était installé le distributeur à boissons qu'il y pénétra sans prévenir ses hôtes. Le chat, accompagné par Voisenet, avalait sa gamelle de croquettes mais, surtout, le lieutenant Mercadet dormait profondément, allongé sur une série de coussins bleus spécialement disposés pour lui.

— Nous avons un agent hypersomniaque, expliqua Adamsberg, il fonctionne par cycles de sommeil de trois heures.

Adamsberg sortit trois bouteilles de bière du réfrigérateur – dont une pour lui-même, il fallait participer pour sceller la bonne entente – et les décapsula sur un bar étroit, bordé de quatre tabourets.

— Nous n'avons que des gobelets en plastique, s'excusa Adamsberg.

— Nous nous doutons que vous ne tenez pas un bar de luxe. Et que cette bière est interdite.

— Évidemment, dit Adamsberg en s'appuyant d'un coude sur le comptoir. Ceci, dit-il en leur montrant le dessin du signe, vous connaissez ? Vous l'avez déjà vu ?

— Jamais, dit Leblond, suivi d'un mouvement de dénégation de Lebrun.

— Mais comment l'interpréteriez-vous ? Sachant qu'il est dessiné, d'une manière ou d'une autre, sur les lieux des quatre meurtres ?

— Je ne vois pas, dit Lebrun.

— Mais dans votre contexte ? Celui de la Révolution ? les aida Adamsberg.

— Une seconde, dit Lebrun en attrapant le dessin. Deux guillotines ? L'anglaise, ancienne, et la nouvelle, française, emmêlées dans un même cryptogramme ? Un signal ?

— De quoi ?

— D'exécution ?

— Mais pour quelle faute ?

— Dans « notre contexte », dit un peu tristement Leblond, la trahison.

— Le tueur aurait donc repéré les infiltrés ? Les espions ?

— Sans doute, dit Lebrun. Mais ce signe viendrait plutôt d'un royaliste. On dit que Louis XVI en personne transforma l'ancien prototype de la guillotine, en barrant la lame ronde d'un trait. Cela dit, rien ne le prouve.

— Un très bon ingénieur, dit Leblond laconiquement en avalant une gorgée de bière.

— Reste le second groupe, dit Adamsberg en repoussant le dessin, celui des « guillotinés », comme vous les nommez.

— Ou des « descendants ».

— Quels descendants ?

Voisenet croisa le regard d'Adamsberg qui lui fit signe de ne pas intervenir. Le lieutenant souleva le chat repu et sortit de la petite pièce.

— Il porte le chat ? demanda Lebrun.

— Le chat n'aime pas les escaliers. Il ne s'alimente pas non plus si quelqu'un n'attend pas à ses côtés.

— Et pourquoi n'installez-vous pas sa gamelle en bas ? demanda Leblond, le logicien.

— Parce qu'il ne veut manger qu'ici. Et dormir en bas.

— C'est particulier.

— Oui.

— Vous ne craignez pas qu'on réveille votre lieutenant ?

— Aucun risque, c'est même cela le problème. En revanche, il est deux fois plus réveillé que la normale quand le cycle alterne.

— Complexe, la gestion d'un commissariat, observa Lebrun.

— Certains estiment qu'il règne ici quelque flottement, dit Adamsberg en buvant une gorgée au goulot.

Cette bière, il n'en avait nulle envie.

— Et vous réussissez ?

— Pas trop mal. Grâce au flottement, je suppose.

— Intéressant, dit Lebrun, comme pour lui-même.

Lebrun, secrétaire de l'association, et psychiatre.

Les trois hommes redescendirent, bouteilles en main,
et malgré l'avertissement, Leblond manqua de perdre
l'équilibre sur la marche inégale. De retour dans le
bureau du commissaire, l'atmosphère, jusqu'ici simplement courtoise, s'était détendue. Ce fut Leblond qui rou-
vrit de lui-même leur séance de travail.

— Les « guillotinés », dit-il. Eux sont des solitaires,
ils ne se connaissent pas, ils ne se parlent pas. Ce sont
des membres fixes, assidus même, mais aucun d'eux ne
tient un rôle de député. Ils s'installent dans l'ombre des
tribunes hautes, ils se fondent. Muets, vigilants, graves,
sans émotion apparente. C'est à ces expressions inhabituelles que Lebrun et moi-même les avons repérés, un à
un. Trois d'entre eux demeurent toujours jusqu'au bout,
buvant silencieusement un verre au buffet quand la
séance a pris fin.

— Descendants de qui ?

— De guillotinés.

— Comment l'avez-vous su ?

— Ces trois-là, dit Lebrun, nous avons pu les suivre.
Une fois François en sécurité chez lui, nous revenons
assister à la fin du buffet. Et nous les filons.

— Vous voulez dire que vous savez leurs noms ?

— Mieux que cela. Leurs noms, adresses et professions.

— Et vous connaissez donc leurs ancêtres ?

— Précisément, dit Lebrun avec un large et cordial sourire.

— Mais ces noms, vous ne pouvez pas me les donner ?

— Nous sommes strictement tenus à la règle : ne pas dévoiler l'identité de nos membres. D'eux comme des autres. Mais il n'est pas interdit, lors d'une séance, que je vous les désigne. Libre à vous ensuite de les suivre si la piste vous paraît convaincante.

— Notez bien, dit Leblond, que nous n'accusons en rien ces personnes. Ni les « infiltrés », ni les « guillotinés ». Il se trouve que les raisons qui amènent les infiltrés à nos assemblées ne nous sont pas claires, on vous l'a dit.

— Celles des « descendants de guillotinés » le sont plus, enchaîna Lebrun, et tiennent sûrement à une haine tenace intense, répercutée à travers les générations, peut-être morbide. Un sentiment d'injustice cruelle. Voir et haïr Robespierre en direct les soulage peut-être. À moins qu'ils apprécient d'assister au déroulement implacable de l'Histoire qui va mener l'Incorruptible à sa chute. Jusqu'à cette séance si forte qui marque le terme du cycle de la Convention, où est relatée la tant douloureuse mort de Robespierre. Cela provoque huées et applaudissements, une catharsis finale, en textes et témoignages, puisque nous ne jouons pas, au grand jamais, les scènes d'exécution. Nous ne sommes ni des pervers, ni des sadiques. Tout cela pour dire que nous vous engageons peut-être sans le vouloir sur de fausses pistes. Ces « descendants » et ces « infiltrés » n'ont peut-être pas le moindre projet meurtrier. Et pourquoi tueraient-ils de simples membres, et non pas Robespierre lui-même ?

— Cœur de la question, cœur de la pelote, murmura Adamsberg. Néanmoins, les noms de ces ancêtres, vous pouvez me les donner ?

— Oui, dans la mesure où ils diffèrent des noms de leurs descendants.

— Je vous écoute.

— Nous préférerions les inscrire sur votre carnet, dit Leblond, souriant. Ainsi, il ne sera pas dit que nous aurons prononcé un nom lié à l'association, quel qu'il soit.

— Hypocrisie, dit Adamsberg en lui rendant son sourire.

— « Hypocrisie infâme », même, dit Lebrun, qui nota rapidement trois noms sur le bloc que lui tendait le commissaire.

Il était resté deux heures trente avec eux et Adamsberg enfila sa veste, un peu engourdi, après leur départ. Il ouvrit son carnet, relut les trois noms : *Sanson, Danton, Desmoulins*. Sur les trois, il n'en connaissait qu'un, celui de Danton. Et encore, seulement à cause de la statue campée au carrefour de l'Odéon, et de la phrase qui y était gravée : « Il nous faut de l'audace, encore de l'audace, et toujours de l'audace. » Quant à savoir ce que Danton avait bien pu être et faire, et comment il avait fini sous la guillotine, il l'ignorait.

Les pistes nombreuses que lui avait fournies le duo, en parfaite cohérence, sans que l'un ne domine jamais l'autre, Lebrun et Leblond, le psychiatre et le logicien, venaient s'ajouter comme une note harmonique au désordre de la pelote d'algues. Pelote grossie qui le suivit obstinément jusqu'à la Seine. Il longea les devantures des bouquinistes, étonné de se trouver soudain plus d'attirance pour des livres anciens. Depuis deux jours, il vivait au XVIIIᵉ siècle, auquel il prenait goût peu à peu. Non, il ne prenait pas goût, il s'habituait, voilà tout. Il imaginait parfaitement ce François Didier Château, cet humble fils présumé, cet étrange privilégié gérant le passage des diligences publiques dans le Loiret. Avec ses relais de chevaux, ses haltes, ses auberges. Il descendit jusqu'au fleuve, y trouva un banc de pierre émoussé et s'y endormit, comme l'avait peut-être fait un gars, ici là, un gars d'il y a plus de deux siècles. Et cela lui parut adéquat et confortable.

XXIV

Adamsberg s'éveilla au couchant, le soleil colorant Notre-Dame et l'eau sale.

— Danglard, vous bouffez où ? appela-t-il.

— Là, je ne bouffe pas, je bois.

— Oui mais vous bouffez où ? À la *Brasserie Meyer* par exemple ? Entre chez vous et la Seine ? J'ai trois noms, dont deux que je ne connais pas.

— Des noms de qui ?

— De guillotinés. Dont des descendants fréquentent sombrement l'association du haut des tribunes.

— Dans vingt minutes, dit Danglard. Où étiez-vous ? On vous cherchait.

— Je travaillais à l'extérieur.

— On a essayé plusieurs fois de vous joindre.

— Je dormais, Danglard. Sur un banc de pierre du XVIIIe siècle. Vous voyez que je ne lâche pas le sujet.

La *Brasserie Meyer* n'avait pas changé de décor depuis soixante ans. L'odeur de choucroute était envahissante et promettait à Danglard un blanc de qualité. Adamsberg attendit que son adjoint ait avalé une saucisse et bu deux verres avant de lui conter l'exposé du parfait tandem Lebrun à la barbe drue et Leblond aux poils soyeux, de lui détailler l'affaire des « infiltrés » et des « guillotinés », et de déposer son carnet devant lui, avec les trois noms des « descendants ».

— Vous n'en connaissez qu'un ? demanda Danglard.

— Je repère Danton. Son nom, sa statue, sa phrase, c'est tout. Les autres me sont deux complets inconnus.

— J'aime cette naïve honnêteté.

— Allez-y, Danglard, ordonna Adamsberg en hésitant devant son plat.

Il n'avait plus qu'à écouter – tenter éventuellement d'écourter, il s'y préparait.

— Danton était ami de Robespierre dès l'origine, un véritable patriote à la voix de géant, dévorant le monde et la vie, homme de cœur, homme de croyance, mais en même temps homme de sang, de femmes, de désirs et plaisirs, qu'il lui fallait bien payer, confondant son argent et celui de l'État, tractant avec la Cour. Tant qu'à profiter, profitons. Loyal et corrompu. Il a écrit des lettres d'amour confondantes à Robespierre. L'Incorruptible l'a envoyé à l'échafaud en avril 1794. Robespierre ne savait pas ressentir l'amitié, pas plus ses bienfaits que ses vices. Il n'acceptait sur sa fin que l'adulation, telle celle de son frère ou du jeune Saint-Just. L'excès de vie du grand Danton a dû finir par l'écœurer à un point indicible. Le puissant homme dominait l'assemblée sans forcer sa voix, tandis que l'étroit Robespierre devait s'époumoner. En quatre ans, les indulgences débutantes de Robespierre avaient beaucoup changé. L'exécution du patriote Danton et de ses amis, après une mascarade de procès, fut le premier choc traumatique ressenti par le peuple et une large partie de l'Assemblée. La charrette qui conduisait Danton vers la guillotine emprunta la rue Saint-Honoré où logeait Robespierre. Passant devant sa maison, Danton a crié : « Tu me suis, Robespierre ! » Et l'on connaît sa phrase dite au bourreau, avant de s'allonger sur la planche de la guillotine.

— Non, dit patiemment Adamsberg. On ne la connaît pas.

— « Montre ma tête au peuple ! Elle en vaut la peine ! »

Adamsberg, pourtant peu sensible, ou plutôt évitant les écueils blessants de la sensibilité, tel un oiseau prudent frôlant les murs, choisit de manger cette saucisse alsacienne avec ses doigts plutôt que de la trancher, de la tronçonner, bout par bout, tête par tête, avec son couteau aiguisé. Elle était d'ailleurs bien meilleure ainsi. Danglard eut un regard désapprobateur.

— Vous mangez avec les doigts maintenant ? Je veux dire : en pleine brasserie Meyer ?

— Certes, dit Adamsberg. De l'audace, encore de l'audace, et toujours de l'audace.

— Ceci pour Danton. Ce fut une terrible exécution. Même si Danton n'était pas, loin s'en faut, un « vertueux ».

— Et Dumoulins ?

— Desmoulins. Pire encore, si tant est qu'on puisse graduer tout cela. Il était le camarade de lycée de Robespierre. Fervent républicain, Camille Desmoulins l'adulait. Il l'invitait chez lui, il le considérait comme son ami et celui de sa jeune et jolie femme. Robespierre jouait avec le bébé, ou tout au moins le tenait sur ses genoux.

Mais l'ami Camille laissa entendre sa lassitude de la Terreur et la crainte de ses répercussions. Il fut guillotiné le 5 avril, en même temps que Danton. Et la mort de sa jeune femme fut décidée par Robespierre dès le lendemain. Laissant orphelin le petit garçon qu'il avait tenu dans ses bras. Chacun comprit ce jour que, quelque longs et étroits qu'aient été les liens avec Robespierre, la pitié n'existait pas. Car Robespierre n'avait aucun lien, et surtout pas étroit. Cette décapitation fut abominable, en même temps qu'elle fut une révélation.

Adamsberg en avait terminé avec ses saucisses alsaciennes. Lui restait la choucroute, qui lui évoquait, en moins grave, en plus délié, l'énorme pelote d'algues. Un dîner finalement très particulier.

— Et l'autre ? demanda-t-il. Ce Sanson ? Il fut aussi guillotiné le même jour ? Avec les amis de Danton ?

Danglard sourit et s'essuya les lèvres avec lenteur, appréciant par avance un petit effet de surprise.

— Ce même jour, ce Sanson les guillotina.

— Pardon ?

— Comme il guillotina Louis XVI, la reine Marie-Antoinette et tous les autres à la suite durant la Terreur. Sans faillir, Sanson et son fils firent tomber le couperet de la terrible machine des milliers de fois en trois années.

— Qui était-ce, Danglard ?

— Mais le fameux bourreau de Paris, commissaire. L'« exécuteur des hautes œuvres », tel était son titre. Charles-Henri Sanson a eu une sale vie, on peut le dire. Je précise « Charles-Henri » pour qu'on ne le confonde pas avec les autres Sanson.

— Je ne risque pas, Danglard.

— Parce que les Sanson, continua Danglard en ignorant l'interruption, furent bourreaux de père en fils depuis Louis XIV jusqu'au XIXe siècle, jusqu'à ce qu'un Sanson joueur, endetté et homosexuel, interrompît la filiation. Six générations de bourreaux. Mais Charles-Henri eut une sale vie car il dut officier sous la Terreur. Plus de deux mille neuf cents têtes à couper. Tous les bourreaux d'alors se plaignaient de cette masse de « travail » insupportable, non par morale, mais parce qu'ils étaient propriétaires de leur machine et devaient veiller à tout : nettoyage et aiguisage de la lame, évacuation des corps et des têtes, lavage de l'échafaud, entretien des chevaux et des charrettes, remplacement de la paille pour absorber le sang, etc. En 1793, certainement épuisé, Charles-Henri Sanson passe la main à son fils Henri. Drame collatéral de l'hécatombe, son autre fils se tua en tombant de l'échafaud alors qu'il voulait montrer une tête au peuple.

— Et pourquoi un descendant Sanson en voudrait-il à l'association Robespierre ?

— Les bourreaux, vous vous en doutez, n'avaient jamais eu bonne presse, bien même avant la Terreur. On ne leur serrait pas la main, on ne les touchait pas, on les payait en déposant l'argent au sol, sans effleurer leurs mains. Ils ne pouvaient se marier qu'entre enfants de familles de bourreaux. Personne n'en voulait. Mais de toutes ces familles de réprouvés, de toutes les provinces de France, un seul nom est demeuré dans les mémoires : Sanson. Parce qu'il coupa la tête du roi. Et de la reine. Et de tous ceux que livra la Terreur. Robespierre a rendu ce nom affreusement célèbre, il l'a transformé en symbole d'abjecte cruauté.

— Et l'un des descendants ne le supporterait pas ?

— Le poids n'est pas simple à porter.

Danglard laissa passer un silence, pendant qu'Adamsberg se débrouillait sans grand appétit avec sa pelote de choucroute.

— Rien à voir avec Danton et Desmoulins, dit-il.

Et cette pelote, Adamsberg la sentit fondre sur lui, l'accrocher de tous ses piquants secs, repue de ses multiples pièges, de tunnels en impasses, telle qu'il n'en avait jamais connu d'autres. Il laissa tomber sa fourchette, vaincu.

— On rentre, dit-il. Depuis le début, au Creux, on a déjà envisagé quatorze suspects. Quatorze ! En neuf jours. C'est trop, Danglard. On va de tous côtés, on dérape comme des billes sur du verglas. On a perdu le chemin. Ou plutôt, on ne l'a jamais trouvé.

— N'oubliez pas qu'on a d'abord dérapé sur les glaces de l'Islande. Ça nous a bouffé du temps. Tout cela pour être projetés brutalement dans la Révolution, avec l'improbable descendant de l'Incorruptible et ses vengeurs face à nous. Il y a de quoi se sentir déstabilisés.

C'était un fait rarissime que Danglard le pessimiste encourage Adamsberg, au tempérament si détaché qu'il pouvait toucher à l'indifférence – un des principaux griefs du lieutenant Retancourt, que ce flegme rêveur tendait à exaspérer. Mais ce soir, sans aller jusqu'à parler d'anxiété, le commandant percevait une forme insolite de désarroi chez le commissaire. Il s'en inquiétait, mais d'abord pour lui-même. Car aux yeux de Danglard, aux prises perpétuelles avec les assauts des angoisses et des tourments, qui pouvaient prendre les formes les plus menaçantes et diversifiées, Adamsberg représentait une boussole sûre qu'il ne quittait jamais de l'œil, aux vertus apaisantes et cliniquement bienfaitrices. Mais le commissaire avait raison. Depuis le début de cette enquête, ils étaient comme égarés au cœur d'une forêt noire, explorant des voies sans issue, organisant d'inutiles battues, interrogeant sans relâche et sans profit.

— Non, dit Adamsberg, ce n'est pas la faute des faits. C'est la nôtre. On a manqué quelque chose. D'ailleurs, cela me gratte à m'en faire mal.

— Gratter ? Au sens lucianien du terme ?

— Comment cela, « lucianien » ?

— Au sens de la doctrine du vieux Lucio ?

— C'est cela, Danglard. Il y a quelque chose qui ne va pas dans le duo trésorier-secrétaire, Leblond-Lebrun.

— Je croyais que cela s'était très bien passé.

— Très bien. C'était parfait.

— C'est embêtant ?

— Oui. C'est trop lisse, trop consensuel.

— Préparé, vous voulez dire ? C'est normal qu'ils se soient préparés.

Adamsberg hésita.

— Peut-être. Et de concert, en une alternance irréprochable, ils nous servent sept suspects. Quatre infiltrés et trois descendants.

— Vous n'y croyez pas ?

— Si. Ce sont des pistes sérieuses, et il nous faudra interroger les « guillotinés ». Surtout vous, Danglard. Je me vois mal me débrouiller avec un descendant de Danton, du bourreau ou de Dumoulins.

— Desmoulins.

— Au fond, Danglard, pourquoi entassez-vous ces milliards de choses dans votre tête ?

— Mais pour la boucher, commissaire.

— Oui, bien sûr.

La boucher afin qu'il demeure à peine de place pour penser à soi-même. La manœuvre était bonne mais ses résultats très imparfaits.

— Ils vous ennuient, ces sept nouveaux suspects ? demanda le commandant. Vous pensez que Leblond-Lebrun nous les ont balancés dans les jambes ?

— Pourquoi pas ?

— Pour en protéger absolument un autre ? Leur ami François Château, par exemple ?

— Cela vous semble incongru ?

— Du tout. Néanmoins, le descendant de Sanson m'intrigue. Que ceux de Danton et de Desmoulins soient présents a quelque chose de presque compréhensible. Après tout, sans être meurtriers, ils ont quelque raison de souhaiter connaître l'époque où leur aïeul entra dramatiquement dans l'Histoire. Mais le descendant du bourreau, qu'est-ce qu'il fout là ? Jamais Sanson n'a joué dans l'arène politique. Il exécutait, et voilà tout. À votre idée, Leblond-Lebrun sauraient que François Château tue ?

— Ou bien ils auraient des doutes. Ou des craintes. Ils pourraient avoir peur de lui, et le protéger plutôt que d'y passer à leur tour.

— Et Froissy, où en est-elle ? Sur notre aubergiste François Didier ?

— Elle descend dans le temps. Il y a eu un léger point d'interrogation en 1848. À cause de la Révolution, ça a foutu un peu le bazar dans la tenue des archives. À présent, elle s'approche de 1912, elle va arriver à la Grande Guerre. À cette date, la famille Château était toujours enracinée dans le même terroir. Mais la mairie a bouclé ses portes à 18 heures, Froissy reprend demain.

— Elle y arrivera.

— Bien sûr.

— Après la guerre, il y a risque de diaspora familiale. Si Froissy perd la lignée à Château-Renard, elle pourra aller voir du côté des plus grosses cités qui s'industrialisent alors aux environs, Orléans, Montargis, Gien, Pithiviers ou, plus modestes, Courtenay, Châlette-sur-Loing, Amilly.

— Ça bouche bien la tête aussi, la géographie, dit Adamsberg.

— Comme du ciment, dit Danglard en souriant.

— Avec des fissures.

— Bien entendu.

— Qu'on ne peut pas remplir avec de la pâte à bois.

— Ni protéger avec de la fiente de corneilles mantelées.

— Encore que ? Vous pourriez disposer de la fiente devant votre porte et près de votre lit.

— C'est une expérience à tenter.

XXV

Adamsberg ne passa même pas par chez lui avant d'aller prendre place sur la caisse en bois, sous le hêtre. Trois minutes plus tard, Lucio apparaissait avec trois bouteilles de bière coincées entre les doigts de sa main unique.

— Ça me gratte, Lucio, dit Adamsberg en acceptant une bière.

Le commissaire se leva pour décoller la capsule contre l'écorce de l'arbre.

— Reste debout, dit Lucio, que je voie ta tête sous la lumière de la rue. Ouais, dit-il en revenant à sa propre bouteille. Cette fois ça te gratte, *hombre.* Ça fait pas de doute.

— Ça me gratte fort.

— C'est pas forcément une araignée. Ça peut être pire. Une guêpe, un frelon même. Faut que tu retrouves ce qui t'a piqué.

— Je ne peux pas, Lucio, je tourne à vide. Quatorze suspects. Moins quatre, éliminés. Restent dix, et quelque sept cents autres. Tous spectaculaires, venus d'un autre

251

siècle, mais pas un sur lequel je trouve la moindre prise. Même si je réussis à comprendre ce qui me gratte, j'aurai perdu du temps.

— Jamais.

Adamsberg s'adossa contre le hêtre.

— Si. Car ce qui me gratte n'a rien à voir avec l'enquête.

— Et alors ?

— Je ne peux pas me permettre de chercher mon frelon ici et là pendant qu'un gars tue à tour de bras.

— Peut-être tu peux pas mais t'as pas le choix. De toute façon, tu le trouves pas, ton gars, et t'as plus rien dans le crâne. Alors qu'est-ce que ça change ? T'arrives à savoir quand ça a commencé à te gratter ?

Adamsberg avala une gorgée et resta assez longuement silencieux.

— Je crois que c'était lundi, mais je n'en suis pas sûr. Je me fais peut-être des idées.

— Qu'est-ce que tu veux qu'on se fasse d'autre ?

— Je crois que ça a dû se passer avant. J'ai dû être piqué dans Le Creux.

— Dans le creux de quoi ? On s'en fout que t'aies été piqué au coude ou à la cuisse.

— Non, Lucio, dans Le Creux, c'est le nom d'un endroit minuscule, dans les Yvelines.

— Ah, ce Creux-là ?

— Tu le connais ?

— J'ai travaillé quatre ans dans le coin.

— Et tu sais pourquoi ce petit bout de terre s'appelle comme ça ?

— À ce que je me souviens, c'est arrivé dans le foutoir de la Seconde Guerre. Y avait eu des dégâts, et les gars ont perdu les plans du cadastre, tu vois. Ils ont replanté des panneaux à la va-comme-je-te-pousse. Et bref, ils s'y sont pris comme des manches et après, on s'est rendu compte qu'il y avait quelque chose comme un kilomètre de vide entre un village et l'autre. Ce qui fait qu'on ne savait plus à qui était ce bout-là, entre les deux.

— Ils n'avaient qu'à redessiner le cadastre.

— Pas si simple, *hombre*. Parce que dans ce « creux » entre les deux villages, il y avait une sorte de château hanté, et personne en voulait. Chaque village préférait perdre un peu de terrain plutôt qu'avoir les fantômes. Tu te rends compte ? En pleine guerre ? Comme si y avait pas plus important que de s'occuper d'une connerie pareille ?

— C'est une tour hantée. Ça servait d'oubliette pour les condamnés.

— Ah, c'est eux qui gueulent la nuit alors. On les comprend, remarque.

— Non, ce sont des corneilles mantelées.

— Tu crois ? Parce que moi, j'y suis passé devant à vélo une nuit, et ça criait pas humain, je t'assure.

— C'est pas humain, le cri d'une corneille. Ça chante pas. Tu connais drôlement bien le coin, Lucio.

— Oui. Tu devrais me rajouter aux suspects, ça t'en ferait quinze. Tiens, maintenant, je me rappelle le nom d'un des bleds. Sombrevert. Mauvais nom, ça.

— Et l'autre, Malvoisine. Les gens qui habitaient là, tu les connaissais ?

— Dis donc, je faisais que passer. Je vais même te dire pourquoi. Y avait une auberge dans le Creux. Des fois je m'y posais pour dîner. Il y avait une jeune fille là-dedans, Mélanie, une vraie beauté. Trop grande, trop maigre, mais j'en étais fou. Si ma femme savait, Dieu me protège.

— Pardonne-moi, Lucio, mais elle est bien morte il y a dix-huit ans, ta femme ? dit doucement Adamsberg.

— Ben oui, je t'ai dit.

— Alors comment tu veux qu'elle sache ?

— Disons que je préfère qu'elle sache pas et puis c'est tout, dit Lucio en grattant sa barbe d'acier. Enfin, cette histoire de « creux » entre les deux villages, c'est toujours resté. Des fois, c'est Sombrevert qui s'occupe de tailler les arbres et de réparer la route, des fois, c'est Malvoisine. Et tu crois que c'est dans Le Creux que tu t'es fait piquer ?

— Tu te souviens de la grande réunion en habit dont je t'ai parlé ? Où j'étais costumé comme il y a deux siècles ? Tiens, regarde la photo, dit Adamsberg en allumant son portable dans la nuit.

— Presque, t'es beau là-dessus, dit Lucio. Si ça se trouve t'es beau, et on le sait même pas.

— Eh bien, je me suis un peu amusé avec ce costume. Je me suis regardé dans la glace. Et à cet instant, en même temps, quelque chose n'allait pas. Donc ça avait dû se passer avant, dans Le Creux. Pas quand je marchais dans le gratteron. Non, après. Céleste dans sa vieille cabane avec son sanglier ? Pelletier qui puait le cheval ? Je ne sais pas. Ou quand j'ai dessiné sur le pare-brise ?

Dessiné quoi ? Lucio s'en foutait.

— S'est passé combien d'heures entre le gratteron et le pare-brise ?

— Environ huit heures.

— Ben c'est pas trop long, tu devrais trouver. Creuse. C'est une pensée que t'as pensée et que t'as pas fini de penser. Faut pas perdre ses pensées comme ça, *hombre*. Faut faire attention où on range ses affaires. Ton adjoint, le commandant, ça le gratte aussi ? Et l'autre, avec les cheveux roux ?

— Non. Ni l'un ni l'autre.

— C'est que c'est bien une pensée à toi. C'est dommage, quand t'y réfléchis, que les pensées n'aient pas de nom. On les appellerait, et elles viendraient se coucher à nos pieds ventre à terre.

— Je crois qu'on a dix mille pensées par jour. Ou des milliards sans s'en rendre compte.

— Oui, dit Lucio en ouvrant sa seconde bière. Ce serait le bazar.

Adamsberg traversa la cuisine, croisant son fils qui travaillait sur de futurs bijoux, muni de pain et de fromage.

— Tu montes déjà ?

— Je dois aller chercher des pensées que j'ai pensées et que j'ai oublié de penser.

— Je vois, dit Zerk avec la plus parfaite sincérité.

Allongé sur son lit, Adamsberg gardait les yeux ouverts dans l'obscurité. La bière de Lucio lui disloquait un peu la nuque. Il s'obligea à rouvrir les yeux. « Creuse », il a dit. Cherche. Réfléchis. Sois capable.

Et il s'endormit, sans penser.

Les marches qui grinçaient sous les pas de Zerk montant se coucher le réveillèrent deux heures plus tard. Tu n'as pas creusé. Adamsberg s'obligea à s'asseoir. Il avait toujours en tête le souvenir désagréable de la perfection du duo Leblond-Lebrun, et il était certain que cela l'agaçait mais ne le grattait pas. Mal à l'aise, il descendit à la cuisine, et se fit réchauffer un fond de plat. Des pâtes au thon, comme Zerk en faisait sans cesse à ses débuts, quand il ne savait rien préparer d'autre.

Adamsberg ajouta de la sauce tomate froide pour faire passer le tout. Il était plus de deux heures du matin. Le duo Leblond-Lebrun. Comment avait-il dit aussi ? Le tandem. Leurs récits impeccables, leurs récits superposés. Non. Pas superposés, mais croisés. Superposés, c'était pour Amédée et Victor. Ces deux-là avaient raconté l'Islande séparément, chacun avec ses réactions et ses émotions, mais leurs versions avaient été presque identiques. Jusqu'à l'histoire du tueur qui s'était brûlé le cul dans le feu, qui tapait sur son pantalon, jusqu'aux insultes d'Adélaïde Masfauré, jusqu'au gars qui ordonnait qu'on fasse chauffer des pierres. Jusqu'à ce qualificatif d'« immonde ». Est-ce à dire qu'Alice Gauthier avait présenté les choses à Amédée de la même manière que Victor ? Avec des mots semblables ? Prenez dix témoins d'une même scène, personne ne la racontera sous le même angle, personne ne pointera les mêmes détails ou ne prononcera les mêmes mots. Eux si.

Adamsberg posa doucement sa fourchette, comme toujours quand une idée, qui n'en était pas encore une, un embryon d'idée, un têtard, montait mollement à la surface de sa conscience. À ces moments, il le savait, il ne fallait faire aucun bruit car le têtard est prompt à replonger et disparaître à jamais. Mais ce n'était pas pour rien qu'un têtard pointait sa tête informe à la surface des eaux. Et si c'était seulement pour se divertir, eh bien, il le remettrait à l'eau. En attendant et sans faire un geste, Adamsberg attendait que le têtard s'approche un peu plus et commence à muer en grenouille. Amédée-Victor, une convergence de narration, comme le lisse témoignage de Leblond-Lebrun. Comme si, tels le trésorier et le secrétaire en harmonie, ils s'étaient entendus sur une manière de présenter les choses.

Impossible, car quand ils avaient débarqué sans prévenir au Creux, les deux jeunes gens n'avaient pas pu prévoir cet interrogatoire et se concerter avant.

Bien sûr que si. Toujours immobile, ses yeux scrutant les mouvements de ses eaux, Adamsberg observa l'idée têtard qui lui semblait à présent avoir gagné deux pattes arrière. Pas encore assez pour l'attraper d'un geste sec. Bien sûr que si, ils avaient parlé d'Alice Gauthier, dehors. Céleste était informée, elle l'avait dit. Victor les avait entendus. Ni lui ni Danglard n'avaient pu trouver une raison plausible à la dangereuse fuite à cheval d'Amédée, à cru sur Dionysos. Que Victor avait immédiatement suivi en enfourchant Hécate. Et là, dans la forêt, ils avaient eu le temps court d'établir un récit commun. Puis de mimer la scène du retour : Victor qui n'avait pu rattraper Amédée, l'appel de Pelletier pour faire revenir l'étalon fougueux et un Amédée piteux. Bien sûr que ces deux-là s'entendaient comme les deux doigts de la main, bien au-delà des relations usuelles entre un fils de patron richissime et un secrétaire. Bien sûr que ces deux-là connaissaient quelque clairière où faire jonction dans les bois. Bien sûr qu'il existait entre eux une complicité insolite et profonde. Et leurs comptes rendus parallèles sur l'Islande avaient découlé de cette connivence. Et si les deux hommes avaient ressenti la nécessité de se concerter, c'est qu'une part du récit était fausse, et devait être cachée.

Le couple Amédée-Victor était en parfaite intelligence. Et ils avaient tous les deux menti.

À présent, Adamsberg pouvait reprendre sa fourchette et achever son plat froid. L'idée était sortie des ondes, il la voyait bien à présent, avec ses deux pattes avant, campée sur la table à ses côtés, émergée de la sphère aquatique pour arriver sur sa terre. Voile sur les événements islandais comme sur l'enfance d'Amédée. Où donc était ce gosse avant ses cinq ans ? Cette histoire d'institution ? De handicap qui ne portait même pas de nom ? Et dont Amédée ne paraissait pas avoir la moindre séquelle ?

Où avait été ce gosse, nom de Dieu ? Ce gosse sans souvenir ? Et d'où sortait l'orphelin Victor ?

Il ne croyait plus à cette coïncidence de nom de famille. Un nouveau-né laissé à la DDASS ne porte pas de nom de famille. Victor s'était fait appeler Masfauré, nom rare en effet, pour avoir un excellent prétexte d'aborder la famille. Non seulement de l'aborder mais de s'y introduire, comme un coucou pénétrant dans le nid d'un autre oiseau. Animé de quelles intentions ? Et pour approcher qui ? Le grand savant, le sauveur de l'air ? Ou bien le milliardaire ? Ou encore Amédée ?

Qu'avait dit Danglard au juste, à propos des prénoms des jeunes gens ? Une allusion savante. Oui, des prénoms en usage chez des ducs d'on ne sait où. Adamsberg balaya l'anecdote, sans rapport avec l'idée qui l'avait gratté. Deux piqûres en réalité : la convergence excessive des témoignages du fils et du secrétaire de Masfauré, et l'enfance d'Amédée reléguée dans l'inconnu. Masfauré, le grand argentier de l'association Robespierre.

Zerk trouva son père au matin, profondément endormi sur sa chaise, les jambes allongées, calées sur le chenet de la cheminée, une assiette de thon froid sur la table. Signe qu'il avait dû descendre pour chercher cette idée et que, la trouvant, il s'était endormi brusquement sur son succès.

Il mit en route le café sans bruit, posa les bols sur la table sans les heurter, s'éloigna dans l'escalier pour couper le pain, afin de prolonger le sommeil de son père. Tout compte fait, il aimait bien ce gars. Il s'apercevait surtout qu'il n'était pas encore capable de quitter cette maison. Adamsberg, éveillé par l'odeur du café, se frottait le visage quand Zerk revint avec le pain tranché.

— Cela va mieux ? demanda Zerk.

— Oui. Mais rien à voir avec l'enquête.

— Ce n'est pas grave, dit Zerk.

Et une fois de plus, Adamsberg comprit que ce fils lui ressemblait dangereusement, en pire peut-être.

XXVI

Douché, rasé mais coiffé avec ses doigts, Adamsberg s'enferma dans son bureau dès son arrivée à la brigade. Après vingt minutes, il eut enfin en ligne les services centraux de la DDASS.

— Commissaire Adamsberg, brigade criminelle de Paris.

— Très bien, monsieur, répondit une voix consciencieuse. J'appelle votre standard pour vérification. Vous comprenez que nous sommes obligés de contrôler. Entendu, dit-elle après quelques minutes. Votre demande, commissaire ?

— Des informations sur un certain Victor Masfauré, abandonné à la naissance et placé en famille d'accueil il y a trente-sept ans. Caractère d'urgence.

— Patientez, commissaire.

Adamsberg entendit le cliquetis du clavier qui se prolongeait.

— Désolée, dit la femme après six minutes d'attente. Je n'ai aucun nourrisson en accueil à ce nom. En revanche, j'ai un couple Masfauré, venu adopter un enfant placé. Mais c'était il y a vingt-deux ans, et non pas trente-sept, et le garçon ne s'appelle pas Victor.

— Mais Amédée ? dit Adamsberg en saisissant un stylo.

— C'est cela. Il avait cinq ans quand ces gens se sont proposés à l'adoption. Toutes formalités effectuées.

— Il était placé, vous dites ? Pour des motifs d'irresponsabilité parentale ? De violence sur l'enfant ?

— Pas du tout. Il avait été abandonné sous X à la naissance. La mère avait juste choisi le prénom.

— Le nom de la famille d'accueil et le lieu, je vous prie ?

— Couple Grenier, Antoine et Bernadette. Ferme du Thost, T H O S T, Route du Vieux-Marché, à Santeuil, 28790, Eure-et-Loir.

Adamsberg consulta ses montres immobiles, l'enfance d'Amédée était à portée de main, à une heure et demie de voiture. Rien à voir avec l'enquête Robespierre, mais le commissaire s'était déjà levé, clefs en poche. Il n'allait pas continuer à se gratter toute la vie.

Il convoqua Mordent, Danglard et Voisenet, la veste déjà sur le dos.

— Je pars, annonça-t-il, aller-retour dans la journée. Danglard et Mordent, prenez le relais ici. Voisenet, où en êtes-vous de la planque sur François Château ?

— Le rapport est sur votre bureau.

— Pas eu le temps de le lire, lieutenant, désolé.

— Rien de nouveau, aucun suiveur à l'horizon. Il rentre chez lui chaque soir à la même heure, une vie tout ce qu'il y a de sage. Mais il est prudent. Il quitte l'hôtel ou son bureau en taxi précommandé.

— Vous avez repéré tous les habitants de l'immeuble ?

— Oui, commissaire.

— Pour les autres entrants, demandez les pièces d'identité. Comme toujours, ayez un œil sur les furtifs, les têtes baissées et les décontractés excessifs. Sur les lunettes, les casquettes et les barbes. En ces cas, suivez dans l'ascenseur.

— Parfaitement.

— Où allez-vous, commissaire ? demanda Danglard, un peu pincé.

— Dans l'enfance d'Amédée. Il n'était pas en « institution ». Il a été abandonné et placé en famille d'accueil, en Eure-et-Loir. Les Masfauré l'ont adopté à l'âge de cinq ans.

— Pardon, intervint Mordent assez sèchement, vous repartez en arrière ? Vous abandonnez Robespierre ?

— Je n'abandonne rien. On ne pourra pas suivre les guillotinés – enfin, leurs descendants –, avant lundi prochain, date de la prochaine séance de l'assemblée, quand Lebrun nous les désignera. On a tiré tout ce qu'on pouvait, pour le moment, du trio Château-Leblond-Lebrun. Quant à Froissy, elle n'en a pas terminé avec la descendance de l'aubergiste Château. Elle est sur Montargis à présent. Donc, oui, je pars quelques heures.

— Pour un secret de famille qui ne nous regarde en rien.

— En effet, Mordent. Mais on a laissé échapper trop de choses, au Creux.

— Et quand bien même ? Ils ne sont plus concernés.

Adamsberg observa un instant ses trois adjoints sans répondre, et écarta doucement Mordent de son passage, vers la sortie.

— J'y vais, dit-il, suivi par les regards réprobateurs des trois hommes.

Il était encore sur le périphérique encombré quand il prit un appel, numéro inconnu, voix rapide et altérée.

— Commissaire Adamsberg, ici Lebrun. Je vous appelle d'une cabine.

— Je vous entends.

— En sortant de chez moi ce matin, j'ai vu Danton arpenter ma rue, sur le trottoir d'en face.

— Vous voulez dire, le descendant de Danton ?

— Évidemment ! s'écria Lebrun, exaspéré mais surtout apeuré. J'ai reculé dans l'entrée de l'immeuble, puis je l'ai guetté de ma fenêtre. Deux heures, commissaire, il est resté là deux heures avant de lâcher prise. Il a fini par partir, pensant sans doute que j'étais sorti travailler plus tôt.

— Vous l'avez suivi ?

— À quoi bon ? Je sais où il demeure. Vous comprenez ce que cela signifie ? s'énerva l'homme. Qu'il sait qui je suis, qu'il connaît mon vrai visage, et où je vis. Comment a-t-il fait ? Aucune idée. Mais il me talonne à présent, couteau en poche ou que sais-je ?

— Et que voulez-vous que je fasse, puisque vous refusez de me dire quoi que ce soit, de lui, ou de vous ?

— Je demande protection, commissaire. Quatre morts déjà, et c'est moi qui suis maintenant en ligne de mire.

— Je ne peux pas intervenir sans informations. Désolé, dit Adamsberg en amorçant un demi-tour, retour Paris.

— J'accepte, céda Lebrun. Où ? Quand ?

— Dans quelque trente minutes, à la brigade.

— Pas avant ?

— Je suis en mission, Lebrun, je roule sur le périphérique. Ne restez pas dans cette cabine et rejoignez la brigade dès maintenant. En taxi. Et sans barbe, s'il vous plaît.

Adamsberg accéléra, et entra dans son bureau vingt-cinq minutes plus tard. Il manqua ne pas reconnaître l'homme qui se retourna à son entrée. Cheveux blancs coupés courts, lunettes, teint plus mat que dans son rôle de Lebrun, et nez plus fin. Allure plus respectable aussi, costume gris sans un pli.

— Bonjour, docteur, dit Adamsberg en jetant sa veste sur le dossier de sa chaise.

— Comme vous le voyez, votre Billaud-Varenne m'a déjà apporté un café. Vous m'appelez « docteur » ?

— Une idée que je me fais, vraie ou fausse. Psychiatre peut-être. Quel Billaud-Varenne ?

— Ce jeune homme aux yeux si grands ouverts qu'on se demande s'il parvient à les fermer la nuit. J'avais dit qu'il ferait un bon Billaud. Bon sang, on aurait dû arrêter toute cette entreprise quand on a senti que cela commençait à mal tourner. Quand les esprits ont pris feu. On aurait dû. Mais c'était captivant de revivre le déchaînement de ces passions. C'est exact, je suis psychiatre.

— Vous avez eu un trop parfait Robespierre. Il a fait de votre « Histoire vivante » une réplique inquiétante.

— Au point que la ligne de séparation entre le réel et l'illusion s'est rompue, dit Lebrun gravement. Et quand cette ligne se brise, commissaire, les conséquences sont hautement dangereuses. Voilà où nous en sommes. C'est la fin de notre expérience bien sûr, mais elle a déjà coûté quatre vies.

— Vous êtes certain que c'était ce fils de Danton qui attendait devant chez vous ?

— Certain. J'aurais dû sortir, l'affronter, lui parler, mais j'ai manqué de cran. Ce n'est pas la première de mes qualités. Je suis un homme de cabinet.

— Cette fois, docteur, il nous faut son nom et son adresse, dit Adamsberg.

Le médecin réfléchit encore, et hocha la tête.

— Mes collègues m'ont donné l'autorisation de vous les communiquer, dit-il. Mais pas ceux des deux autres descendants, tant qu'ils n'ont rien fait d'inquiétant.

— Que croyez-vous qu'il cherchait ? Certainement pas à vous abattre en pleine rue, ce n'est pas sa manière.

— Après m'être cru personnellement en danger, j'ai pensé que, peut-être, il espérait, par moi, se faire conduire à Robespierre. Seuls le trésorier et moi-même connaissons son adresse.

— Et frapper dès maintenant à la tête ? C'est trop tôt, je n'y crois pas.

— Tout au moins prévoir de frapper, repérer les lieux. Je crois comme vous que c'est son but ultime. Mais avant, il instaure un climat de terreur ascendante. Il veut que Robespierre connaisse la peur comme il l'a fait connaître à d'autres. Je suppose donc que, dans sa folie, il s'imagine être face au véritable Robespierre.

— Je suis d'accord, dit Adamsberg en allumant une cigarette à moitié vidée de son tabac, et dont le papier brûla en une haute flammèche.

— Il vit cette dilution de la frontière entre le réel et le factice, dont je vous parlais.

— Si vous pensez que Robespierre est visé, pourquoi souhaitez-vous une protection ?

— Parce que je ne suis sûr de rien. Protection limitée, commissaire. Mais peut-être est-ce trop demander ? Après tout, je n'ai pas été menacé.

— Limitée à quoi ?

— À mes trajets domicile-hôpital, hôpital-domicile.

— Quel domicile ? demanda Adamsberg en souriant.

— Je déménage ce jour chez un ami, dit le médecin en souriant en retour. Non, commissaire, je ne vous dirai toujours pas mon nom. Non pas qu'il soit sacré ou intouchable, mais concevez la réaction de mes patients s'ils apprenaient. Confiant leurs âmes à un « coupeur de têtes » ! Non. Je renonce à toute protection si mon nom doit apparaître. Je ne vous mets pas en cause, mais on sait combien les secrets de police fuitent.

— Et quel est votre lieu de travail ? demanda Adamsberg en soupirant.

— Si vous l'acceptez, attendez-moi chaque soir à 18 heures devant l'entrée principale de l'hôpital de Garches, sous l'apparence à barbe noire que vous me connaissez.

— Une enquête interne nous apprendrait rapidement votre nom.

— Je n'y suis qu'en mission provisoire. Et si vous montrez ma photo, on vous indiquera, peut-être, un docteur Rousselet. Qui n'est pas mon nom.

Adamsberg se leva pour arpenter son bureau, contrôler par sa fenêtre la pousse des feuilles de l'arbre. Les tilleuls sont toujours tardifs. Ce Lebrun-Rousselet était un froussard, mais un froussard bien organisé.

— Danton, le véritable Danton, reprit-il, à ce que m'en a dit le commandant, avait également les mains tachées de sang, non ?

266

— Évidemment. Il officiait sous la Terreur avant que celle-ci ne le broie. C'est lui qui a donné l'impulsion au Tribunal révolutionnaire : « Soyons terribles pour dispenser le peuple de l'être... », vous connaissez cette phrase ?

— Non.

— « ... et organisons un tribunal, afin que le peuple sache que le glaive des lois pèse sur la tête de tous ses ennemis ». À ce nouveau Tribunal, les jugements étaient bâclés en vingt-quatre heures et suivis de la guillotine. Voilà ce à quoi contribua le bon Danton.

— Une semaine de protection, renouvelable, accorda Adamsberg. Je vous laisse aux soins des commandants Mordent et Danglard pour en régler les détails techniques.

— Vos équipiers auront besoin de connaître l'allure de ce Danton-fils. Voici, dit le médecin en posant avec réticence une photo sur le bureau.

— Je croyais que vous n'aviez pas de photo de vos membres.

— Pour celui-là, j'ai dérogé. Jugez vous-même.

Adamsberg examina le portrait du descendant. C'était un des visages les plus sombres et laids qu'il ait vus.

XXVII

Il roulait gyrophare sur le toit pour rattraper le temps passé avec le docteur Lebrun-Rousselet. L'homme avait fait bonne figure mais l'inquiétude l'oppressait. Sa diction n'était pas aussi fluide que lors de sa première visite, ses mains se refermaient souvent, le pouce placé à l'intérieur du poing. Adamsberg envisageait aussi quelque nouveau maquillage dans son allure d'aujourd'hui. L'homme avançait masqué, en biais, sur ses gardes. Prêt à se replier à la moindre alerte, tels les gars dans l'arène qui excitent le taureau et se réfugient d'un bond derrière les barrières de bois.

— Danglard ? appela-t-il en conduisant d'une main. Parlez un peu fort, je suis sur la route.

— Je vous croyais revenu, bon sang.

— Mais les bateaux dérivent toujours au-delà des phares.

— Toujours en route vers le nourrisson Amédée ? Alors que j'apprends que le secrétaire de l'association vient d'être menacé et demande protection ?

— Pas menacé, observé.

— Vous avez vu la gueule de ce fils de Danton ?

— Lugubre. Dites, Danglard, comment s'appellent ces barrières de bois derrière lesquelles s'abritent les types qui énervent le taureau ?

— Pardon ?

— Dans les corridas.

— Les *burladeros*. Et les « types » sont les *peones* du torero. C'est important ? ajouta Danglard, caustique.

— Du tout. C'est juste que notre médecin – Lebrun est bel et bien psychiatre – est un gars comme cela. Il redoute les assauts, il fuit. Alors que François Château, que l'on suppose directement visé, n'a demandé aucune protection.

— Après quatre assassinats et Danton dans sa rue, je me mets aisément à sa place.

— On pourrait lui suggérer de s'enduire de fiente de corneille mantelée.

— Cela plaira certainement.

— J'ai idée que notre Lebrun milite dans l'association Robespierre – on peut parler de militantisme, non ? – parce qu'il y assiste à des agressions, à des violences et à des offensives dont il est incapable dans la vie. Cela l'équilibre par procuration.

— Et après ?

— Danglard, je serai rentré dans quatre heures, il est inutile de s'énerver.

— Et après ? C'est maintenant qu'on va aller interroger ce rejeton de Danton. Et vous, vous partez bavarder avec la famille d'Amédée.

— Vous serez bien meilleur que moi pour questionner un type pétri d'histoire au point d'en perdre l'esprit. Il faut au rejeton de Danton un homme savant et délicat. N'y allez pas seul, cela va sans dire.

Adamsberg entra dans le modeste village de Santeuil et s'arrêta face à un bar-tabac où le patron accepta de lui préparer un sandwich, ce qui n'était pas l'habitude de la maison.

— J'ai que du gruyère, dit l'homme rudement.

— Ce sera parfait. Je cherche la ferme du Thost.

— Ça se voit que vous n'êtes pas d'ici. On dit « Tôt », sans prononcer le « s ». Et c'est pour y quoi faire ?

— Pour aider un enfant qui y a vécu, il y a très longtemps.

L'homme fit la moue, réfléchissant. Évidemment, s'il s'agissait d'un enfant, c'était différent.

— C'est à sept cents mètres de là, sur la route de Réclainville. Après, vous croisez la route du Vieux-Marché et vous y êtes. Mais vous ne trouverez plus rien. Si le gosse, il cherche ses parents, alors c'est triste. Parce qu'ils sont partis en cendres il y a de ça quinze ans. La baraque a brûlé, et le mari et la femme avec. C'est moche, hein ? Des jeunes qu'avaient trouvé malin de faire un feu de camp la nuit. Avec toute cette paille à côté, pensez. Tout est parti en une heure de temps. Comme les Grenier prenaient des cachets pour dormir, ils n'ont rien vu venir. Moche, moche.

— Très moche.

— Remarquez, on les aimait pas trop. Faut pas dire du mal des morts – phrase d'ouverture qui permettait d'en dire ensuite –, mais c'étaient des sacrées peaux de vache. Rien dans le cœur et tout dans le bas de laine. Et ils prenaient des gosses orphelins pour arrondir les fins de mois. Je sais pas comment on a pu confier des gamins à des gens comme ça. Parce qu'ils devaient trimer dur, les petits, ça oui.

— Un de ces gamins, il s'appelait Amédée ?

— J'y allais jamais, moi. Mais une qui pourrait vous renseigner, c'est la Mangematin. Oui, elle s'appelle comme ça, c'est pas de chance mais on choisit pas son nom. Une brave femme. Après que vous avez passé l'ancienne ferme – vous ne pouvez pas vous tromper, il reste encore des murs noircis –, vous faites trente mètres et vous voyez un portail vert, sur votre droite.

— Elle les connaissait bien ?

— Elle allait aider chaque mois pour les grandes lessives. Et elle apportait une friandise aux gosses. Une brave femme.

Adamsberg sonna au portail vert un peu avant seize heures, après avoir débarrassé sa veste des miettes de son sandwich. Un grand chien s'écrasa les dents contre la barrière, aboyant férocement, et Adamsberg posa sa main sur sa tête à travers les barreaux. Après quelques grognements, puis gémissements, le chien déclara forfait.

— C'est que vous savez vous y prendre avec les animaux, vous, dit une grosse femme qui s'approchait en boitant. C'est pour ?

— Une enquête sur un gamin qui vivait à la ferme du Thost. C'était il y a longtemps.

— Chez les Grenier ?

— Oui. Il s'appelait Amédée.

— Il ne lui est pas arrivé malheur au moins ? dit la femme en ouvrant son portillon.

— Pas du tout. Mais il ne se souvient pas de grand-chose de cette époque, il aurait besoin d'un peu d'aide.

— Ben moi, j'ai pas la mémoire courte, dit la femme en le faisant entrer dans sa petite salle à manger. Du café ? Du cidre ?

Adamsberg choisit le café et la femme – qui s'appelait Roberta Mangematin, il l'avait lu sur sa boîte aux lettres – passa l'éponge sur la toile cirée de la petite table, déjà propre.

— Ça ne vous gêne pas que je prenne un cidre au moins ? dit-elle, en séchant à présent la nappe au torchon. Vous venez de loin ?

— De Paris.

— Vous êtes de la famille ?

— De la police.

— Ah, dit la femme en étendant son torchon devant un gros radiateur.

— C'est qu'Amédée s'est retrouvé mêlé à une sale histoire – il n'y est pour rien, ne vous en faites pas – et il a besoin d'en savoir plus sur son enfance au Thost.

— On dit « Tôt », sans prononcer le « s ». Vous parlez d'une enfance, chef.

— Commissaire, dit Adamsberg en lui montrant sa carte.

— Un commissaire pour ça ?

— C'est que personne ne s'y intéresse, à Amédée. Mais moi si. Alors je suis venu.

Roberta lui versa respectueusement le café, puis se remplit un bon verre de cidre.

— Comment il est maintenant, le petit ?

— Très beau.

— Il n'y avait pas plus joli petit gars dans toute la région. On l'aurait bouffé tout cru. Et gentil avec ça. Vous croyez que ça aurait amadoué la mère Grenier ? Pensez. Elle le trouvait trop délicat. Alors elle le poussait au travail comme un bourrin. À quatre ans. Pour le faire homme, elle disait. Pour le faire esclave, oui. Il me crevait le cœur, ce gosse, avec sa bouille si triste. Et vous dites qu'il ne se rappelle rien ?

— Juste quelques bribes. Il parle de canards décapités.

— Ah ça, dit la femme en reposant lourdement son verre. Quelle garce, celle-là. Faut pas dire du mal des morts mais il y a pas d'autre mot. Elle s'était mis en tête qu'Amédée aille tuer la volaille, quand y avait besoin. À quatre ans, vous vous rendez compte ? Et l'Amédée, il était trop sensible, il ne voulait pas, rien à faire. Elle lui montrait comment s'y prendre, elle attrapait la poule et crac, elle lui coupait le cou à la hache. Comme ça, devant lui. Des drames et des drames. Parce que chaque fois qu'il refusait de le faire, il était puni toute la journée sans manger. Alors un jour, forcément, le petit, il a perdu la tête. Il avait quoi ? Cinq ans. C'était pas longtemps avant son départ. Il a attrapé la hache et il a fait un carnage, il en a décapité sept ou dix d'un coup, des canards. Le médecin, il m'a dit qu'il se vengeait de ce qu'on lui faisait, quelque chose comme ça. Qu'à ce train-là, il aurait eu vite fait de couper le cou à la mère Grenier. Moi je crois pas ça.

Roberta se mit à secouer la tête avec énergie, menton en avant.

— Que croyez-vous ? demanda Adamsberg.

Café dix fois meilleur qu'à la brigade, il faudrait en parler à Estalère.

— Qu'il voulait juste montrer qu'il savait le faire, répondit Roberta, pour qu'on cesse de le punir et de le traiter de fillette. Il avait pas sa raison ce jour-là, y a pas à chercher plus loin. C'est malheureux, un garçon si gentil. Elle l'a tordu, voilà ce qu'elle a fait.

— Et le mari ?

— Pas meilleur que sa mégère. Sauf qu'il causait pas, lui. Mais il faisait tout comme elle disait, il a jamais défendu le gosse. Un bon à rien d'alcoolique, tenez, dit-elle en remplissant son verre, mais dur à la tâche, faut lui reconnaître ça. M'étonne pas qu'Amédée, il se souvienne des canards. Parce que vous savez ce qu'elle a fait après ?

— Elle l'a battu comme plâtre.

— Bien sûr, mais après ?

— Je ne sais pas.

— Eh bien, tous les canards qu'il avait tués, elle l'a forcé à les plumer et à les vider. Et ensuite, elle les lui a fait bouffer à tous les repas, au petit-déjeuner, au déjeuner, au souper. Le gosse, il vomissait partout. Grâce à Dieu, le grand l'aidait. Il avalait des portions à sa place, il enterrait des morceaux, il lui passait sa nourriture. Sans lui, je sais pas ce qu'il serait devenu.

— Quel grand ?

— Oh celui-là, il avait déjà dix ans quand Amédée est arrivé tout bébé. Aussi défavorisé par Dieu qu'Amédée était gracieux, mais avec un cœur d'or. Il a protégé le petit comme une mère poule. Ils s'aimaient, ces deux-là, on peut le dire.

— Quel grand ? répéta Adamsberg en alerte.

— Celui qu'elle avait pris avant, un abandonné lui aussi. La mère, elle envoyait la pension et puis c'est tout. Mais l'Amédée, faut croire qu'il était pas si abandonné que ça parce qu'un beau jour, ses parents sont venus le chercher. Cette femme, on aurait dit qu'elle se prenait pour une duchesse. Elle était pas venue le voir une fois, mais elle payait bien, disait le père Grenier. Les Masfauré, ils s'appelaient.

— Comment vous le savez ?

— Par le facteur. Tout le monde le savait. Vous auriez dû voir ça quand ils sont venus le prendre. J'étais de lessive. Amédée s'agrippait dans les bras de Victor – c'était le grand –, et lui, il le serrait de toutes ses forces, pas moyen de les décrocher l'un de l'autre. Victor murmurait des mots à l'oreille du petit, il courait partout dans la cour avec le gosse suspendu sur lui comme un petit singe, pas moyen. Finalement, le père Grenier s'en est mêlé, ils ont décollé les deux garçons, et ils ont fourré Amédée qui hurlait dans la belle voiture. En trois quarts d'heure, ça a été réglé.

— Il avait les cheveux blonds, Victor ?

— Ça oui, et bouclés comme ceux d'un ange. C'était ça qu'il avait de joli. Et puis son sourire. Mais on ne le voyait pas souvent.

— Madame Mangematin, vous avez parlé des pensions.

— Vous croyez quand même pas que les Grenier, ils auraient fait ça par bonté d'âme ?

— Bien sûr que non. Ces pensions, savez-vous s'il en arrivait une ou bien deux par mois ?

— Ça, je saurais pas vous le dire. Le facteur a toujours parlé de l'argent Masfauré, et rien d'autre. Je lui demande si ça peut vous arranger. Mais attention, il est plus tout jeune. C'est pas sûr qu'il se souvienne.

La femme s'éloigna dans une pièce voisine pour téléphoner. Le chien féroce était entré dans la salle et venu se coucher directement entre les jambes d'Adamsberg. Le commissaire lui grattait le cou sans y songer, sa pensée tournée vers les deux garçons de la ferme du Thost. Du Tôt.

— On peut dire que vous avez le don avec les bêtes, monsieur le commissaire, dit la femme en revenant. Lui aussi un jour, il m'a bouffé un canard. Mais ça n'a rien à voir.

— Non.

— Au chien, c'est dans sa nature, de tuer.

— Oui, répondit Adamsberg, se demandant si tuer était également entré dans la nature d'Amédée, que la mère Grenier avait « tordu ».

— Une seule enveloppe par mois, dit Roberta en reprenant son verre de cidre, il y mettrait sa main au feu. Sauf qu'avant, ça venait pas d'une Masfauré, mais d'un autre nom. Elle avait dû se marier entre-temps.

— Et comment savait-il que c'était la pension ?

— Ça, il me l'a dit dans le temps en rigolant. Un facteur, ça repère les billets de banque qui crissent dans une enveloppe, comme un chat trouve la souris. Ça arrivait en liquide, sûrement qu'elle voulait pas laisser de traces.

— Ce qui voudrait dire, madame Mangematin, que Victor et Amédée seraient frères, n'est-ce pas ? Si une seule enveloppe arrivait pour eux deux ?

— Ma foi, j'y avais pas pensé, dit la femme en bouchant fermement sa bouteille, mais ça m'étonnerait pas, vu comme ils étaient fourrés ensemble. Mais je peux vous dire que quand la Masfauré est venue récupérer Amédée, elle a pas jeté un regard à Victor, pas plus que s'il avait été une merde, si vous voulez m'excuser. Même dénaturée, une mère fait pas ça, si ? Et si ça avait été sa mère, pourquoi qu'elle aurait pas embarqué les deux garçons d'un coup, ce jour-là ?

Adamsberg fouilla un long moment dans son carnet, où rien n'était classé.

— Cela vous ennuierait beaucoup de rappeler le facteur pour lui demander si, avant l'arrivée d'Amédée, l'enveloppe ne venait pas de Pouillard ? D'une Marie-Adélaïde Pouillard ? C'était le nom de jeune fille de la mère d'Amédée.

— Pas du tout, j'aime bien appeler le facteur.

La réponse vint peu de temps après, affirmative : Pouillard. Roberta en avait profité pour inviter le facteur à dîner.

XXVIII

Danglard se débattait avec le descendant Danton quand Adamsberg les rejoignit, en milieu d'interrogatoire. La pièce était petite, sous les toits de Paris, mal rangée, mal aérée. L'homme – un ancien relieur, lui avait signalé Danglard – était au chômage depuis quatre années. Danglard avait les cheveux ébouriffés, certains dressés, de colère peut-être, et Justin se tenait tête basse, bras nerveusement croisés.

— Mais bienvenue, commissaire, dit le descendant avec exubérance. Heureux de vous compter parmi nous, vos collègues me distraient beaucoup. Comme vous le voyez, je n'ai plus de siège à vous offrir.

— Aucune importance, je ne m'assieds jamais.

— Vous êtes donc comme les chevaux. Ça a ses avantages, mais l'ennui, c'est que vous ne voyez pas devant votre nez. Ce qui vous a fait imaginer qu'un descendant du gros Danton aurait tué pour l'honneur de l'ancêtre.

L'homme éclata de rire. Sombre et repoussant, il l'était, avec ses joues creuses, ses dents longues irrégulières et grises, ses yeux noirs très écartés.

— Le gros Danton, parfaitement, dit-il en une fin de rire. On l'a dit patriote, sincère, enflammé, chaleureux, aimant et dispendieux. Moi je dis que c'était un foutu corrompu, un opportuniste, un orgueilleux qui se taillait des succès avec sa corpulence et sa voix de brute, un cupide, un débauché, un tueur, un traître. Au moins Robespierre était-il pur dans son infamie. Comme je l'ai dit à vos collègues, je suis royaliste. C'est bien le moins que je veuille réparer les atrocités d'un aïeul pourri. Il a voté la mort du roi, qu'il ne se plaigne pas d'avoir perdu sa tête.

— Et il se plaint ?

La question déconcerta un instant la faconde du descendant Danton.

— En tant que royaliste, enchaîna Adamsberg, que faites-vous dans cette assemblée ?

— Je scrute, commissaire, dit l'homme avec cette fois un grand sérieux. J'espionne, je traque. Je collectionne tous les travers et les vices de ses membres, membres qui se déguisent et se faufilent comme des rats d'égout sans avoir même le courage de leurs opinions. Anonymes, croient-ils ? Pas pour moi. Malversations, capitaux cachés, crapuleries, escroqueries, pornographie, trafic d'armes, homosexualité, pédophilie, tout est bon. Et n'imaginez pas que je sois bredouille, loin de là. Les républicains puent par tous leurs pores. Ne perdez pas votre temps à chercher mes dossiers, tout cela est en sûreté. Et cela représente déjà une sacrée masse. Encore un peu de matière et j'allume la mèche. Et je fais sauter ce nid grouillant de termites ignobles, dignes descendants de tous ces excités hideux qui ont ruiné la France avec cette impotente démocratie. Et par leur destruction, j'atteindrai la République tout entière.

— Bien, dit Adamsberg. Et comment vous y prenez-vous pour mener seul une si grande investigation ?

— Seul ? Vous divaguez, commissaire. Le cercle royaliste est plus étendu que vous ne le croyez. Il pousse ses tentacules jusque dans la magistrature et dans votre police. Et nous y sommes nombreux dans cette association. Croyez-vous que votre République soit éternelle ?

L'homme rit à nouveau, farouchement, puis dressa son maigre corps et ouvrit les deux portes d'un petit placard. Affichées sur les vantaux intérieurs, les reproductions, maculées de déjections diverses, des visages de Danton et de Robespierre, aux yeux crevés de peinture rouge, ayant coulé sur les joues.

— Ils vous plaisent ainsi ?

— Violent, commenta Adamsberg. Au point de tuer, en attendant le grand soir de l'explosion.

L'homme referma amoureusement son placard.

— Comme si j'allais perdre mon temps à les dessouder l'un après l'autre alors que je tiendrai bientôt en main de quoi les engloutir tous d'un coup.

Adamsberg donna le signal du départ à ses adjoints.

— Dites bien à ce castré de François Château, cria l'homme, et à ses deux vaniteux et pédants acolytes, que leur bauge à cochons n'en a plus pour longtemps !

— Violent, répéta Adamsberg une fois dans la rue.

— C'est Danton qui ne doit pas être content, dit Justin.

— On n'est jamais trahi que par les siens.

— Comédie ? demanda Danglard.

— Non, dit Adamsberg. Les affiches sont anciennes, ce n'est pas une mise en scène. Il les hait.

— Cela en fait un tueur très crédible, dit Justin.

— Je crois qu'il vise plus haut, dit Adamsberg. Les rouler dans la boue et, salissant l'association, avilir la Révolution et faire tomber la République. Rien que cela. Que vous a-t-il dit pour expliquer sa présence devant l'appartement du psychiatre ?

— Que Lebrun n'était qu'un parmi tous les autres qu'il espionnait. Il cherche une faille dans son existence.

— Il l'a trouvée ?

— On ne sait pas. Ses « dossiers » sont au secret, il l'a dit et répété.

— Je ne pense pas que l'un des deux vaniteux acolytes risque quoi que ce soit de ce maigre Danton fils. Si le tueur veut décapiter l'association, il exécutera Robespierre. Et pour l'instant, l'assassin, on l'a vu, fait partir sa vague de loin, de très loin, en éliminant surtout des « occasionnels ». Pourquoi ? Parce qu'une tornade qu'on sent approcher à pas de loup effraie bien plus qu'une trombe qui vous submerge brutalement. Il serrera son filet peu à peu, pour qu'on le voie venir lentement à l'horizon. On allège la protection de Lebrun, on veille simplement à ce qu'il embarque dans un taxi sûr à la sortie de l'hôpital. On fait de même pour Leblond. Convoquez-le, tâchez de savoir où il vit. Il est plus rusé que le secrétaire, je crois.

— Lebrun va couiner d'effroi, dit Danglard.

— S'il a si peur, qu'il démissionne.

— Il perdrait la face. Le psychiatre se mettant aux abris derrière un *burladero*.

— Un quoi ?

— La barrière de bois, pour les corridas, s'agaça Danglard. C'est vous qui me l'avez demandé il n'y a pas six heures.

— C'est vrai.

L'angélus sonnait 19 heures au clocher de l'église Saint-François-Xavier. Adamsberg fit une halte.

— Café, dit-il.

Apéritif, pensa Danglard. C'était l'heure.

— Si cela vous intéresse d'approfondir le « on n'est jamais trahi que par les siens », ajouta Adamsberg. Il se pourrait que les deux meurtres islandais ne soient pas ceux qu'on croit.

— On a dit qu'on avait quitté l'Islande, dit Justin, un peu plaintif.

— Sûrement. Ce qui n'empêche pas d'y faire un tour, si cela vous tente.

Cela ne tentait ni le commandant ni le lieutenant, qui ne bougèrent pas. Adamsberg leur sourit, leur adressa un léger signe de la main et les laissa. Les deux hommes le regardèrent s'éloigner et pousser la porte d'un café. Quelques minutes plus tard, ils s'asseyaient à sa table.

— On ne part pas en Islande, mais à la ferme du Thost, en Eure-et-Loir.

— Où vous étiez aujourd'hui ? dit Justin.

— Ce qui vous a fait manquer tout le début de notre entretien avec Danton, dit aigrement Danglard.

— C'était intéressant ?

— Non.

— Vous voyez, Danglard. Une demi-heure suffit largement avec ces gens-là. Ferme du Thost autrefois tenue par un couple Grenier, une famille d'accueil.

— Où était hébergé Amédée Masfauré avant ses cinq ans, vous nous l'avez dit.

— Détenu serait plus juste. Mauvais traitements en tous genres jusqu'à ce que l'enfant explose avec l'affaire des canards décapités.

— Il a évoqué ces canards au Creux, dit Danglard, que l'arrivée de son verre de vin blanc détendait subitement.

Justin tourna la tête rapidement de droite à gauche durant toute l'histoire des sept à dix canards, chassant les images comme des mouches. L'enfant avec sa hache, le carnage, la chair des volatiles à bouffer tous les jours jusqu'à plus soif. Le grand qui l'aidait à évacuer les morceaux.

— On comprend qu'il ait gommé tous ses souvenirs, dit-il.

— Je ne crois pas qu'il ait gommé quoi que ce soit, dit Adamsberg. Je crois qu'il ment. Et ce grand gars qui le protégea pendant ces cinq années de cauchemar, un gosse confié, tout comme lui, je ne crois pas non plus qu'Amédée ait pu l'oublier. C'était – c'est sans doute encore – son seul amour, et son sauveur.

— Et ?

— Et il avait dix ans de plus que lui, et il n'était pas beau, si ce n'est ses boucles blondes en abondance et son grand sourire. Qu'on voyait peu.

Danglard, les yeux braqués dans le vide, tendit un bras raide vers le serveur qui passait.

— Frères, vous voulez dire ? Ils sont frères ?

— Je ne saisis pas, dit Justin.

— Amédée et Victor, reprit Adamsberg, frères. Abandonnés à dix ans de distance par la même mère.

— Une preuve ? demanda Danglard, qui demeurait le bras tendu.

— Une seule lettre arrivait par mois à la ferme, avec l'argent de la pension. Pas deux. De Mme Masfauré. Mais avant, de Mlle Pouillard. Marie-Adélaïde Pouillard, plus tard épouse Masfauré.

Le garçon emplit le second verre dans la main serrée de Danglard, qui tourna soudain la tête et le remercia, sortant de son bref hébétement.

— Et un beau jour, elle vient le chercher quand il a cinq ans ? demanda Justin. Elle a des remords ? Mais dans ce cas, pourquoi lui seul ?

— Parce que s'il n'avait tenu qu'à elle, elle ne serait jamais venue le chercher.

— D'accord, dit Danglard. On peut donc supposer qu'Henri Masfauré a appris, d'une façon ou d'une autre, que son irrésistible épouse avait abandonné un nouveau-né. D'après les dates, peu de temps avant son mariage. De crainte de perdre Masfauré.

— Il ne voulait pas d'enfant ?

— Probablement pas, dit Adamsberg. Elle a préféré se débarrasser du bébé plutôt que voir lui échapper la fortune Masfauré. Même scénario sûrement dix ans plus tôt, avec un producteur. C'était une vorace, souvenez-vous. Rien ne devait la freiner.

— Bien sûr, dit Danglard. Frères. Amédée et Victor, les prénoms couplés des ducs de Savoie.

— Exact, réalisa Adamsberg. Vous aviez vu juste.

— Mais pas au-delà, dit-il en secouant la tête. Même les larguant dans la nature, elle leur a donné des prénoms de la plus haute noblesse.

— Quand Masfauré a appris l'existence de ce fils abandonné, dit Adamsberg, soit son cœur n'a fait qu'un tour, soit sa morale. Toujours est-il qu'il a obligé sa femme à aller reprendre le petit. Je pense que notre philanthrope a vu son épouse autrement ce jour-là. Possible qu'elle lui ait fait horreur. Possible qu'il ait pardonné. En tout cas, il était hors de question pour Marie-Adélaïde que Masfauré apprenne l'abandon d'un autre enfant, dix ans plus tôt. Elle n'a rien dit de Victor et, entrant à la ferme, elle ne lui a pas jeté un regard. Volontairement.

— Infâme, dit Danglard en posant son verre. Une « hypocrite infâme ».

— On y vient, dit doucement Adamsberg. À quinze ans, ou bien avant, Victor était largement en âge de fouiller dans les papiers des Grenier pour y trouver le nom de sa mère : Pouillard. De découvrir ensuite, de la même écriture sur les enveloppes, son nouveau nom de Masfauré. Imaginez ce tout jeune homme voyant arriver la belle Adélaïde Pouillard-Masfauré pour reprendre le petit Amédée, et l'ignorant superbement, lui. Et lui arrachant des bras Amédée, son seul amour sous le soleil. La riche voiture emporte l'enfant en sanglots et laisse l'autre fils à son sort.

— Deux fois abandonné, dit Justin.

— Largement de quoi transformer Victor en une masse de rage et de haine, dit Danglard.

— Jusqu'à vouloir la tuer, commandant ?

Adamsberg bascula sur sa chaise, songeur.

— Au moins le désirer, dit Justin.

— Et pourquoi, dix ans plus tard, reprit Adamsberg, fait-il irruption chez les Masfauré ? En ayant emprunté ce nom pour attirer leur attention ? Pourquoi ne dit-il pas qu'il est son fils ? Pourquoi ne déclenche-t-il pas un scandale ? Pourquoi pénètre-t-il, masqué, dans la famille, et s'incruste-t-il sans mot dire ? Dans quel but, sinon la tuer, Justin ?

— Parce que s'il se fait connaître et qu'elle meurt, dit Danglard, il sera le premier accusé. On ne doit pas savoir qu'elle est sa mère.

— Et il prend son temps, dit Justin. Jusqu'à ce qu'une occasion se présente.

— L'Islande, dit Adamsberg.

— L'Islande, répéta Danglard. Amédée sait-il que Victor est son frère ?

— Je crois, hésita Adamsberg, que c'est à la demande instante de ses parents qu'Amédée n'a rien dit de son enfance. Il se souvient de Victor, bien sûr, son dieu de la ferme du Thost – on prononce « Tôt », Danglard –, mais il ne l'a pas reconnu. Il n'avait que cinq ans quand il l'a quitté, et il a retrouvé un adulte de vingt-cinq ans. Mais de manière inconsciente, il sait que c'est lui. Rien d'autre ne peut expliquer qu'il lui soit dévoué comme un môme. Quant à Victor, je suis convaincu qu'il a gardé son secret, même pour son cher Amédée. S'il haïssait sa mère – leur mère – au point de vouloir la tuer, ce silence s'imposait.

— Si bien que l'histoire du drame en Islande, l'histoire du tueur au couteau…, commença Justin.

— Serait fausse, coupa Adamsberg.

— Ils n'ont pas pu se concerter avant qu'on les interroge, objecta Danglard.

— Bien sûr que si. Souvenez-vous de la fuite à cheval, commandant, cette si inutile fuite à cheval, et de Victor qui prend aussitôt Amédée en chasse. Victor l'a ordonné à Amédée dès que Céleste a parlé d'une Mme Gauthier.

— Et comment Victor aurait-il deviné que cette Mme Gauthier était une des voyageuses ? Il ne connaissait pas leurs noms.

— Parce qu'Amédée lui a montré la lettre. Lui ne cachait rien à Victor.

— Compris, dit Danglard. Ils ont eu le temps de mettre au point leur histoire dans les bois.

— Rappelez-vous le portrait du tueur que nous a dressé Victor. Un visage banal, incertain, sans signe distinctif. Il a maintenu un flou sur l'identité du type, c'est une sorte d'homme invisible. En revanche il a insisté – et Amédée de même – sur sa sauvagerie. L'être « immonde », atroce, « abominable », le tueur né. Comme si Victor nous indiquait de force le passage avec une lampe torche : cherchez par là, les flics, cherchez l'être immonde, sans visage et sans nom. Cherchez jusqu'au bout du monde.

— Et la mort du légionnaire ? demanda Justin.

— Pour occulter celle de la mère ?

— Et Masfauré ? Il aurait aussi tué Masfauré ?

— Non. Pourquoi tuer son bienfaiteur ? Dix ans après ? Non, aucune raison. Masfauré appartient à la série Robespierre. Deux affaires, deux meurtriers. Que nous avons pris pour une seule. D'où cet effet d'entrelacs d'algues. Danglard, vous exposerez tout cela demain au concile. Je ne suis pas sûr de vouloir y assister.

— Vous n'êtes pas satisfait, n'est-ce pas, commissaire ? dit Danglard à voix assez basse. Pour Victor ?

Adamsberg tourna la tête vers son adjoint, le regard flou. C'était de ces moments où il voguait dans des zones inaccessibles, où l'on ne pouvait plus distinguer dans ses yeux la prunelle de l'iris.

— Satisfait, peut-être. Mais je ne suis pas heureux.

XXIX

La réunion en salle du concile avait connu un moment d'effervescence après l'exposé du commandant Danglard. Des sifflets et des claquements de doigts avaient retenti, en signe d'approbation pour Adamsberg qui s'en était allé « pelleter des nuages » à la ferme du Thost et en avait rapporté matière à réflexion.

Cette affaire de « pelleteur de nuages » – comme un sergent québécois avait un jour surnommé Adamsberg – clivait depuis longtemps la brigade, opposant les « croyants » et les « positivistes ». « Croyants », ceux qui accompagnaient les dérives, souvent muettes ou mal déchiffrables, du commissaire, par loyauté ou même par foi – et c'était typiquement le cas du fervent Estalère. « Positivistes », ceux qui ne démordaient pas d'une stratégie cartésienne pour le bien des enquêtes, et que les ondulations, voire les échappées insaisissables du commissaire désarçonnaient ou exaspéraient – et la pragmatique Retancourt en était le chef de file. Mais, les surprenant tous, la massive lieutenant n'avait pas critiqué la veille la fugue d'Adamsberg à la ferme du Thost.

« C'est les femmes, avait dit Noël, dès qu'il y a un gosse en jeu, elles n'ont plus rien dans le crâne. » Ce à quoi Kernorkian avait sèchement répondu que, pour une fois que Noël acceptait de considérer Retancourt comme une femme, il y avait du progrès.

Mordent et Voisenet, qui avaient désavoué leur supérieur la veille, gardaient la tête basse, embarrassés.

— Tir au but, reconnut Mordent en étirant son long cou hors de son nid.

— Certes, dit Justin, et qui éclaire différemment les vieux meurtres islandais.

— Meurtres prescrits, par ailleurs, signala Veyrenc, depuis quatre mois. Si Victor Grenier-Masfauré a buté le légionnaire et sa mère, il n'y aura ni procès ni condamnation.

— Si bien qu'on persiste à perdre du temps sur l'affaire islandaise, conclut Voisenet.

— Mais on y gagne de la connaissance, nuança Danglard.

— Dommage, dit Mordent, qu'on ne connaisse pas le nombre de canards décapités. Sept, ou dix ? Cela aurait fait un beau titre de conte singulièrement cruel. *Les Sept Canards du Thost.*

Il arrivait que Mordent s'égare à son tour, mais uniquement quand il songeait à ses contes et légendes, et pour très peu de temps. Son regard n'était jamais lavé comme celui d'Adamsberg. Il gardait toujours l'œil fixe et précis de l'oiseau guettant sa proie. Ses échappées n'étaient qu'incartades tandis que celles du commissaire évoquaient de longues marches sans boussole dans les brumes.

— Un, dit Retancourt en levant son pouce, Victor a des capacités meurtrières. Deux – et elle leva l'index –, c'est un homme qui passe à l'acte. Trois, Victor accompagnait Masfauré à l'assemblée Robespierre. Quatre, rien ne permet de l'écarter des meurtres contre-révolutionnaires.

— Non, contra Danglard. Les meurtres de Victor – s'il y a eu meurtres – n'ont été déterminés que par le désastre de son enfance. On ne continue pas à tuer à droite et à gauche pour s'occuper les mains.

— Les meurtres islandais sont clos, dit Voisenet. Mais la série Robespierre se poursuit et est toujours bloquée en gare. Locomotive à l'arrêt contre les butoirs, pas un rail sur lequel avancer.

— Lundi soir, rappela Mordent, nous pourrons suivre et identifier les deux autres « descendants ». Les rejetons du bourreau et de l'autre gars guillotiné.

— Sanson et Desmoulins, dit Veyrenc.

— En attendant, reprit Voisenet, on tourne en rond en gardant Château et ses sbires, et nous ne sommes pas capables d'identifier les autres membres du groupe des « occasionnels ».

Voisenet était un actif, et l'impuissance, l'attente, l'échec lui mettaient les nerfs à vif. Un naturel empressé, en apparence incompatible avec l'observation des poissons d'eau douce. Adamsberg estimait justement que cette fixation poissonneuse fournissait à Voisenet un antidote vital. Ce pourquoi il avait toujours laissé le lieutenant lire ses revues spécialisées à la brigade.

Mercadet, trop tôt sorti de son cycle de sommeil – il n'avait pas voulu manquer la réunion –, demanda un second café à Estalère.

— Ils vont tous se faire buter pendant qu'on tourne en voiture et qu'on planque dans les portes cochères, dit-il.

— Qui reste encore vivant ? demanda Estalère.

Veyrenc choisit de remplacer Adamsberg dans son rôle apaisant.

— Du groupe des « occasionnels » : au moins quatre, Estalère.

— Très bien, quatre. Qui ?

— Une femme, que Lebrun-Leblond nomment « l'actrice ».

— D'accord.

— Un type baraqué, dit « le cycliste ».

— Oui, dit Estalère, la mine réfléchie.

Même concentré, Estalère n'abaissait pas ses sourcils mais ouvrait ses yeux plus grand encore qu'il était possible.

— Un homme scrutateur, un dentiste, pour Lebrun-Leblond. Il se dégage de lui une légère odeur de désinfectant. Enfin, un gars sans caractère remarquable.

— Le compte y est, dit Estalère qui sortit préparer le café supplémentaire – très tassé – pour Mercadet.

— Si miracle, dit Voisenet, on a peut-être une chance de les voir à la séance de lundi soir. Il faudrait prévoir des effectifs supplémentaires, si l'on doit filer les deux descendants et les quatre infiltrés.

— On peut, accorda Mordent. Mais à l'heure qu'il est, avec quatre de leur équipe assassinés, je doute qu'ils réapparaissent. Que devient Robespierre ?

— Il travaille tard, dit Justin. Sûrement en préparation de son discours de lundi.

— Qui sera ? demanda Veyrenc.

— Les séances du 11 et du 16 germinal de l'an II, allégées et couplées, répondit Danglard, qui avait pris ses renseignements. Soit celles du 31 mars et du 5 avril 1794.

— Celles où Robespierre demande l'arrestation de Danton, de Desmoulins et de ses amis, compléta Veyrenc.

— Cela même.

Information qui laissa de marbre tous les autres membres de la brigade. Adamsberg entra dans la salle à cet instant, la tête baissée vers l'écran de son téléphone, saluant d'un simple geste de la main. Estalère se releva d'un bond pour sa mission café.

— Froissy vient d'achever son travail, annonça-t-il sans s'asseoir. Elle a descendu la filiation de bourgade en bourgade et jusqu'à Montargis. Notre François Château est bel et bien un descendant de l'aubergiste François Didier Château, fils présumé de Robespierre. Ce qui alourdit beaucoup son cas. Danglard, informez-les tous sur notre étrange aubergiste de 1840. Et faites-moi penser à vous demander ce que fut cette « tant douloureuse mort de Robespierre ». C'est Lebrun qui a dit cela. Retancourt, merci de m'accompagner dans mon bureau.

Adamsberg ferma soigneusement la porte tandis que Retancourt s'asseyait sur la chaise des visiteurs, chaise qui n'était pas conçue pour son format et disparaissait sous elle. Aucune chaise ne l'était.

— Vous allez passer la main pour la surveillance de François Château.

— Très bien, dit Retancourt, sur ses gardes.

Car le vague qui avait atteint le regard d'Adamsberg et que Danglard avait perçu la veille n'avait pas disparu.

Et à la brigade, chacun savait ce que ce brouillage signifiait. Errance, vapeurs, pelletage de nuages en trois mots.

— Comme vous l'aurez compris, reprit Adamsberg en acceptant la cigarette que lui tendait Retancourt, il s'est passé autre chose en Islande que ce que les frères Amédée et Victor ont bien voulu nous raconter.

— Oui.

— Quelque chose de bien plus grave.

— Un matricide.

— De plus grave, Retancourt. Souvenez-vous : Victor affirme que le tueur a réduit tous les membres du groupe au silence sous menace de mort. Et en effet, ils se taisent depuis dix ans. Imaginez-vous Victor terroriser à ce point neuf hommes et femmes plus âgés et expérimentés que lui ? À l'âge de vingt-sept ans ? Car il avait vingt-sept ans, à l'époque.

— Jeune ou vieux, qu'importe ? L'âge ne fait rien à l'affaire.

— Selon Victor, le tueur aurait assuré que son « réseau », ou peu importe le mot, les poursuivrait même si l'un d'eux le faisait entauler. Victor, posséder un « réseau » ? Venu de la ferme, autodidacte ? D'où tirerait-il une telle puissance, et une telle force de conviction ?

— C'est prescrit, commissaire, dit Retancourt en haussant les épaules.

— Cela m'est égal.

— Bien plus grave que quoi ? À quoi pensez-vous ?

— À rien, Retancourt. Comment voulez-vous que je sache ? Il faut chercher.

Retancourt recula sa chaise à grand bruit, sa méfiance croissant de seconde en seconde.

— Où ? demanda-t-elle.

— En Islande. Je vais au rocher tiède.

— C'est inconséquent, commissaire, ça n'a pas de sens.

— Cela m'est égal, répéta Adamsberg. Mais tout dépendra de mon entrevue d'aujourd'hui. Je retourne au Creux parler à Victor et Amédée.

— Pour quoi faire ? Leur révéler qu'ils sont frères ? Comme cela, sans précautions ? Il y aura des chocs, des cris, il y aura des pleurs.

— Sûrement. Et je n'aime pas cela.

— Alors pourquoi ?

— Pour savoir. L'un d'eux dira peut-être la vérité.

— Et ensuite ?

— Ensuite, rien. Je saurai, c'est tout.

— Et les meurtres robespierristes ? s'énerva Retancourt. Les quatre infiltrés en danger ? Vous les abandonnez pour « savoir » ce que Victor a bien pu trafiquer sur l'île tiède ?

— Je n'abandonne rien. L'échiquier Robespierre est pour l'instant immobile. Mais il bougera. Rien ne reste jamais en plan, rien ne reste jamais figé. Le mouvement l'emporte toujours. Il y a un gars qui a dit : « Les animaux bougent », mais je ne sais plus qui c'est. Cela bougera de soi-même, faites-moi confiance.

— Oui, avec quatre assassinats de plus.

— Sait-on ?

— Et si l'entrevue d'aujourd'hui ne vous apporte rien ?

— Alors je vais au rocher tiède. Il restera vingt-trois agents ici, tous parfaitement informés, tous aptes à coller à l'affaire Robespierre.

— Vingt-trois ? C'est-à-dire que vous ne partez pas seul ?

— En effet. Ce n'est pas que je redoute les étendues glacées, mais plutôt ma manière d'être. Observer celle des autres me permet de rester – comment dites-vous ? – dans le droit chemin.

— Dont vous êtes totalement sorti, commissaire, dit Retancourt en se levant, signifiant son départ imminent. Vous battez la campagne. Que le divisionnaire apprenne que vous courez après une inutile affaire classée en délaissant l'enquête en cours, et vous serez mis à pied.

— Vous feriez cela ? Vous l'informeriez, Retancourt ?

Adamsberg alluma une autre cigarette et se dirigea vers la fenêtre, tournant le dos à son adjointe.

— Vous ne pouvez pas le faire, Violette, dit-il – il aimait de temps à autre à l'appeler par son prénom. Car vous êtes du voyage. À moins, je répète, que la vérité ne jaillisse du puits cet après-midi, mais j'en doute beaucoup.

— Pas question, aboya Retancourt en reculant vers la porte. Je n'abandonne pas l'équipe en plein marasme.

Si bien qu'ils étaient à présent tous deux debout, deux bêtes tenaces s'affrontant, les bêtes les plus dissemblables qui puissent s'imaginer.

— Très bien, dit Adamsberg, toujours tourné vers la fenêtre, sa cendre tombant au sol. Je prendrai Justin.

— Justin ? C'est de la folie. Il n'est pas capable de soulever un poids de cinq kilos.

— Et vous, Violette, combien ?

— À l'arraché ou à l'épaulé-jeté ?

— Quel est le plus dur ?

— L'arraché.

— Alors combien, à l'arraché ?

— Soixante-douze kilos, dit Retancourt en rougissant légèrement.

Adamsberg émit un sifflement d'admiration.

— Ce n'est rien, dit Retancourt. Le record du monde pour une femme, dans ma catégorie, est de 148 kilos.

— Je n'ai pas besoin d'une femme record. Vous serez largement capable de me sortir de l'eau gelée si j'y tombe.

— On est en avril. Ce ne sont pas les mêmes conditions que lorsque ces douze crétins sont partis à l'aventure en novembre.

— Détrompez-vous. À cette période, cinq petites heures d'ensoleillement par jour, si on a de la chance, température entre 2 et 9 degrés, risques de chute de neige, de tornade arctique, de manteaux de brumes, de blocs de glace voguant sur l'eau glacée.

— Pas Justin, réaffirma Retancourt. Il reste ici. Il est très bon pour les filatures, discret comme un chat.

— Vous et Veyrenc. Pas Danglard bien sûr. Rien que le voyage le déstabiliserait pour deux mois. Vous vous souvenez du Québec. Danglard restera ici pour codiriger avec Mordent. Danglard a la science, Mordent a la pensée juste.

À présent, Adamsberg arpentait un côté de la longue table, tandis que Retancourt faisait de même de l'autre. Veillant à ne pas se prendre les pieds dans les grands bois de cerf qui gisaient dans un angle, souvenir d'une sombre forêt normande qu'Adamsberg n'avait plus songé à déplacer, une fois posés là. Deux êtres rôdant en parallèle à deux mètres l'un de l'autre, seulement séparés par le *burladero* symbolique de la table en bois. Ignorant que, derrière la porte, s'était figé Estalère, avec le café qu'il avait préparé pour le commissaire, devenu froid. Il entendait les bruits du conflit, et cette déchirure entre ses deux figures aimées le laissait désemparé.

— Si vous ne pouvez vous ôter cette idée de la tête, commissaire, tenta Retancourt en conciliation, repoussez-la. Achevons l'affaire Robespierre et puis partez là-bas. Sur le rocher tiède pour vous ragaillardir.

— J'ai déjà réservé trois billets pour mardi. Billets ouverts, au cas où « les animaux bougeraient ».

— Billets nominaux ?

— Pour moi, oui. Pour vous et Veyrenc, non. Sinon, je pars avec Voisenet – il sera heureux de voir des poissons nordiques. Mercadet serait bon, mais on ne peut pas se permettre de le laisser dormir trois heures sur la neige. Voisenet et Kernorkian. Ou Noël.

— Vous ne tiendrez pas trois jours avec Noël.

— Bien sûr que si. Ce qu'il dit entre et sort de ma tête. Il est puissant, et rapide pour sauver une vie. N'oubliez pas, Retancourt.

— Je me souviens.

— Et le chat. J'emporte la Boule. Il nous tiendra plus chaud qu'une bouillotte.

Retancourt s'arrêta net dans sa marche. Adamsberg aussi, qui lui sourit.

— Réfléchissez, lieutenant. Réponse demain après-midi au plus tard.

XXX

Adamsberg avait empoché téléphone et clefs de voiture, et attrapa Danglard dans le couloir.

— Vous m'accompagnez, commandant ?

— Où ?

— Au Creux. Savoir ce qu'ont voulu nous cacher les deux frères.

— Qui ne savent pas qu'ils sont frères. Vous allez déclencher un séisme, une catastrophe peut-être.

— Ou alors un bienfait, une nécessité.

— Il est plus de 14 heures, on n'a pas bouffé.

— On avalera un sandwich en voiture.

Danglard fit la moue, hésitant. Mais depuis la veille, au café, l'histoire de la ferme du Thost et ses suites accaparaient à contrecœur une partie de ses pensées.

— On dînera à l'*Auberge du Creux*, ajouta Adamsberg. Ça compensera.

— On pourrait peut-être commander le menu ? Avoir celui des pommes paillasson ?

— On va tenter cela.

Traversant la salle commune, le commissaire s'arrêta à la table où travaillait Veyrenc.

— Interrogatoire au Creux et dîner à l'auberge, cela te va ?

— J'en suis, dit Veyrenc. Ces deux types me chiffonnent.

— Tu as fait quelque chose à tes mèches ?

— J'ai essayé de les teindre hier soir.

— Ça n'a pas donné grand-chose.

— Non.

— C'est pire.

— Oui.

— Un peu violet.

— J'ai vu.

Depuis son bureau, Retancourt regarda les trois hommes s'éloigner, fermée comme un poing.

Adamsberg jetait un œil à ses montres arrêtées quand Céleste vint leur ouvrir le grand portail de bois.

— 16 heures, lui dit Veyrenc.

Céleste semblait plutôt contente de les revoir et souriait en leur serrant la main, les yeux fixés sur Veyrenc.

— Elle t'aime, chuchota Adamsberg à son camarade d'enfance. Qu'est-ce qu'a dit Château au fait ? Pourquoi tu ne pourrais pas figurer dans l'Assemblée révolutionnaire ? Ah oui, une gueule de statue antique.

— Romaine hélas, dit Veyrenc, pas grecque.

Adamsberg fit un pas de côté pour marcher dans l'herbe le long de l'allée, à la recherche de son plant de gratteron desséché. Céleste était partie en quête d'Amédée et Victor, qui arrivèrent tous deux des haras, sentant le cheval l'un et l'autre, et l'air préoccupé. Si les flics avaient mis la main sur l'assassin d'Henri, ils auraient appelé, non ? Qu'est-ce qu'ils venaient foutre ici, en personne ?

— Désolés de vous déranger sans prévenir, dit Adamsberg.

— Vous n'êtes pas désolés, contra Victor. Les policiers arrivent toujours sans prévenir. Pour l'effet de surprise.

— C'est exact. Où pourrions-nous nous installer ?

— Ce sera long ?

— Peut-être.

Amédée désigna une table en bois ronde, plantée au milieu de la pelouse.

— Le soleil donne encore, dit-il. Si vous n'avez pas froid, on pourrait rester dehors ?

Adamsberg savait que les personnes interrogées se sentaient toujours plus assurées en extérieur que dans une pièce confinée. Son but n'était pas de les écraser, il se dirigea vers la table.

— C'est délicat, commença Adamsberg, une fois tous en place. C'est délicat de vous dire le motif de notre venue.

— Qui est ? demanda Amédée.

— Le fait que vous ayez menti tous les deux. Il n'y a pas de manière nuancée de le dire.

— C'est en rapport avec mon père ?

— Pas du tout.

— Avec quoi, alors ?

— Vos vies.

— Sur lesquelles nous n'avons aucun compte à vous rendre, dit Victor en se levant. Si vous interrogez un braqueur, vous n'êtes pas tenu de savoir avec qui il couche.

— Parfois si. Mais il ne s'agit pas de coucheries. Rasseyez-vous, Victor, vous allez alarmer Céleste inutilement.

Céleste qui arrivait à pas pressés, portant un lourd plateau vacillant couvert de tous les biscuits et boissons possibles. Veyrenc se leva aussitôt pour l'aider, et disposa avec elle les bouteilles et les verres sur la table, pendant que Victor reprenait place, abaissant le bourrelet de son front.

— Amédée, dit Adamsberg en se tournant vers le jeune homme inquiet, vous avez dit ne pas vous souvenir, hormis quelques images, de vos cinq premières années en institution.

— C'est vrai.

— C'est faux. Vous n'étiez pas en institution. Vous étiez placé à la ferme du Thost, dans une famille d'accueil brutale où vos parents sont venus vous chercher quand vous aviez cinq ans.

Amédée emmêla ses doigts comme des pattes d'araignée et fut incapable de prononcer un mot. Victor monta aussitôt en ligne.

— Où avez-vous été chercher cela ?

— À la DDASS, et à la ferme du Thost, plus exactement chez Mme Mangematin. Chez Roberta. Elle venait aider pour les grandes lessives chez le couple Grenier. Elle se souvient d'Amédée, abandonné à sa naissance, et qu'un couple Masfauré est venu reprendre cinq ans plus tard.

Adamsberg parlait doucement, lentement, néanmoins conscient d'affoler le jeune homme.

— Rien ne vous revient, Amédée, quand je cite ces noms ?

— Rien.

— Faut-il alors aller jusqu'aux canards ? Vous avez dit vous souvenir de canards.

— Oui.

La main posée sur la table, Victor venait de replier les deux phalanges de son index vers l'intérieur. Amédée de même. Signe de connivence, consigne de silence.

— Un jour, vous en avez décapité d'un coup sept ou dix. On vous a forcé à les étriper puis à les manger matin, midi et soir. Un garçon de la ferme, plus âgé que vous, vous aidait.

— Je me souviens d'un garçon plus grand. Je l'ai dit.

— Et de ces canards ? De la hache ? Du sang ?

— Il s'en souvient, affirma Danglard aussi doucement qu'Adamsberg.

Amédée déplia son index.

— À quoi bon, dit-il, la sueur commençant d'imprégner son front et sa lèvre. Oui, je suis un enfant placé. Et mes parents m'avaient interdit de le dire. Je n'aime pas m'en souvenir, je n'aime pas en parler. Et après et alors ? Quelle importance pour vous ?

— Et ce garçon qui vous a aidé à manger ces canards, insista Adamsberg, vous vous souvenez de lui ?

— S'il y a une personne au monde dont je veux me souvenir, c'est de lui.

— Il vous protégeait, n'est-ce pas ?

— Je serais mort cent fois sans lui.

Victor avait replié tous les bouts de ses doigts, mais Amédée semblait l'ignorer, ou ne plus être capable de capter le signal, rejeté dans la noire mémoire de la ferme du Thost où ne brillait qu'un seul point, ce « garçon plus grand ».

— Et quand vos parents sont venus, ces parents inconnus, ils vous ont arraché à lui. Vous étiez, m'a-t-on dit, accroché dans ses bras, et lui ne voulait pas vous lâcher.

— J'étais trop petit pour comprendre. Oui ils m'ont arraché, pour mon bien, ils m'ont dit ensuite. Et lui, il me répétait à l'oreille : « Ne t'inquiète pas, où tu seras, je serai. Je ne te quitterai jamais. Où tu seras, je serai. »

Amédée serra ses mains sur ses cuisses. Adamsberg respira profondément, leva la tête, laissa filer son regard vers les hauts feuillages. Le plus dur restait à faire.

— Mais il a disparu, reprit Amédée d'une voix brouillée. C'est normal, comment pouvait-il me retrouver ? Mais cela, je ne l'ai compris que plus tard. Pendant des années, chaque soir, je l'attendais, je scrutais le parc. Mais il n'est pas venu.

— Si, dit Adamsberg. Il est venu.

Amédée recula contre le dos de sa chaise, front dans ses mains, tel un animal injustement frappé.

— Il a tenu parole, continua Adamsberg, alors que Victor dépliait ses doigts et serrait les lèvres. Vous ne l'avez vraiment pas reconnu ? demanda-t-il en se penchant vers Amédée. Lui, dit-il en désignant Victor d'un léger mouvement des doigts. Victor, dit Victor Masfauré.

Amédée tourna la tête vers le secrétaire de son père avec une extrême lenteur, comme un homme gelé qui ne sait plus trop comment se servir de son corps.

— Quand vous l'avez quitté, c'était un gringalet de quinze ans poussé sur tige et disgracieux, et vous avez retrouvé dix ans plus tard un homme fait, barbu, musclé. Mais ses cheveux, Amédée ? Mais son sourire ?

— Disgracieux, je le suis toujours, dit Victor un peu légèrement, brisant à dessein la solennité de l'instant.

— Je vais marcher avec mes collègues. Je vous laisse quelques instants.

De loin, accroupi dans l'herbe, Adamsberg les voyait s'accrocher les mains, se couper la parole, le front d'Amédée buter contre l'épaule de Victor, Victor passer une main rapide dans ses cheveux et, un quart d'heure plus tard, un certain calme revenir. Il leur laissa encore cinq minutes et fit signe à ses adjoints, assis à l'écart sur un banc – en raison du costume anglais de Danglard qui ne pouvait supporter un contact avec la terre humide.

— Surveillez leurs doigts, leur dit Adamsberg en prenant tout son temps pour rejoindre la table. Quand Victor replie l'index, c'est un ordre donné à Amédée de ne rien dire.

— Vous ne l'aviez pas reconnu ? demanda à nouveau Adamsberg.

— Non, dit Amédée, la main encore accrochée au bras de Victor, et le regard tout à fait modifié.

— Mais inconsciemment, si. Vous l'avez reconnu sur l'instant, et adopté, et aimé, ce simple secrétaire de votre père.

— Oui, reconnut Amédée.

— Ce qui nous amène à vous, Victor, et à vos secrets. Quel est au juste votre nom véritable ?

— Vous le savez. Masfauré.

— Mais non. Un enfant abandonné se voit attribuer trois prénoms, dont le dernier sert de nom de famille. Lequel ?

— Laurent. Les Grenier m'ont appelé Victor Laurent.

— Mais vous vous êtes fait appeler Masfauré, pour attirer l'attention d'Henri. Vous êtes entré dans cette maison sous un faux nom et vous vous y êtes incrusté, sans dire à Amédée que vous étiez son compagnon du Thost.

Feignant le sommeil, une main posée sur celle d'Amédée, Victor s'expliqua d'une voix lasse.

— Je ne voulais causer aucun choc. Amédée semblait s'être remis, il vivait bien, mélancoliquement sans doute, mais il vivait, je ne souhaitais pas bouleverser tout cela. Être là, cela me suffisait.

— C'est beau et j'y crois réellement, dit Adamsberg. Mais revenir ainsi sans rien lui dire, l'envelopper de mensonge durant ces douze années, cela a-t-il un sens ?

— Celui que je viens de vous dire.

— Non, trancha Veyrenc.

— Non, dit Adamsberg. Amédée vous aurait accueilli comme le dieu du Thost. Ce n'est pas à lui que vous vouliez dissimuler votre origine.

— Si, insista Victor, le visage durci, le front laid et bas sous ses élégantes boucles blondes.

— Non. Ce n'est pas de lui que vous vous cachiez, mais d'elle.

— Elle qui ? tenta Victor en un orgueilleux mouvement.

— Marie-Adélaïde Pouillard, épouse Masfauré.

— Je ne comprends pas vos mots.

— Vous avez fouillé tous les papiers des Grenier, dès que vous avez été en âge de le faire. Et vous avez su, avant le départ d'Amédée.

— Il n'y avait pas de papiers ! Ou ils avaient été détruits, cria Victor. Oui, j'ai cherché, mais je n'ai rien trouvé !

— Détruits ? Alors qu'ils représentaient une telle possibilité de chantage ? Des gens comme les Grenier ? Bien sûr que non. Vous avez mis la main dessus. Ou sinon, comment auriez-vous connu le nouveau domicile d'Amédée ?

Il se fit un silence compact, et Danglard proposa un verre de porto. Ou quoi que ce soit d'autre. Il bascula sur ses longues jambes molles jusqu'à la maison à la recherche de Céleste. Quelque chose d'un peu fort, pria-t-il. Et pour une fois, ce n'était pas pour lui. Chacun attendit en silence, comme si cette manne allait pouvoir tout résoudre, à tout le moins suspendre.

— D'accord, finit par dire Victor, après deux verres de porto. J'ai cherché dans les papiers des Grenier. Cachés dans un creux de la poutre, derrière la vieille faux rouillée. Mais il n'y avait que deux lettres.

— Votre découverte, c'était avant le départ d'Amédée, nous sommes bien d'accord ?

— Oui, dit Victor en se resservant un verre de porto. J'avais treize ans.

— Il y avait une centaine de lettres, et non pas deux. Et vous avez appris bien autre chose.

Victor replia son index, et cette fois pour lui seul. Amédée avait cessé pour longtemps de comprendre. Il persistait à fixer Victor avec cet air ébahi, interrogateur et quasi bienheureux que pouvait avoir Estalère.

— Juste le nom de sa mère et son adresse, résuma sèchement Victor. À ma majorité, je suis parti de la ferme, j'ai erré de boulot en boulot, mais dès que j'ai eu une moto, j'allais le voir, à travers les bois. Jusqu'à ce que je trouve un moyen d'entrer.

— Avec une nouvelle éducation et un faux nom.

— Quel mal à cela ? Je lui avais promis.

— C'est vrai. Mais vivre ici douze ans sans rien lui dire pour ne pas le « bouleverser », je n'en crois rien. C'est pour bien autre chose que vous vous êtes tu.

— Je ne comprends pas vos mots, récita de nouveau Victor.

Sa voix était autant fatiguée qu'excitée par un début d'ivresse, et c'est ce qu'Adamsberg attendait, en le resservant. Plus on boit, et plus on boit vite, ce que fit Victor en séchant son quatrième verre en deux coups. Amédée ne disait plus mot, sa main toujours serrée sur le bras de Victor. Danglard, pour l'occasion, restait sobre.

— Mais si, reprit Adamsberg. Il n'y avait qu'une seule pension pour les deux enfants. Vous avez trouvé cela.

— Non, ma mère n'a jamais payé.

— C'est faux, Victor. Il y avait les dates et l'écriture sur les enveloppes. Celle d'Adélaïde Pouillard dans les débuts. Puis celle d'Adélaïde Masfauré. C'était le même prénom, et le même graphisme. C'était facile de comprendre.

— Tout a été détruit, gronda Victor.

— Pas les mémoires. Pas celle du facteur.

Abruti par le porto qu'Adamsberg versait largement, Victor le brave desserra les doigts.

— D'accord, dit-il simplement.

— Plus que compagnons d'infortune, dit Adamsberg aussi bas que possible, vous êtes frères.

Adamsberg quitta à nouveau la table et s'enfonça cette fois dans les bois, où Marc, le sanglier, l'arrêta net et lui présenta sa hure. Ses adjoints avaient repris position au loin, sur le banc propre. Adamsberg s'assit sur un tapis de feuilles sèches, Marc couché à ses côtés, laissant l'homme gratter son museau de caneton, à l'abri des émotions qui se déversaient autour de la table. Adamsberg tenait de sa mère une prudence excessive quant à l'expression des sentiments qui, disait-elle, s'usent comme un savon et tournent en débandade si on en parle trop. Il leva la tête – et Marc aussi – en voyant Veyrenc debout devant lui.

— Cela fait vingt-cinq minutes, dit-il. Si l'on attend que les bouleversements des deux frères soient à peu près absorbés, on va rester là deux ans, tu le sais.

— Cela m'irait très bien.

Adamsberg se releva, frotta sommairement son pantalon, gratta encore une fois le groin de Marc et rejoignit la table des révélations et aveux. À présent la partie allait devenir serrée, il choisit d'aller très vite. Il parla sans se rasseoir, foulant l'herbe, les visages suivant ses allers et retours.

— Victor revient il y a douze ans, subrepticement, sous un faux nom, comme une ombre. Pourquoi ? Parce qu'il ne veut en aucun cas qu'on sache qu'Adélaïde Masfauré est sa mère. Comportement tout à fait anormal. Mais très logique sous un seul et unique point de vue : s'il a l'intention de la tuer.

— Quoi ? hurla Victor.

— Tu parleras plus tard, Victor, ordonna Adamsberg. Laisse-moi dire. Et dire le pire. Cette intention, Victor la porte en lui depuis très longtemps, enfant à la ferme du Thost. Pire encore quand il la voit arriver, sa mère, et l'ignorer superbement. Quand il la voit reprendre le petit et le laisser, lui. Chaque jour, chaque soir, il ressasse sa haine, sa détresse, et son plan. Elle paiera. À vingt-cinq ans, le voilà anonymement installé chez les Masfauré. Il guette l'occasion. Qu'on ne sache pas qu'elle est sa mère est une condition vitale. Mais elle, elle le saura, juste avant qu'il ne frappe. En Islande. Il appuie vivement l'idée d'aller au rocher tiède. Dans cet isolement, tout est possible. Un trou dans la glace, ou bien l'attirer à l'écart sur l'îlot, le sol est glissant, une chute, sa tête s'écrase contre une pierre, appeler au secours, trop tard elle est morte. Il se jure qu'elle ne reviendra pas vivante de l'île. Mais la brume les enveloppe, et le dénommé « légionnaire » est poignardé par un type violent. Acceptons pour l'instant que Victor ne l'a pas fait lui-même. Mais il saisit cette opportunité. Dans la nuit, avec le couteau de l'homme, il vise au cœur et tue sa mère endormie. Deuxième meurtre aussitôt attribué au type violent, vengeance accomplie. Mais dix ans plus tard, danger. Amédée reçoit une lettre d'Alice Gauthier et la lui montre. Le lendemain de la visite d'Amédée, Alice Gauthier est saignée dans sa baignoire. Et pourquoi dessiner ce signe ?

— Je ne connais pas ce signe ! dit Victor rageusement.

— Plus tard, dit Adamsberg en lui versant un nouveau verre. Deuxième danger : les flics débarquent pour interroger Amédée sur son entretien avec Alice Gauthier. Qui lui a dit la vérité : Adélaïde Masfauré a été tuée sur l'île. Mais quant aux actes de l'« homme immonde », nous n'avons que les témoignages de Victor et d'Amédée. Pourquoi ce gars aurait-il tué Adélaïde ? Pour le premier crime, on peut imaginer une querelle de mâles en panique. Mais elle ? Dans la foulée du premier meurtre, l'époux aurait pu saisir l'occasion d'éliminer sa femme.

Ou bien son dévoué secrétaire, Victor ? Alice Gauthier a pu confier ses doutes à Amédée. Victor risque d'être soupçonné, d'autant que Masfauré vient de mourir à son tour. Les flics vont tourner et ne plus le lâcher. Victor impose donc à Amédée une version des faits. C'est le motif de la fuite à cheval, pour mettre au point un récit commun : Adélaïde Masfauré agressée, le gars qui tombe dans les flammes – un détail qui sonne véridique, mais faux quand on y insiste –, l'humiliation de l'homme, le coup de couteau devant tous. « Sinon, Amédée, lui assène Victor, ton père sera suspecté. Que vont penser les flics ? Qu'après avoir assassiné sa femme et Gauthier, il se donne finalement la mort ? C'est cela qu'on veut ? » Amédée, obéissant toujours aux consignes de Victor – Victor le soleil –, mais aussi convaincu de la culpabilité de son père, lui emboîte le pas. J'en ai fini.

Bras croisés, les joues rougies par l'alcool, Victor se servit un nouveau verre – Adamsberg n'arrivait plus à les compter – et s'essaya à parler calmement, le dos aussi raidi que celui de Robespierre. L'attitude d'un homme ivre et choqué, qui s'efforce de conserver son équilibre.

— Non, commissaire. Cela s'est passé comme Amédée et moi l'avons dit. Sinon, pourquoi le tueur nous aurait menacés ? Pourquoi tous auraient gardé le silence depuis dix ans ? Si j'avais tué ?

— C'est bien le problème. Ce silence.

— Mais, commissaire, votre hypothèse se tient, dit crânement Victor, je le reconnais.

Et il se leva, chancelant, et balaya violemment les verres d'un revers de bras. Il attrapa la bouteille de porto et en avala quelques gorgées au goulot. Puis il hurla, jambes écartées, la bouteille pendant au bout de son bras.

— Et je vais vous dire pourquoi tout cela se tient si bien ! Parce que, oui, je voulais la tuer ! Oui je l'ai toujours voulu ! Oui, quand elle a emporté Amédée, oui je me suis juré de le faire ! Oui encore quand je suis entré ici, pour être auprès de mon frère. Et oui je n'ai rien dit, pour que personne ne sache que j'étais son putain de fils ! Ou le fils de ma putain de mère ! Pour pouvoir la tuer en toute impunité ! Oui, oui, l'Islande fut l'occasion idéale ! Oui j'ai soutenu l'idée de l'excursion sur cette saleté de rocher ! Mais oui, ce mec a tué le légionnaire, croyez-moi ou non ! Et oui, j'ai eu l'idée de la poignarder dans la foulée ! Oui, vous avez tout reconstitué ! Seulement ce n'est pas moi qui l'ai tuée ! Cette ordure m'a volé mon meurtre ! *Mon* meurtre !

Victor avala une nouvelle gorgée et cette fois perdit l'équilibre et chuta dans l'herbe. Il tenta de se redresser et renonça, demeurant assis dans l'herbe, bras serrés autour de ses genoux, tête rentrée entre ses jambes et bras. Et vinrent les hoquets, les sanglots, les cris d'une détresse que plus rien ne peut endiguer. Adamsberg leva une main, signe de ne pas intervenir.

— Laisse, Amédée, dit Victor entre deux hoquets. Je ne veux pas me relever.

— Une couverture ? Tu veux une couverture ?

— Je veux vomir. Apporte-moi de quoi vomir.

— Tu veux quoi ?

— De la merde de cheval.

— Non, Victor.

— Je t'en prie. De la merde de cheval, je veux de la merde de cheval.

Amédée leva les yeux, désemparé, vers Adamsberg qui le rassura d'un regard.

— Mais quand on a été en sûreté à Grimsey, reprit Victor de sa voix forte et déraillante, laissant couler larmes et morve, j'ai compris que ce tueur avait sauvé – comment on appelle ce truc ? – mon âme. Que je n'aurais jamais voulu le faire. Non, ce n'est pas ça du tout. J'aurais pu, j'allais le faire, ce truc, ce meurtre. C'est autre chose que j'ai compris.

Victor reposa sa tête trop lourde sur ses genoux. Adamsberg lui souleva le menton.

— Ne t'endors pas. Je tiens ta tête. Pose-la sur mon poing. Continue.

— Je veux vomir.

— Tu vas vomir, ne t'en fais pas. Qu'est-ce que tu as compris ?

— Où ?

— Quand tu as été en sûreté à Grimsey.

— Que j'aurais jamais pu le faire. J'ai revu ma mère morte, dans les rocs et la neige, et j'aurais détesté l'avoir frappée. À quelques heures près, si ce salaud l'avait pas fait, le geste atroce, je l'aurais fait. Et je me serais tué.

— C'est cela que tu as compris ?

— Oui. Je voudrais de la merde de cheval. Et si vous voulez m'accuser, allez-y, je m'en fous. Je m'en fous totalement.

— T'accuser de quoi ? Je n'ai pas de preuve.

— Mais vous allez en chercher ?

— C'est prescrit, Victor.

— Mais cherchez-les, bon sang ! Qu'est-ce que vous attendez ? Cherchez-les ! Ou Amédée se demandera toujours si j'ai pas poignardé sa mère !

— Et comment veux-tu qu'on cherche ? Si tu ne veux pas nous parler de ce type ?

— Je le connais pas ! Je sais pas qui c'est, je sais pas où il est !

— Tu mens encore, Victor. Allez retourne-toi maintenant, et vomis. C'est fini.

Là, dans l'herbe ? Au pied de la table ? Danglard eut un hochement de tête. Lui avait toujours fait cela, rarement, mais avec soin.

— Aide-moi, Amédée, dit Adamsberg en attrapant Victor. On le retourne, sur les genoux, la tête en bas. Tu lui appuies sur l'estomac et moi je le frappe dans le dos.

Dix minutes plus tard, et après qu'Amédée eut jeté quelques pelletées de terre au sol, Veyrenc et Danglard attrapèrent Victor et le conduisirent au pavillon, sur son lit. Adamsberg s'adossa au mur, pensif, le bras levé, l'index tendu en une étrange position.

— Qu'est-ce que vous faites ? lui demanda Danglard.

— Quoi ?

— Avec ce doigt ?

— Oh, ça ? C'est une mouche. Elle était tombée dans un fond de porto. Je l'ai ramassée.

— Oui mais qu'est-ce que vous faites ?

— Rien, Danglard. J'attends qu'elle sèche.

Veyrenc avait ôté les chaussures de Victor et les jetait lourdement au sol.

— Tu n'as plus besoin de rester là, dit Adamsberg à Amédée, assis comme un servant sur le lit de son frère. Il va dormir comme une masse jusqu'au matin. C'est juste une cuite éclair. Il est tombé dans la bouteille de porto, il faut qu'il sèche, c'est tout.

— Qu'il sèche ?

— C'est cela, dit Adamsberg en regardant la mouche frotter ses ailes engluées l'une contre l'autre. Il sera dispos demain après-midi.

À présent, la mouche frottait ses pattes avant. Elle tenta une avancée d'un centimètre sur l'ongle d'Adamsberg, s'essuya de nouveau, puis décolla.

— Ça va lentement, un homme, dit-il.

XXXI

Ils dînaient à l'*Auberge du Creux*, où Mélanie avait accepté de leur préparer un menu spécial. Danglard testait du bout de l'index le moelleux des pommes paillasson, comme l'avait fait Bourlin.

— C'est parfait, dit-il. Je parle du dîner. Quant aux événements de l'après-midi, il est difficile d'en juger.

— On ne peut pas tester la valeur d'une enquête avec le bout de son doigt, dit Veyrenc.

— C'est certain.

— Encore que ce serait pratique. Savoir si elle est à point, ou brûlée, desséchée, ratée, bonne à jeter.

— Celle-là n'est pas une enquête, dit Adamsberg. Nous sommes hors piste, comme me l'a âprement signifié Retancourt. Nous n'avons rien à faire dans cette histoire, et quoi qu'il se soit passé sur l'île tiède, c'est prescrit c'est fini, cela ne nous regarde pas.

— Alors qu'est-ce qu'on est venus faire ici ? demanda Danglard.

— Savoir, et libérer les fantômes.

— Ce n'est pas notre boulot.

— Mais on l'a fait, dit Veyrenc. Réussi, c'est autre chose. A-t-on libéré les fantômes, Jean-Baptiste ?

— Cela, oui, on l'a fait et bien fait. Toujours ça qui n'ira pas pleurer dans la tour maudite des désespérés. Il est plus ardu de savoir si on a appris quoi que ce soit de vrai.

— Vous ne croyez pas Victor ?

— Il était convaincant, estima Veyrenc. Il a été aussi loin que possible. Il a osé avouer devant son frère son intention de tuer la mère. Plus que courageux, c'était cinglé.

— Le porto rend cinglé, énonça Danglard d'un ton docte. Son besoin d'avouer a été plus fulgurant que sa peur, il a fracassé les barrières.

— Barrières déjà bien disloquées par le porto, ajouta Veyrenc.

— C'est ce que je disais. L'alcool sucré monte au cerveau avec la célérité d'un acrobate sur un fil.

— Mais tout compte fait, reprit Adamsberg, un miracle a sauvé son « âme » : le tueur l'a précédé et a commis le « geste atroce » à sa place. Victor en ressort blanc comme neige d'Islande.

— *In vino veritas*, dit Danglard.

— Non, Danglard. Je n'ai jamais cru que l'alcool accouchait de la vérité. Des douleurs, sans aucun doute.

— En ce cas pourquoi l'avez-vous poussé à boire ?

— Pour qu'il lève les freins et dévale aussi loin que possible sur la route. Ce qui ne veut pas dire qu'il a été jusqu'au bout. Même abruti, même les barrières fracassées, l'inconscient veille sur ses biens les plus précieux, tel Marc protégeant Céleste. On n'en saura pas plus. J'attendais les résultats de ce flux de sentiments et de semi-vérités pour prendre une décision. J'en ai touché un mot à Retancourt à midi. Elle est violemment contre.

— Contre quoi ? demanda Danglard.

— Elle dit que ce ne sont pas nos affaires, voilà tout.

— Elle a raison.

— Oui. Donc elle ne viendra pas. J'avais pensé à elle, et à toi, Louis, pour m'accompagner.

Ni Veyrenc ni Danglard ne demanda : « Où ? » Il se fit un silence, de ces silences épais au point que le simple bruit des couverts indispose. Veyrenc posa les siens sur la table. Il saisissait les cheminements d'Adamsberg plus vite qu'un autre. Peut-être parce qu'il était du même coin de montagne.

— Quand part-on ? demanda-t-il enfin.

— Mardi. J'ai trois billets pour Reykjavik, quelle que soit la manière dont cela se prononce. Trois heures et demie de vol. Puis quarante minutes jusqu'à...

Adamsberg tira son carnet de sa poche intérieure.

— Jusqu'à Akureyri, lut-il lentement. De là, un saut en avion à la petite île de Grimsey. En face du port, au bout de la jetée, l'île tiède. À cette période, la banquise sera largement disloquée, il faudra trouver un pêcheur qui nous y emmène. Ce ne sera pas facile, avec la superstition qui pèse sur l'îlot. Ou bien qui accepte de nous louer son canot.

— Pour trouver quoi ? dit Danglard. Du rocher ? Des lambeaux de neige ? À moins que vous ne vouliez vous étendre sur la pierre tiède pour vivre éternellement ?

— Non, pas la pierre.

— Alors trouver quoi ?

— Comment voulez-vous que je le sache, Danglard, puisque je n'ai pas encore cherché ?

Danglard lâcha ses couverts à son tour.

— C'est vous qui l'avez dit. Ce n'est pas une enquête et ce ne sont pas nos affaires.

— Je l'ai dit.

— Et vous risquez d'être limogé.

— Retancourt m'a déjà mis en garde. Elle m'a presque menacé de s'en ouvrir au divisionnaire.

— Retancourt n'est pas une balance, dit Veyrenc.

— Mais elle est hors d'elle, et elle ferait n'importe quoi pour m'empêcher d'y aller.

— C'est la raison même, dit Danglard très fermement.

— Quand comptes-tu partir ? demanda Veyrenc.

— Tu en es ?

— Bien sûr, dit Veyrenc, avec le calme immobile qui lui était propre.

« Romain », avait dit Château.

— Comment cela, « Bien sûr » ? s'écria Danglard, se retrouvant brusquement isolé face à ses deux collègues.

— Il y va, j'y vais, dit Veyrenc. Cela m'intéresse aussi. Je suis d'accord avec Jean-Baptiste, Victor n'a pas fini son chemin. Il ment, et très bien. C'est presque indécelable.

— Alors comment pouvez-vous le déceler ?

— En regardant le visage d'Amédée. Il s'est passé quelque chose en Islande. Ce serait intéressant de savoir quoi.

— Intéressant ! Mais tout est intéressant ! s'enflamma cette fois Danglard. J'aimerais visiter toutes les églises romanes du pays, ce serait « intéressant », et est-ce que je le fais ? Est-ce que j'en ai jamais le temps ? J'aimerais aller voir mon amie à Londres, car elle va me larguer.

Est-ce que j'en ai le temps ? Avec quatre meurtres sur les bras et les autres à venir ?

— Vous ne me l'aviez pas dit, cela, Danglard, observa Adamsberg. Pour votre amie aux lunettes rouges.

— Et en quoi cela vous regarde ? dit Danglard, agressif. Mais vous, pendant ce temps, vous filez en Islande, illégalement, hors de toute mission ! Et pourquoi ? Parce que c'est « intéressant » !

— Très, confirma Adamsberg.

— Vous dites cela, commandant, parce que vous nous enviez, dit Veyrenc en souriant, de ce sourire qui ne séduisait que les femmes et dont Danglard n'avait rien à faire. Vous nous enviez mais vous avez trop peur pour venir avec nous. Le voyage, le froid, la brume qui menace, les lugubres roches volcaniques. Mais vous regrettez en même temps de ne pouvoir entrer dans cette petite auberge face à l'île tiède, et d'y goûter un verre de brennivín.

— Foutaises, Veyrenc ! Et sachez que je connais le brennivín, et qu'on l'appelle aussi la « mort noire ». Vous partez sans enjeu, sans logique, sans le moindre élément rationnel.

— C'est assez juste, dit Adamsberg. Mais n'est-ce pas vous, Danglard, qui disiez il y a peu qu'il était toujours bon d'ajouter quelque chose au moulin de la connaissance ?

— En nous laissant tout le désastre robespierriste sur le dos ?

— Justement, Danglard, c'est le moment le mieux choisi pour partir. Le désastre robespierriste est au point mort, et tous nos pions sont parfaitement placés sur l'échiquier. Mais rien ne bouge. Vous m'entendez ? Pas un pion ne se déplace. Pouvez-vous me rappeler qui a dit « Les animaux bougent » ?

— Aristote, gronda Danglard.

— Qui était un ancien savant, non ?

— Un philosophe grec.

— Vous l'admirez, non ?

— Mais qu'est-ce que vient foutre Aristote là-dedans ?

— Nous aider de sa sagesse. Rien ne reste jamais en place. L'échiquier Robespierre demeure pourtant anormalement immobile. *Anormalement*, Danglard. Une pièce fera mouvement, tôt ou tard. Et il faudra le percevoir. Mais il est trop tôt. C'est donc le bon moment pour partir. De toute façon, je n'ai pas le choix.

— Pourquoi ?

— Parce que cela me gratte.

— Selon Lucio ?

— Oui.

— Avez-vous oublié, commissaire, dit Danglard, furieux, que sur cet échiquier, nous jouons un coup lundi soir, à la prochaine séance de l'assemblée ? Repérer les descendants du guillotiné Desmoulins et du bourreau Sanson ?

— Mais j'y serai, Danglard, tout comme vous, ainsi que les huit agents en charge du suivi. Ce pourquoi je ne pars que mardi.

— Ce sera l'émeute à la brigade. La mutinerie.

— C'est possible. Je vous charge de la contenir.

— Certainement pas.

— Ce sera votre choix, commandant. Après tout, c'est vous qui serez aux commandes.

Danglard se leva, à bout d'exaspération, et quitta la table.

— Il va nous attendre dans la voiture, dit Veyrenc.

— Oui. Prépare ton bagage ce week-end. Vêtements chauds, flasque d'alcool, fric, boussole, GPS.

— Je ne pense pas qu'il y ait du réseau sur l'île tiède.

— Moi non plus. Peut-être la brume nous enfermera-t-elle là-bas, peut-être crèverons-nous de froid et de faim. Tu sais appâter un phoque ?

— Non.

— Moi non plus. Qui penses-tu bon d'emmener avec nous ?

Veyrenc réfléchit un moment, faisant tourner son verre sur la table.

— Retancourt, dit-il.

— Je te l'ai dit, elle est contre. Et quand Violette est contre, tu ne peux pas la faire plus bouger qu'un pilier de béton. Tant pis, nous irons seuls.

— Elle viendra, dit Veyrenc.

XXXII

Le week-end n'avait pas apaisé l'humeur de Danglard, qui se taisait à l'arrière de la voiture, tandis que, ce lundi soir, ils se rendaient à la séance hebdomadaire de l'Assemblée nationale de la Convention, séances couplées du 11 et 16 germinal, et arrestation de Danton.

Adamsberg avait passé ces deux jours à boucler son sac pour l'Islande. Il disposait de couvertures de survie, de broches à glace, ancres à neige et passe-crevasse, en bon montagnard qu'il était, ayant escaladé les pics des Pyrénées où la température pouvait chuter à – 10 degrés. Il avait consulté la météo en cette fin d'avril, 9 degrés à Reykjavik – décidément imprononçable –, mais – 5 degrés à Akureyri, avec vent, nappes de brume dérivantes et possibles chutes de neige. Il avait recruté un interprète auprès de l'ambassade, un type nommé Almar Engilbjarturson. Très bien, on l'appellerait Almar.

La voiture se traînait dans les embouteillages de la gare Saint-Lazare. L'anxiété eut raison du mutisme de Danglard.

— On va être en retard, on va manquer la séance.

— On y sera, on aura même tout notre temps pour enfiler nos costumes.

La perspective d'endosser son habit violet et d'arborer son jabot de fine dentelle détendit légèrement le commandant.

— Dites, Danglard, vous ne m'avez pas raconté la « tant douloureuse mort de Robespierre ».

S'attendant, bien sûr, à ce que le récit fût plus long qu'espéré. En dépit de ses résolutions de silence, Danglard fut incapable de résister à cette question.

— Il a été arrêté le 9 thermidor, commença-t-il en maugréant, vers 4 heures de l'après-midi. Avec son frère Augustin, avec l'archange Saint-Just et beaucoup d'autres. Après avoir été trimballé de lieu en lieu, après que l'insurrection parisienne eut échoué – je vous résume les choses – ...

— Bien sûr, Danglard.

— ... Robespierre est à l'Hôtel de Ville. Vers 2 heures du matin, une colonne armée force les portes, son frère Augustin se jette par la fenêtre et se fracasse une jambe. Couthon, le paralytique, est lancé dans l'escalier et quant à Robespierre, deux hypothèses : la plus certaine est qu'il se soit tiré une balle dans la bouche, ne réussissant qu'à emporter toute sa mâchoire. L'autre est qu'un gendarme nommé Merda – cela ne s'invente pas – ait tiré sur lui. Robespierre est allongé, affreusement blessé, sa mâchoire pend au bas de son visage. On le conduit sur un brancard aux Tuileries, où deux chirurgiens s'affairent auprès de lui. L'un d'eux plonge sa main dans la bouche pour en extirper les parties broyées, il en sort deux dents, des éclats d'ossements, il n'y a rien à faire, rien qu'à panser l'homme pour retenir la mandibule. C'est seulement le lendemain, vers 5 heures de l'après-midi, que tous sont conduits à la guillotine. Et quand vint le tour de Robespierre, le bourreau, Henri, le fils de notre Charles Henri Sanson, lui arracha violemment son pansement. Toute la mâchoire inférieure se détacha, un flot de sang jaillit de sa bouche, et Robespierre poussa un terrible cri. Un témoin a écrit : « Ce qu'on apercevait de ses traits était horriblement défiguré. Une pâleur livide achevait de le rendre affreux. » Il ajoute que lorsque le bourreau montra la tête au peuple, « elle n'offrit plus qu'un objet monstrueux et dégoûtant ».

— Le bourreau était-il obligé d'arracher ce pansement ?

— Non, cela ne pouvait pas gêner le passage du couperet.

— A-t-on des portraits des Sanson ?

— Au moins un, du père, Charles Henri. Gros homme, grosse tête, yeux tombants sous des sourcils sévères, très long nez, fort, bouche lippue, pendante.

— On dit qu'il aimait disséquer ses décapités, ajouta Veyrenc. Ce sera charmant de connaître son descendant ce soir.

Lebrun les accueillit au vestiaire, quasiment bras ouverts, perruqué de gris, le cou serré dans un bouillonnement de dentelles émergeant d'un habit rouge sombre. Il était assis, canne en main, sur un siège Louis XVI fixé sur une caisse munie de deux grandes roues de bois. Paralytique.

— Citoyen Couthon, bonsoir, lui dit Danglard, à qui le plaisir de se retrouver projeté en 1794 avait rendu sa sérénité, ou bien lui avait fait oublier le réel en quelques minutes à peine.

— Je ne lui ressemble pas vraiment, hein ? dit Lebrun, s'amusant à son tour. Allons, citoyen Danglard, dis-moi, ai-je l'air assez hardi pour être Couthon, la « seconde âme » de Robespierre ?

— Pas assez, reconnut Danglard. Mais cela fera l'affaire.

— Passez vos habits, déposez vos téléphones, vous connaissez les habitudes à présent. Je vous ai réservé les mêmes costumes que la semaine dernière, afin que le rôle vous enveloppe.

Les trois policiers réapparurent en noir, violet et bleu sombre, Veyrenc frottant ses bas blancs pour les rendre immaculés.

— Te prendrais-tu au jeu, citoyen Veyrenc ? demanda Lebrun-Couthon.

— Pourquoi pas ? dit Veyrenc en redressant sa perruque devant la glace.

— Qui est président ce soir ? demanda Danglard.

— Tallien.

— Pas un marrant, dit Veyrenc.

— Certes non, citoyen. Ce soir, vous entrez dans les rangs de la Montagne, à gauche, au haut des gradins. Mon fauteuil serait trop voyant dans la Plaine centriste et vous seriez repérés. N'oubliez pas que Robespierre lance à cette séance son accusation contre Danton. Même alarmés, même effarés, vous n'osez pas vous y opposer, vous accompagnez lâchement les applaudissements. La peur monte. Oser s'en prendre à Danton, où cela finira-t-il ? Mieux vaut néanmoins continuer de plaire à Robespierre. Telle est votre partition. Entendu ?

— Parfaitement, dit Danglard, amusé de voir Lebrun imiter les émotions des Montagnards inquiets de l'Assemblée.

Adamsberg commençait à comprendre que Lebrun était au fond un homme distrayant. Tant il est vrai que les peureux forment les contingents des drôles.

Un homme au visage émacié, aux yeux mi-clos sous des paupières anormalement longues, à la manière des grenouilles, aux lèvres sèches, fit une entrée sournoise et silencieuse.

— J'ai manqué ne pas vous reconnaître, dit Adamsberg à Leblond. C'est saisissant.

— Citoyen Fouché, le salua à son tour Danglard. Soir de réjouissance pour toi, non ? Tu observeras sans mot dire dans l'ombre.

— Pas mal fait, n'est-ce pas ? dit Leblond en s'inclinant légèrement. Mais nul ne peut réellement imiter les joues creuses de Fouché ni la fausseté de son regard de reptile.

— Vous êtes néanmoins inquiétant, dit Adamsberg.

— « Tu es inquiétant », corrigea Danglard. On ne se vouvoie pas sous la Révolution. Nous sommes égaux.

— Ah très bien.

— Pas assez inquiétant, dit Leblond-Fouché avec une moue. Rends-toi compte, citoyen commissaire, que Fouché est en réalité l'homme le plus terrible de la Révolution. Cynique absolu, habile comme le diable, fourbe et doucereux, surveillant tout un chacun, louvoyant au gré des événements, il est le serpent dans l'herbe face à l'idéaliste Robespierre emporté par sa folle pureté. Féroce et effroyablement sanguinaire. Il vient – je viens – de rentrer il y a peu de Lyon, où j'ai jugé plus expéditif de massacrer les suspects au canon. Je suis rentré sur ordre de Robespierre, furieux, qui me dit que « rien ne peut justifier les cruautés dont je me suis rendu coupable ». Tel je suis ce soir, citoyens, sur la sellette, conclut Leblond avec un fin sourire satisfait. Je feins de me coucher devant l'Incorruptible pour me faire pardonner mes excès.

Sourire qui mit Adamsberg brusquement mal à l'aise.

— Tu fus guillotiné avec Robespierre, citoyen Fouché ? demanda Adamsberg.

— Moi ? répondit Leblond en accentuant son regard perfide. Moi que nul ne peut atteindre ? J'œuvrai au contraire pour organiser sa chute, visitant à la nuit les députés, leur donnant à croire qu'ils étaient sur la prochaine liste des guillotinés. Ce qui était faux mais très efficace. Je balaierai Robespierre, il sera mort dans quatre mois. Sur ce, citoyens, il me faut aller en scène.

— Il est très bien, apprécia Lebrun en regardant disparaître son ami.

— Presque indisposant, dit Adamsberg.

— Mais Fouché *est* indisposant, dit Lebrun en scandant ses mots d'un coup de canne. Citoyen lieutenant, sois aimable de pousser mon fauteuil. Il nous faut entrer.

Adamsberg laissa les trois hommes le devancer et passa un rapide appel à la brigade avant d'abandonner son portable.

— Kernorkian ? Ajoute deux gars ce soir, j'aimerais que l'on serre de plus près le trésorier Leblond.

— Impossible commissaire. Lui et Lebrun disparaissent quasi magiquement après avoir raccompagné Robespierre.

— C'est ce que je veux dire. Explorez le réseau des caves, des toits, des cours. Cherchez s'il peut s'éclipser par une autre rue.

Il y avait du monde ce soir, pour assister à la séance des 11 et 16 germinal. La foule des députés se pressait, vêtue de noir ou de jaquettes aux couleurs miroitantes, chacun cherchant sa place dans la salle fraîche et mal éclairée. Lebrun se posta auprès d'Adamsberg et de ses hommes, glissant son fauteuil roulant entre deux bancs, tandis que Leblond-Fouché balayait l'assemblée de son regard à moitié ouvert, depuis son poste éminent dans les hauteurs de la Montagne.

— Là-haut, glissa Lebrun, dans la tribune de droite, l'homme vêtu de noir, avec un foulard rouge, à côté d'une femme qui agite un drapeau.

— Le gros ? dit Adamsberg.

— Oui, avec un chapeau de feutre rabattu sur ses yeux. C'est lui.

— Le descendant de Sanson ?

— Comment savez-vous que je ne vous désigne pas Desmoulins ?

— Parce que cet homme fait tout ce qu'il peut pour évoquer l'image d'un bourreau.

— Il joue un rôle. Tout le monde joue ici. Vous avez vu Leblond tout à l'heure, on l'aurait presque cru dangereux.

— Alors qu'il résout des équations.

— En quelque sorte. Restez discrets, je vous en prie, murmura-t-il. Couthon est reconnaissable entre tous et chacun le surveille pour se calquer sur son attitude.

— Compris.

Adamsberg alluma son micro glissé derrière l'oreille, parfaitement dissimulé sous sa perruque de longs cheveux noirs.

— Sanson présent, murmura-t-il.

— Reçu.

Robespierre descendait à présent les gradins pour monter à la tribune où le président Tallien venait de l'appeler. Comme à la séance précédente, le silence se fit, fait de vénération et d'alarme. Vrai ? Faux ? Adamsberg observait les participants, ne parvenant pas à savoir si leurs mines concentrées, adulatrices ou crispées, appartenaient au jeu ou à leur vérité d'un soir. Et il comprenait tout l'intérêt de l'étude menée par Lebrun-Leblond, sur cette frontière où l'on prend le faux pour le vrai et lâche la proie pour l'ombre. Et quelle grande ombre, que celle de ces journées affolées et sanglantes. Perte de repère absolue, qui affectait de nouveau Danglard et Veyrenc, absorbant bouche bée l'art oratoire de Robespierre, et semblant avoir tout à fait oublié leur mission. Un Robespierre très intense ce soir, en cette séance si difficile où il lui fallait convaincre les députés de mettre à mort le taureau Danton, l'image incarnée de la puissance vitale révolutionnaire. Dans un silence d'ordre quasi mystique, la voix grinçante de Robespierre parvenait ce soir à se faire entendre jusqu'aux bancs les plus éloignés.

Nous verrons dans ce jour si la Convention saura briser une prétendue idole pourrie depuis longtemps ou si, dans sa chute elle écrasera la Convention et le peuple français !

Applaudissements dans les rangs de la Montagne, où certains gardent cependant les poings serrés sur les genoux. La Plaine hésite, bruisse, s'emballe et s'effarouche. Adamsberg se souvient de son rôle, amorce un prudent claquement de mains, imitant ses confrères d'un soir. À ses côtés, Lebrun-Couthon frappe le sol de sa canne pour accompagner et entraîner les approbations. L'ambiance est contractée, affective, intense et trouble, palpable dans des odeurs mêlées de poudre parfumée et de sueur, condensées par le froid. Tous savent quel événement se joue ce soir mais tous le vivent dans l'anxiété, comme s'ils n'en connaissaient pas l'issue d'avance. Adamsberg lui-même, depuis les confins de son ignorance, se demande comment ce Robespierre faible et raide, telle une planche sans vie, ose s'attaquer à Danton, que l'énergie dilate en tous sens opposés ?

En quoi est-il supérieur à ses concitoyens ? Est-ce parce que quelques individus trompés se sont groupés autour de lui...

Adamsberg vit Danglard se tendre en son habit violet, il connaissait les textes célèbres, il accompagnait le crescendo. Au moins n'avait-il plus du tout la tête à l'Islande. Le seul fait de penser à son propre départ, demain, lui parut en cette salle incongru, déplacé, presque trivial. Pourquoi l'Islande, où cela, l'Islande ?

— Attention, lui murmura Lebrun, entendez bien la prochaine phrase.

Robespierre fit une courte pause, porta les doigts à son jabot.

Je dis que quiconque tremble en ce moment est coupable ; car jamais l'innocence ne redoute la surveillance publique.

— Effroyable, chuchota Adamsberg.

— La plus terrible de toutes, à mon sens.

Robespierre poursuivait, veillant à la scansion de ses interminables phrases, posant son regard vide sur tel ou tel, jaugeant les moindres frémissements de l'Assemblée, ôtant et ajustant ses lunettes d'un geste toujours délicat, mais enflant sa maigre voix, s'exaltant de manière calculée, sans que cette montée en force n'apporte la moindre couleur à ses joues blêmes.

— Notre deuxième cible est en vue, dit Lebrun. Tribune de droite, avant-dernière place. Entre deux hommes vêtus de brun. Cheveux longs et châtain, bouche de femme, veste grise.

Adamsberg alerta Danglard, concentré sur l'orateur, car c'était lui qui devait coordonner l'action sur le descendant Desmoulins. Le commandant mit une dizaine de secondes à réagir et, gêné, alluma son micro.

— Descendant Desmoulins en vue.

— Reçu, commandant.

Ma vie est à la patrie, mon cœur est exempt de crainte, et si je mourais, ce serait sans reproche et sans ignominie.

L'Assemblée se leva tout entière, applaudit de manière fiévreuse et inégale. De nouveau, la canne de Couthon frappait le sol, scandant l'enthousiasme.

— Pause, expliqua Lebrun, je vous ai dit qu'on suspendait avant d'aborder la séance du 16 germinal.

Les centaines de membres se regroupèrent dans la salle du buffet, sans pourtant que nourritures et boissons

fassent virer l'atmosphère à celle d'une soirée de réjouis-
sances du XXIe siècle. Non, leurs rôles les pénétraient
tous jusqu'à l'os, dans le froid et les bougies. Les éclats
des conversations comme les gestes échangés conti-
nuaient de s'ajuster à l'époque révolue.

— Étonnant, non ? dit Lebrun en s'approchant
d'Adamsberg, son fauteuil poussé par un Fouché caute-
leux, se mettant au service du redoutable Couthon pour
se faire pardonner ses massacres de Lyon. Même
Leblond-Fouché, comme vous le voyez, continue de
jouer son rôle de traître à toutes les causes, hormis la
sienne. Il finira ministre de Napoléon, de la police évidemment, et il sera fait duc.

— Moindre des choses pour tant de services rendus à
la patrie, dit aigrement Leblond.

— Sanson fait mouvement, avertit soudain
Adamsberg.

— Desmoulins le suit à huit mètres, dit Danglard.

— Ils se dirigent vers la sortie sud, dit Lebrun. Dépêchez-vous.

Voisenet, Justin, Noël et Mordent se mirent en position. Le récepteur grésilla quatre minutes plus tard.

— En vue, dit Mordent. Ils sortent ensemble, mais
chacun part dans une direction opposée.

— Le gros est Sanson, dit Adamsberg. Voisenet et
Noël, sur lui. La jolie figure de poupée est Desmoulins.
Vous et Justin, sur lui.

— Sanson est à moto. Desmoulins en voiture personnelle.

— Relevez les plaques. En réalité, ajouta Adamsberg
en se tournant vers Lebrun, ces deux-là semblent se
connaître. Ce qui aggrave peut-être la situation.

Vingt minutes plus tard, Sanson était localisé, dans la rue du Moulin-Vieux. Quinze minutes après, Desmoulins l'était à son tour, dans l'élégante rue Guynemer. À convoquer à la brigade dès le lendemain. Adamsberg regrettait de n'être pas là pour les entendre. Mais il était convenu avec Mordent qu'il pourrait écouter les interrogatoires en ligne, dans la mesure du possible, depuis sa folle Islande.

La révolte grondait à la brigade.

Mais qu'est-ce qu'il partait faire là-bas ? se demanda à nouveau Adamsberg.

— L'Islande me paraît très loin, dit-il à Veyrenc.

— Mais elle *est* loin, dit Veyrenc.

— Je veux dire, loin dans les pensées, loin dans le temps, à plus de deux siècles de moi. Cette Assemblée vivante rend fou. À l'instant où je te parle, je ne suis plus certain de savoir ce qu'est exactement un transport aérien.

— J'avais compris. Il faut admettre que Robespierre était exceptionnel ce soir. À glacer le sang.

— Moins que Fouché, non ?

— Tu as remarqué ? Très à l'aise dans son terrible rôle, pourrait-on dire.

— Qu'est-ce qu'on va foutre en Islande ? Si tant est que ce pays existe ?

— Semer la graine de la Révolution ?

— C'est une idée, acquiesça Adamsberg. Emporte les écrits du siècle. Cela nous tiendra compagnie quand la brume nous aura emprisonnés sur l'îlot.

— Nous déclamerons.

— Pour l'Égalité, pour la Liberté. En crevant de froid.

— Exactement.

XXXIII

— Paraît que tu pars au pôle Nord ? l'apostropha
Lucio depuis son poste.

L'ampoule du réverbère avait grillé et Adamsberg
n'avait pas aperçu son voisin dans la nuit.

— Pas au pôle Nord, en Islande.

— C'est pareil.

— Mais je ne sais plus pourquoi je pars.

— Tu pars finir de te gratter. Ce qui t'avait piqué dans
le Creux. Cherche pas plus loin.

— Mais ça ne va pas, Lucio, dit Adamsberg en tendant la main pour avoir une bière.

— Elle est ouverte. Comme ça, tu ficheras pas l'arbre
en l'air.

— Ça ne va pas. J'abandonne l'enquête, j'abandonne
mes hommes, tout cela pour aller me gratter sur une terre
de glace.

— T'as pas le choix.

— Je ne sais même plus où est l'Islande, où est l'avion.
C'est à cause de ces séances à l'Assemblée. Je t'en ai
parlé. Je suis en avril 1794. Tu comprends ?

— Non.

— Qu'est-ce que tu comprends alors ?

— Que c'est une sacrée foutue bête qui t'a piqué.

— J'ai encore le temps de tout annuler.

— Non.

— Presque tous mes adjoints sont contre. Demain, quand ils verront que je suis réellement parti, ce sera l'émeute. Ils ne comprennent pas.

— On ne peut jamais comprendre ce qui gratte l'autre.

— Je vais annuler, dit Adamsberg en se levant.

— Non, répéta Lucio en l'agrippant au poignet de sa seule main qui, à force d'être seule, était devenue presque aussi puissante que deux mains réunies. Si tu annules, ça va s'infecter. Et tu pleureras. Quand le bagage est fait, l'homme ne se retourne pas. Tu veux que je te dise une chose ?

— Non, dit Adamsberg, énervé par la surpuissance que s'octroyait le vieux.

— Finis cette bière. D'un coup.

Lassé, Adamsberg s'exécuta sous le regard mauvais de l'Espagnol.

— Et maintenant, ordonna Lucio, va dormir, *hombre*. Et cela, il ne l'avait jamais dit de sa vie.

Puis il l'entendit se racler la gorge et cracher au sol. Et cela non plus, Lucio ne l'avait jamais fait de sa vie.

XXXIV

Adamsberg rejoignit Veyrenc à l'enregistrement du vol de 14 h 30 pour Reykjavik. La file n'était pas très longue, avril n'était pas la saison des touristes. Des hommes d'affaires et beaucoup de têtes blondes, d'un blond qui tirait sur le blanc, des Islandais qui rentraient chez eux pour les vacances de Pâques. Bagages légers, Islandais paisibles, à l'exception d'Adamsberg et de Veyrenc, lourdement chargés de leurs sacs à dos, comme s'ils préparaient leur défense contre la morsure des glaces. Mais enfin, cet îlot n'était pas comme les autres.

Restait une place vide dans l'avion à côté d'eux, celle de Retancourt, que Veyrenc avait refusé d'annuler.

— Je l'ai vue dans la file, dit-il en s'installant. Retancourt. Elle n'a même pas essayé de nous rejoindre, son visage est fermé comme une huître. De ces huîtres, tu sais, qui résistent à tous nos efforts et qu'on finit par jeter, ou bien écraser à coups de marteau pour en venir à bout.

— Je vois.

— Ce qui signifie de sa part : « Ne me demandez jamais, à aucun prix, pourquoi je suis là ».

— Et pourquoi est-elle là, à ton avis ?

— Soit parce qu'elle pense que deux types comme nous ne pourront pas survivre à l'expédition et qu'elle se sent le devoir de nous protéger contre les éléments hostiles.

— Soit parce que quelque chose l'intéresse malgré tout dans l'énigmatique île tiède.

— La pierre ? Tu crois qu'elle veut tirer quelque vigueur de la pierre ?

— Surtout pas, dit Adamsberg. Cela lui ferait trop de force, et au bout du compte, elle exploserait. Elle ferait mieux de ne même pas l'approcher.

— Soit encore parce qu'elle se désolidarise de la mutinerie – que pourtant elle approuve – pour atténuer la révolte. Sans elle, les opposants sont privés d'un soutien de poids. À l'heure actuelle, il doit régner à la brigade une atmosphère de déroute : « Pourquoi Retancourt les suit-elle en Islande ? » « Qui a tort, qui a raison ? »

Les derniers passagers entraient dans l'avion, et Retancourt s'avança vers eux sans les regarder. Adamsberg leva les accoudoirs et se serra près de Veyrenc pour laisser plus de place à la large lieutenant, le siège étroit étant mal adapté pour sa masse musculaire. Tous gardèrent le silence pendant le décollage, Retancourt s'étant plongée dans une revue sans la lire.

— Ciel bleu limpide sur l'Islande, ai-je lu, dit Veyrenc.

— Mais là-bas, il suffit d'un éternuement pour que le temps change répondit Adamsberg.

— Oui.

— On ne verra même pas Rejkavik.

— Reykjavik.

— Je ne peux pas le prononcer.

— Façades des maisons rouges, bleues, blanches, roses, jaunes, continua Veyrenc. Lacs et falaises, montagnes noires et enneigées.

— Ça doit être beau.

— Sûrement.

— J'ai tout de même appris à dire « au revoir » et « merci », dit Adamsberg en tirant une petite fiche de sa poche de pantalon. « Bless » et « takk ».

— Et pourquoi pas « bonjour » ?

— Trop difficile.

— Avec cela, on n'ira pas loin.

— On aura notre traducteur de l'ambassade. Il nous attend au débarquement avec une pancarte.

— On avalera un morceau à l'aéroport.

— Oui.

— Que penses-tu qu'il y aura à manger ?

— Du poisson fumé.

— Ou de la bouffe internationale.

Rien. Pas un mouvement. Les efforts laborieux des deux hommes pour tenter d'arracher Retancourt à son silence étaient vains.

Atterrissage, menu international vite expédié, englouti sans un mot par Retancourt.

— Ça va être gai, murmura Veyrenc. On va la trimballer comme une statue pendant des jours.

— C'est probable.

— On pourrait la laisser ici ? Filer en douce ?

— Trop tard, Veyrenc.

Adamsberg consulta son portable.

— L'interrogatoire du fils du bourreau Sanson débute à 19 heures, dit-il. On a deux heures de décalage, il est presque 17 heures, on se met en ligne.

Quelque chose avait bougé sur le visage de Retancourt. Elle suivit ses deux collègues un peu moins pesamment jusqu'à une table où Adamsberg lança la connexion.

— On n'aura que le son, dit-il. Et le volume de ce tölva n'est pas très bon. Essayons de ne pas commenter pendant l'interrogatoire.

— Je ne pense pas que le lieutenant Retancourt nous gênera, osa Veyrenc devant sa collègue.

— Non, enchaîna Adamsberg. Violette nous accompagne comme sur un chemin de croix. Pourtant, c'est beau, l'Islande.

— Très beau.

— Très beau, répéta Adamsberg.

— C'est un joli voyage.

— Très joli, dit Adamsberg.

— Rare.

— Rare.

L'interrogatoire du descendant du bourreau débuta avec retard. L'homme – de son nom René Levallet – était encadré de Danglard, Mordent et Justin.

— Je peux savoir ce que je fous là ?

Une voix rauque, avec un accent parisien grasseyant.

— Comme nous vous l'avons signalé, vous êtes ici en qualité de témoin, amorça Danglard.

— Témoin de quoi ?

— Nous y viendrons. Votre profession, monsieur Levallet ?

— Je travaille aux abattoirs Meursin, dans les Yvelines.

— Et vous abattez quoi ?

— Des bovins, quoi. Attention, on pratique l'abattage humain, c'est la loi.

— C'est-à-dire ?

— D'abord on les étourdit, avec de l'électricité, pour qu'ils soient pas conscients quand on les égorge, quoi. Ça ne marche pas à tous les coups non plus, faut le dire.

— Un métier qui vous plaît ?

— Faut bien bouffer. Les gens sont bien contents qu'il y ait des gars pour faire ça, pas vrai ? Sont bien contents d'avoir un steak dans leur assiette sans se poser de question. On se dévoue, c'est tout.

— Comme il fallait bien que des gars se dévouent pour être bourreaux.

— Ça a à voir avec quoi ?

— Ça a à voir avec le fait que vous descendez de l'illustre famille des bourreaux Sanson.

— Qu'est-ce que ça peut foutre ? s'indigna Levallet. Fallait bien qu'il y ait des gars qui se dévouent pour faire marcher la guillotine, aussi. Aujourd'hui on serait plus professionnels, quoi. On étourdirait avant.

— Aujourd'hui la peine de mort est abolie, monsieur Levallet.

— Alors, je suis témoin de quoi ?

— Des séances reconstituées de l'Assemblée nationale pendant la Révolution, par l'Association d'Étude des Écrits de Maximilien Robespierre.

— Et après ? C'est pas légal ?

— Parfaitement.

— Bon alors je me tire d'ici, moi.

— Pas encore. Pourquoi assistez-vous chaque lundi soir à ces séances ?

— Y'a pas des gens qui vont au théâtre ? Ben c'est pareil, quoi.

— C'est votre théâtre ?

— Si vous voulez le dire comme ça, je m'en fous, moi.

— Votre théâtre où s'agitent ceux qui ont donné à vos ancêtres, et particulièrement à Charles Henri, une si sinistre réputation ?

— Et après ?

— Quatre membres de cette assemblée ont été assassinés.

On entendit le bruit des photos des victimes qu'on étalait sur la table.

— Connais pas, dit Levallet.

— Nous craignons, continua Mordent, qu'un tueur élimine les membres de l'association avant de frapper plus haut : Robespierre, ou plutôt l'acteur qui joue Robespierre.

— Dites plutôt qu'il se prend pour lui. C'est un malade, ce type, quoi.

— Si bien qu'on interroge de très nombreux membres, mentit Mordent. Et nous avons besoin de savoir ce qui motive votre présence aux séances.

— Ben, les voir, quoi. Dites, je suis pas le seul descendant qui vient les regarder.

— C'est vrai, reprit Danglard, il semble que vous soyez ami avec le descendant de Camille Desmoulins.

— Il est gentil, lui.

Une phrase d'enfant, nota Adamsberg. Gentils, méchants, une partition du monde.

— Mais c'est pas un ami, c'est une connaissance.

— Et qu'est-ce que vous faites et dites, avec cette connaissance ?

— On se raconte un peu nos malheurs, quoi. Nos malheurs à cause d'eux. On est unis, quoi.

— Quels sont les malheurs de Desmoulins ?

— Il s'appelle pas comme ça, d'abord. Et j'ai pas à raconter. Mais il peut pas digérer qu'ils aient guillotiné le Camille, qui était un gentil, et puis sa femme après. Parce que le petit garçon de deux ans, il est resté tout seul.

— Je le sais, dit Danglard.

— C'est pas humain, je dis.

— Non. Mais dans votre famille, personne n'a été guillotiné. Alors quels sont vos malheurs ?

— C'est obligé de raconter ses malheurs aux cognes ?

— Aujourd'hui oui. Désolé, monsieur Levallet.

— Désolé, tu parles. Et après je pourrai m'en aller ?

— Oui.

— Mes malheurs ils sont pires que ceux de Desmoulins, c'est ce que je lui dis. Et c'est à cause d'eux, à cause d'eux tous qui s'amusent en bas avec leurs beaux habits. Je voudrais les voir morts, quoi.

— Et les tuer ?

— Ben j'ai pas besoin. On dirait que vous pensez jamais, vous, les cognes. Parce qu'à la fin du théâtre, ils sont tous morts, finalement. La tête coupée par Charles Henri et puis après par oncle Henri. Et c'est bien de voir ça. Qu'ils sont tous morts, finalement, et que c'est nous, les Sanson, qui les avons tués. Là, ça va être Danton et les autres répugnants qui vont y passer.

— Dont le gentil Camille Desmoulins.

— D'accord. Mais il était pas blanc blanc non plus, quoi, c'est ce que je dis à son descendant. Y en a eu des morts, avant qu'il y passe, et il disait pas non. Et à ce que m'a raconté Desmoulins, il aurait fait une grosse bêtise quand même, le Camille. Robespierre, il vivait dans une famille où il y avait des jeunes filles. Bon. Et il les aimait bien. Pas dans le sens que vous vous figurez. Il s'en occupait, quoi, il leur donnait de l'éducation. Bon. Et le Camille, il était souvent fourré là-bas. Bon. Et un soir, il passe un livre à une des filles, qu'était encore toute jeunette. Et le Robespierre, il voit tout de suite que c'est un livre pas correct. Avec des images d'adultes, vous voyez ?

— Un livre pornographique ?

— Tout juste. Alors le Robespierre, fou furieux, il arrache le livre des mains de la fillette. Et après ça, le Camille, il a jamais plus été dans les petits papiers de Robespierre. Qu'était pas un gars à rigoler avec ça.

— Et donc, reprit Danglard après une courte hésitation, vous nous disiez que maintenant, « ça va être Danton et les autres répugnants qui vont y passer ».

« Tu crois que Danglard était au courant de cette anecdote ? chuchota Veyrenc. Sur le livre ? »

« Sûrement pas, ou il aurait commenté. »

« Ça va l'énerver. »

« Oui. »

— C'est ça, répondit Levallet. Et c'est l'oncle Henri qui va le faire. Le père Sanson, il avait plus la force, ou quoi. Et bientôt – il reste plus que neuf séances – l'oncle va couper le cou à Robespierre. Et il va lui faire mal en plus, en arrachant son pansement. Ça quand même, je suis pas d'accord. Il a déraillé ce jour-là, je suis pas d'accord. Mais dans ce temps, ils connaissaient pas l'abattage humain. Moi, je vous garantis qu'elles souffrent pas, mes bêtes. Et des fois pourtant, ça fait drôlement peine.

— Je comprends, dit Mordent qui, à son ton, semblait comprendre vraiment.

— Votre malheur ? reprit Danglard, presque doucereux. Celui que vous dites à Desmoulins ?

— C'est pas son nom.

— Nous le connaissons. Il se nomme Jacques Mallemort.

— C'est pas marrant de s'appeler comme ça, hein ?

— C'est sûr que cela n'a pas dû l'aider. Mais nous nous occupons de vous aujourd'hui.

— Merde, quoi. Faut raconter sa vie ?

— Parfois oui. Mais pas toute. Juste ce malheur qu'ils vous ont fait.

— Je peux pas.

— Pourquoi ?

— Ça me fait pleurer, des fois. Et je pleure pas devant des cognes.

Il y eut un assez long silence. Retancourt en avait oublié de tenir son masque immobile, elle suivait avec attention les paroles du bourreau des bovins.

— Moi, dit Justin, je suis un cogne, et des fois, je pleure.

— Devant tes collègues, p'tit gars ?

— Ça m'est arrivé. C'est une femme qui m'avait quitté.

— Merde, les femmes, quoi.

— Oui, dit Justin.

— Et vous ? Les commandants, ou quoi ? Vous pleurez devant vos hommes ?

— Une fois, dit Mordent.

— Ah. Et vous le direz pas, si ça se produit pour moi ?

— Non, assura Danglard. Vous voulez un verre de vin pour vous aider ? J'ai un très bon cru de blanc 2004.

— Vous vous emmerdez pas chez les cognes. C'est pas un piège ?

— Non. J'en prendrai un avec vous.

— À cette heure-là ? En service ?

— C'est l'heure de l'apéritif. Et vous voyez, l'appareil tourne, on est enregistrés. Et si jamais « ça » se produit, je coupe l'enregistrement.

Un nouveau silence.

— C'était il y a six ans. J'étais pas si gros, au contraire. J'étais pas mal, même, je comprends que vous le croyiez pas.

On entendit des bruits de verres et de bouteille.

« Il en profite, Danglard », dit soudain Retancourt, avec l'esquisse d'un sourire.

« Non, Violette. Là, je crois qu'il aide. »

« Il est très bon d'ailleurs, son cru 2004 », dit Veyrenc.

« Oui, confirma Retancourt. »

— C'est vrai qu'il est bon, votre vin, quoi, dit Levallet, comme en écho à ceux qui l'écoutaient de si loin, depuis l'aéroport de Reykjavik.

— Je vais le chercher moi-même dans le Sancerrois. Pas cher, chez un petit producteur.

— Vous me donnerez l'adresse ?

— Si vous voulez.

— Parce que c'est vrai aussi que ça donne un peu de cran. Alors comme j'étais pas si mal, j'avais une amie depuis trois ans. Comme elle était grosse, on allait se marier.

— Vous voulez dire enceinte ?

— Oui, de cinq mois. J'étais content, quoi. Et ce gosse, il allait pas bosser dans les abattoirs, c'est moi qui vous le dis. Surtout que c'était une petite fille, de toute façon. Et alors, il y a une saleté de vieille tante bigote qu'avait jamais pu m'encaisser qu'est venue voir ma fiancée. Et qui lui a dit que j'étais un Sanson, et qu'en plus j'avais ça dans le sang, puisque je travaillais aux abattoirs. Comme si ça avait un rapport. Faut bien bouffer, quoi. Mais c'est vrai que je lui avais pas dit, à Ariane.

— Pourquoi ?

— C'est qu'une femme, c'est sensible, je crois que ça aime pas trop les bourreaux, ni les gars qui tuent des bêtes à longueur de jour, c'est normal, quoi. Alors je lui disais que je travaillais dans les Yvelines chez un grossiste en chaussures – comme ça elle pouvait pas venir me voir au boulot. Je m'étais pas mal renseigné sur les chaussures et tout ça. Cuir, simili-cuir, semelles, lacets, scratchs, et surtout sur les italiennes. Je disais que je travaillais au département des chaussons. Ça rassure, les chaussons, quand même.

— C'est certain. J'aurais fait de même à votre place.

— Alors forcément, ça a été la catastrophe. C'est surtout cette histoire de bourreau qu'est pas passée. Ariane a dit qu'à cause de mes mensonges, elle allait « mettre au monde une fille de bourreau ». Et que jamais elle vivrait avec un homme qui « avait ça dans le sang ».

Nouveau court silence.

— Ça va passer ça va passer, reprit l'homme, alors que Danglard avait arrêté l'enregistrement. Quand on appuie fort sur les yeux, ça fait rentrer les larmes au-dedans. J'ai supplié, j'ai dit tout ce qu'on peut, mais elle est partie. Son visage, quand elle me regardait, il était devenu dégoûté. Et elle est partie le plus loin possible – dans de la famille qu'elle avait en Pologne – pour que j'arrive jamais à voir ma fille.

Silence.

« Il s'appuie sur les yeux », dit Adamsberg.

— À partir de là, j'ai grossi comme un bœuf, j'ai perdu des cheveux, ça allait pas, quoi. Je l'aurais tuée, la tante, mais elle a eu un accident de bagnole, bien fait pour sa gueule. Et ceux qui avaient fait que les Sanson, ils étaient connus, c'étaient bien ces révolutionnaires de Paris, pas vrai ?

Danglard avait relancé l'enregistrement.

— Parce que les noms de tous les autres bourreaux de province, on les connaît pas, hein ? Je les aurais tués, ces gars, je voulais tuer tout le monde, de toute façon. C'est un médecin, un cardio – parce que mon cœur, il faisait des bonds tout le temps –, qui m'a parlé de ce truc où on voyait la Révolution vivante et qu'à la fin, ils mouraient tous, et que ça me ferait pas de mal de voir ça. Et ce théâtre, c'est vrai que ça m'a fait du bien. Quand on sera en juillet, j'irai plus, et je ferai un régime.

Des fois que je retrouve une femme, il m'a dit, Desmoulins. Et ça, j'y avais même pas pensé.

L'appel pour l'embarquement à destination d'Akureyri résonna dans l'aéroport, en islandais et en anglais. Ils ramassèrent leurs sacs et Veyrenc les guida vers la bonne porte.

— Ce n'est pas lui, dit Adamsberg.

— Je crois que non, dit Veyrenc.

Ils attendaient l'avis de Retancourt sans savoir si, après cette pause, elle allait revenir à la vie ou réintégrer sa fonction de statue.

— Malheureux, dit-elle. Inoffensif.

— À quelle heure on atterrit ? demanda Veyrenc.

— 19 h 50, heure locale.

Adamsberg tira son téléphone de sa poche arrière.

— C'est Danglard, annonça-t-il. Il nous demande – en style sec – ce qu'on a pensé de l'interrogatoire.

« Malheureux, pas dangereux, relâchez-le », écrivit Adamsberg.

« C'est fait », répondit seulement Danglard.

« Pour quand l'interrogatoire de Dumoulins ? »

« Desmoulins. Demain 10 heures. 8 heures dans votre putain d'île. »

Durant le court vol vers Akureyri, Adamsberg laissait errer ses pensées sur le triste sort du descendant de Sanson et sur son étrange voyage au sein de l'Assemblée nationale. Lebrun avait dit que toutes sortes de médecines étaient à l'œuvre parmi leurs membres. Possible que Levallet ait fini par lui raconter son histoire. Le secrétaire était attentif et incitait à la communication. Peut-être l'avait-il aidé de ses compétences.

Muni d'un panneau qu'il secouait en tous sens, l'interprète islandais les attendait. Petit, ventru et noir de cheveux, contrairement à l'idée que s'en était faite Adamsberg, il était assez âgé – quelque soixante ans –, et agité. Mais gaiement agité. Il avait l'allure d'un gars qui attend impatiemment des amis chers, et il les salua en parlant fort, avec un accent net.

— On vous appellera Almar, si vous l'acceptez, dit Adamsberg en lui serrant la main. Je n'arrive pas à prononcer votre nom.

— Pas de problème, dit Almar en levant ses petits bras. Ici, on n'a pas de nom de famille. On est « fils de », ou « fille de ». Vous pigez ?

Veyrenc estima qu'Almar avait sans doute appris le français dans un milieu où on le parlait plutôt vertement. Ce qui expliquait qu'Adamsberg ait pu le recruter si tard et si facilement, Almar ne devant pas être choisi pour traduire des conférences politiques ou universitaires.

— Moi par exemple, mon fils s'appelle Almarson. Almar-son, fils d'Almar, vous voyez ? Pratique et fastoche. On va où ? Je ne vous conseille pas la ville, elle est moche. Enfin, pour nous, ceux qui ne sont pas d'ici. Moi je suis de Kirkjubæjarklaustur, alors vous voyez.

— Pas du tout.

— Jamais venus chez nous ?

— Non, nous sommes ici pour une enquête policière.

— C'est ce qu'on m'a dit et ça me va impec, ça va être marrant.

— Pas forcément, dit Retancourt.

Et le petit homme parut soudain découvrir, au-dessus de lui, l'imposante lieutenant, qu'il détailla un peu longuement. Tandis que les pensées d'Adamsberg filaient vers le descendant de Desmoulins. Bon sang, pas de chance pour lui de s'appeler Mallemort, au vu du destin de ses aïeux. De ce petit garçon demeuré orphelin après la mal-mort, la mauvaise mort, de ses parents. Est-ce qu'il venait là en thérapie, lui aussi, pour voir mourir les responsables ? Ou pour venger cette mauvaise mort ?

— Vous voulez dîner dans quel coin ?

Adamsberg expliqua qu'ils devaient être tôt levés, ayant un interrogatoire à entendre à 8 heures du matin et leur vol pour Grimsey décollant à 11 heures.

— Vous suivez les interrogatoires depuis ici ? Marrant cela, approuva Almar. Alors je vous emmène dans un petit hôtel du sud de la ville, pas loin de l'aéroport. Comme ça, pas d'embrouilles. Le restau est sympa, la bouffe est bonne – vous aimez le poisson ? – mais les chambres, c'est pas le grand luxe. Ça colle quand même ?

Ça collait.

— Couvrez-vous avant de sortir. Ça ne caille pas trop mais quand même un peu, vous voyez ? Le soir, on est à – 3 degrés ici. Chute thermique de 20 degrés avec la France, rien de dramatique. Le froid de l'Islande, c'est un froid qui revigore, vous verrez ça. Et on ne peut pas en dire autant de tous les froids.

— Bien sûr, dit Adamsberg.

Ils enfilèrent pulls et anoraks, et Almar les conduisit jusqu'à un petit hôtel à la façade peinte en rouge, dans la banlieue sud d'Akureyri. Des lambeaux de neige couvraient encore les toits alentour.

— On aura quand même vu une maison rouge, dit Veyrenc.

— C'était le but du voyage, non ? dit Retancourt.

— Tout à fait, lieutenant, confirma Adamsberg.

— Ça s'appelle « L'Hôtel de l'ours », expliqua Almar en désignant l'enseigne qui clignotait en rose. Tu parles, ça fait un bail qu'on n'a plus vu d'ours en Islande. Et avec la fonte de la banquise, ils auront de plus en plus de mal à débarquer.

— Pourquoi tout est peint en couleurs ?

— C'est que l'Islande, c'est noir et blanc, vous voyez ? Roche volcanique et neige et glace. Alors les couleurs, ça va bien avec. Tout va avec le noir, c'est ce que disent les Français. Mais attendez de voir le bleu du ciel. Jamais vous avez vu un bleu pareil, jamais.

— À cette période, on voit beaucoup le jour ? demanda Retancourt.

— Comme chez vous. Ça veut pas dire qu'on voie beaucoup le soleil, ça pleut pas mal, faut avouer.

Almar les aida à s'installer dans leurs chambres – très fraîches –, commanda le dîner et organisa le petit-déjeuner. Il ne restait pas avec eux ce soir, il profitait de sa venue à Akureyri pour retrouver des amis pas vus depuis sept ans.

— Ça va être marrant, dit-il. Je vous ai commandé de la bière, ne vous faites pas refiler du vin, ça vous coûterait le prix du voyage. Rendez-vous à 10 heures en bas demain. Largement suffisant pour sauter dans le petit coucou. À cette époque, il n'y a pas de touristes qui viennent poser leurs pieds sur le cercle polaire. Vous allez interroger qui, sur l'île de Grimsey ? Parce qu'il n'y a qu'une centaine d'habitants là-bas.

— Personne, dit Adamsberg. On va simplement sur un rocher en face, là où il y a une stèle tiède.

Almar perdit son entrain d'un coup.

— L'île du Renard ? demanda-t-il.

— Elle en a la forme je crois, avec deux oreilles pointues.

— Pas marrant, ça, jugea Almar en secouant la tête. Vous savez au moins qu'il y a dix ans, un groupe d'abrutis s'est perdu là-bas ? Y en a deux qui y sont passés, morts de froid.

— C'est pour cela qu'on y va, dit Veyrenc. C'est l'enquête.

— Y a rien sur cette terre, insista Almar. Vous comptez trouver quoi, après tout ce temps ? Des indices ? Ne vous fourrez pas le doigt dans l'œil. Des centaines de tempêtes sont passées dessus, des vents polaires, des neiges, des glaces. Rien ne reste, sur l'île du Renard.

— On doit voir tout de même, dit Adamsberg. On a des ordres.

— Eh bien, sans vexer vos chefs, c'est des ordres débiles. Et pire, vous ne trouverez personne pour vous y conduire. Ils croient que l'île est la demeure d'une créature.

— Qui ?

— Il y a ceux qui y croient dur comme fer, et ceux qui n'y croient pas mais qui préfèrent ne pas tenter le diable. Mais vous, les Français, le diable, vous l'avez dans le corps. C'est ce qu'on dit ici. Un Français, ça s'emballe pour un oui pour un non. On ne vit pas comme ça, ici.

— Alors on louera un bateau, et on ira par nos propres moyens. Ce n'est qu'à un jet de pierre du port.

— Un jet de pierre ici, commissaire, ça peut être une éternité. Le temps qu'on se mouche, le ciel a changé. Appelez vos chefs, n'y allez pas.

— Mais vous, Almar, vous saurez qu'on est là-bas. Si vous ne nous voyez pas revenir, vous déclencherez les secours.

— Les secours ? dit Almar en s'échauffant, et agitant ses bras de plus en plus. Et si la brume tombe ? Comment il vous repère, l'hélico ? Comment il se pose, s'il ne voit pas le sol ? *Skít !* dit-il en les quittant brusquement.

— Je pense qu'il a dit « Merde », dit Veyrenc en regardant s'éloigner leur traducteur, qui continuait à brasser l'air de ses bras.

— Ça me paraît justifié, dit Retancourt.

Le patron – très blond celui-là, visage sévère et taillé pour résister à toutes les intempéries – leur apporta les entrées sans mot dire, de fines tranches de hareng salé sur du pain de seigle, puis un plat d'agneau fumé – identifia Veyrenc – avec des légumes.

— On dirait de la choucroute, dit Adamsberg en goûtant.

— Oui mais c'est rouge.

— Eh bien c'est de la choucroute rouge. Ils aiment les couleurs.

— Vous avez entendu Almar ? dit Retancourt, qui mangeait deux fois plus vite qu'eux.

— On louera un bateau.

— On ne louera rien du tout, on n'ira nulle part. Il connaît le pays. Dix ans de tempêtes auront tout nettoyé. Vous vous attendez à quoi ? À retrouver le couteau avec des empreintes ? Un petit billet calé par des pierres, avec une confession ?

— Je veux regarder, Retancourt. Voir si c'est conforme à ce qu'a raconté Victor. Voir s'ils ont fait du feu. Cela, même dix ans après, ça laissera bien des traces sur la roche. Voir s'ils ont arraché les pans de bois du vieux séchoir à poissons. Me rendre compte, imaginer. Voir si la stèle tiède existe, ou si on nous l'invente pour qu'on ne s'approche de rien.

Retancourt haussa ses lourdes épaules et tourna du doigt les mèches blondes qui bouclaient sur son cou, sa touche naturelle de raffinement.

— L'agneau était fondant, dit Veyrenc, tentant une diversion. Je vous ressers ?

— Restez à quai, Retancourt, dit Adamsberg, je n'impose rien.

— Vous êtes sorti des rails, commissaire. Et tout cela pour quoi ?

— Parce que cela me gratte, a dit Lucio. Ce soir, Violette, depuis votre fenêtre, regardez les lumières de la ville enchâssée dans ses montagnes et la brillance des glaces. C'est beau. Cela détend.

— C'était le but du voyage, non ? dit Retancourt.

XXXV

Le patron leur avait servi un petit-déjeuner dont il était apparemment hors de question de manquer une seule étape, café à volonté, lait aigre, pâté, jambon, fromage, galettes de seigle. Ils rejoignirent la chambre de Veyrenc, un peu alourdis, une nouvelle tasse de café en main. Seule chambre qui disposait d'une petite table, et où Adamsberg parvint à capter le réseau. En attendant l'arrivée du descendant de Desmoulins, Adamsberg ouvrit la fenêtre et promena son regard sur les montagnes noires et blanches. Almar avait dit juste, le bleu du ciel était d'une matière exceptionnelle, donnant aux reliefs une précision telle qu'ils en tremblaient.

— Ça commence, grogna Retancourt. Danglard aux manettes.

— Temps parfait, dit Adamsberg en fermant la fenêtre.

À nouveau les quatre photos des morts qui claquèrent sur la table.

— La rumeur de ces meurtres court dans la salle du buffet, admit le descendant de Desmoulins. Non, je ne vois pas qui sont ces gens.

La voix de Jacques Mallemort était paisible et assurée, sans irritation aucune.

— Encore que celui-ci me dit quelque chose.

— C'est un occasionnel qui a viré participant. Angelino Gonzalez.

— Oh, il s'est pris au jeu, hein ?

— Le voici représenté en habit, dit Danglard.

— Joli dessin, apprécia Mallemort. Oui, je le situe à présent. Il nous a fait un incroyable Hébert, jurant comme un charretier. Et l'expression scandalisée de Robespierre en réponse, très convaincante.

— Aucune information sur lui ?

— Nous ne nous sommes jamais parlé. Là-bas, nous en disons peu sur nous-mêmes. Ce n'est pas le but.

— Ce que nous cherchons à savoir, c'est la raison de votre présence à cette assemblée.

On entendit le grincement particulier du dossier de la chaise, que tous connaissaient bien, parmi tous les petits sons rituels de la brigade, y compris le bruit du chat sautant au bas de la photocopieuse, quand le désir de fouiller la poubelle à papiers avait raison de sa paresse. Mallemort-Desmoulins se penchait donc en arrière.

— Je vois, dit-il. Enquête criminelle. Quelqu'un s'attaque aux membres de l'Assemblée. Et moi, descendant de Desmoulins – je ne sais pas comment vous l'avez découvert – je puis faire un joli suspect. Rongé, plus de deux siècles après, par l'atrocité de l'exécution de mes ancêtres, je venge l'honneur du doux Camille en abattant ces gens. Savez-vous combien nous sommes ? Presque sept cents. C'est un programme ogresque, mieux vaudrait bloquer les issues et lancer un formidable brasier, non ?

Voix toujours posée, sans trace d'inquiétude. L'homme paraissait plutôt réfléchir à haute voix que se défendre de quoi que ce soit.

— Il serait plus probable, reprit-il, examinant la situation en place des policiers, que l'homme visé soit Robespierre. Je dis Robespierre car celui qui l'incarne est spectaculaire. Pour un peu, ce serait presque inquiétant. Mais avant, votre meurtrier chercherait à l'ébranler par d'autres meurtres, l'effrayer, en lui montrant comment la mort s'approche de lui. Je suppose que vous avez réussi à le rencontrer ? L'acteur ?

— Oui, dit Danglard avec réticence.

« Il est moins à l'aise avec lui qu'avec Sanson, chuchota Adamsberg. Il ne sait pas trop comment saisir ce visage léger et cette bouche de fille. »

— Et a-t-il peur ? Robespierre ? demanda Mallemort.

— Je dirais que non. Il se soucie surtout de ses membres. Ma question, monsieur Mallemort ?

— Je ne l'ai pas oubliée, et on entendit un sourire dans l'intonation. J'en suis à mon deuxième cycle dans l'Assemblée. Quatre ans déjà.

— Vous assistez donc à toutes ces séances pour la seconde fois ?

— C'est cela. Mais mes motivations se sont étrangement modifiées avec le temps. Si bien que j'ai deux réponses à votre « Pourquoi ? ».

— Si bien qu'il y a deux « Pourquoi ».

— Voilà. Pour le premier, pour mon entrée à l'Association, c'est assez simple. Je suis historien.

— Nous savons cela. Vous êtes professeur d'histoire moderne à l'université de Nanterre.

— C'est cela. Je voulais comprendre comment Robespierre en était arrivé à faire trancher la tête de ce Camille qui le vénérait, de ce fidèle et affectueux compagnon. Je songeais à un petit article sur la question. Encore que l'ancêtre Desmoulins, excellent mari et père, ne fut pas si parfait. On dit qu'un soir il glissa entre les mains d'une très jeune fille un livre licencieux. Que Robespierre le lui arracha et que, de ce jour, l'arrêt de mort de Camille était signé.

— On a su cela, dit Danglard sans s'étendre.

— Tant de temps après, demanda Mordent, sa décapitation et celle de sa jeune femme vous révoltent-elles encore ?

— Dans les noirs tréfonds de moi-même ? dit Mallemort, et une nouvelle fois un net sourire fut perceptible dans sa voix. Aux débuts sans doute. Tradition de famille, vous comprenez. Mais cela s'est atténué. Les séances auxquelles j'ai assisté m'ont donné une clef, je crois.

— Qui est ?

— L'abstraction du meurtre chez Robespierre. D'ailleurs les exécutions se passaient toujours hors de sa vue, elles étaient dématérialisées. Comme s'il avait guillotiné, non pas des hommes, mais des concepts : le vice, la trahison, l'hypocrisie, la vanité, le mensonge, l'argent, le sexe. Camille, l'amoureux, l'ami tendre, éventuellement pervers, pouvait représenter ce « vice » auquel il ne pouvait atteindre. Mais je suis trop long n'est-ce pas ?

— Je vous en prie, dit Danglard. Et le second « pourquoi ? » Pourquoi recommencer ? Pourquoi assistez-vous à un second cycle ?

Silence, grincement du dossier de la chaise.

« Faudra la graisser, cette chaise », dit Veyrenc.

— Autant le premier « pourquoi » est simple à résoudre par une compulsion d'historien doublée d'une fatalité familiale, c'est classique. Autant le second m'embarrasse. Disons que lors du premier cycle, j'ai ressenti, je crois, ce qui était arrivé à Robespierre. Et lors du second, j'ai compris ce qu'avait vécu Camille.

— C'est-à-dire, proposa Danglard en hésitant, que vous vous êtes entiché de Robespierre ?

— Merci de le dire à ma place, commandant. On peut fumer ? Je suppose que non.

Bruits de papiers, de cendrier de verre, grattement d'un briquet.

— Cela s'est fait peu à peu, insensiblement. Je ne venais plus pour Camille, mais pour lui. Cela m'a beaucoup perturbé. Quelles étaient les raisons de ma fascination ? Quelles étaient les causes de cette quasi-hypnose ? Puis j'ai observé les autres membres. Ils étaient tous saisis, ou presque. On m'a dit que le secrétaire menait une étude sur ce thème, sur ce toboggan psychologique que nous faisait dévaler Robespierre, ce tourbillon addictif dans lequel s'était fait avaler mon ancêtre.

Puis Danglard et Mallemort se mirent à sortir des termes de l'interrogatoire, discutant de points d'Histoire, de la loi de Prairial, de la paranoïa, de l'Être suprême, de l'enfance de Robespierre, des ambiguïtés amoureuses de Desmoulins, de la réaction thermidorienne.

Adamsberg secouait la tête.

— Il n'y a pas que moi, Retancourt, qui sors des pistes, dit-il.

— Danglard jette le gant, résuma Veyrenc. Encore un peu et ils vont aller déjeuner bras dessus bras dessous à la *Brasserie des philosophes*.

— Alors, dit Retancourt assombrie, nos trois descendants ne mènent à rien ?

— Pelote d'algues impénétrable, je le répète depuis le début, dit Adamsberg. Immobile. Les descendants restent néanmoins à surveiller, ils sont à bonne école pour jouer des rôles et mentir.

— Mais les pistes ne sont pas miroitantes, dit Veyrenc.

— Opaques, confirma Adamsberg. Dans cette association, tout le monde avance costumé, masqué, grimé, sans nom et sans visage, des personnages et non des personnes, feignant de ne pas se connaître. Simulacres, apparences, feintes, illusions, fantasmes, pas une once de vérité à engranger. Ils nous disent ce qu'ils veulent : un groupe d'infiltrés, soi-disant « occasionnels », des descendants de guillotinés. Et alors ? Ils peuvent nous en servir autant qu'ils veulent. Qui croire et où aller ? Si cela se trouve, ils sont sept cents à décider d'en tuer sept cents.

— Silence, dit Veyrenc. Ils reprennent. Possible que Danglard ait fait simplement diversion.

— Complicité entre érudits, approuva Adamsberg.

La voix de Danglard, légère, animée de curiosité, cessant d'être inquisitrice.

— Mais ce patronyme, « Mallemort », est plutôt rare, non ? Autrement dit la « mauvaise mort ». Il y a une commune de ce nom dans les Bouches-du-Rhône. Mais un patronyme ?

On entendit le rire léger de l'historien.

— Vous posez le doigt sur les blessures intimes de l'Histoire, commandant. En 1847, un aïeul obsédé par le sort de Camille, et qui se nommait communément Moutier, adressa une demande argumentée au maire de Mallemort pour avoir le droit de porter ce nom. Afin, disait-il, que le souvenir de la « mauvaise mort » de l'ancêtre ne s'efface jamais des esprits de ses descendants. Vu le contexte prérévolutionnaire, cela lui fut accordé.

— Charmante idée.

— S'il n'y avait que cela.

— Vous portez son prénom, c'est cela ? Jacques Horace ?

— Ici vous faites erreur. Camille ne s'appelait pas Horace.

— Je ne parle pas de lui. Mais de l'enfant laissé orphelin. *Horace* Camille.

De nouveau le rire léger, cette fois embarrassé.

— Qu'ai-je à vous apprendre, commandant ?

— Et malgré ce poids, ce nom – Horace Mallemort –, pas de hantise, pas de phobie, pas de vengeance ?

— Je me suis expliqué. Et vous, commandant, la famille ?

— La moitié est morte de silicose dans les mines du Nord.

— De quoi vouloir assassiner tous les rois du charbon ?

— Pas nécessairement. Un déjeuner ?

Adamsberg se leva.

— Cela va se terminer au vin blanc, dit-il en soupirant. On se retrouve dans quinze minutes en bas. Le bleu criant du ciel nous fera du bien.

— Il suffit d'un éternuement pour que tout change, rappela Retancourt.

XXXVI

Le modeste avion, à moitié vide, tournait autour de la piste de la petite île de Grimsey. Adamsberg scrutait cette terre minuscule, ses falaises noires, ses plaques de neige, l'étendue jaune de l'herbe couchée qui n'avait pas encore repoussé après la fonte. De petites maisons blanches et rouges serrées le long du port, et une seule route.

— Pourquoi on ne se pose pas ? demanda Veyrenc.

— À cause des oiseaux, des milliers d'oiseaux, expliqua Almar. Il faut tourner un bout de temps pour les disperser. Sinon, on y va au tracteur. Là-bas, dit Almar en pointant son doigt sur le hublot, c'est le village de Sandvík, le long du port : une petite quinzaine de maisons, dont notre auberge.

Une fois les pieds posés sur le tarmac noir, Adamsberg regarda les nuées d'oiseaux se reconstituer.

— Cent habitants, un million d'oiseaux sur l'île, dit Almar. Plutôt marrant quand même. Ne vous avisez pas de marcher sur les œufs, l'attaque des mouettes est féroce.

Ils laissèrent leurs bagages à la maison d'hôtes, jaune et rouge à fenêtres blanches, propre comme un jouet d'enfant. C'était là, sûrement, qu'avait logé le groupe de Victor et d'Henri Masfauré. La salle sentait le pain de seigle au four et la morue fumée.

— La patronne s'appelle Eggrún, dit Almar, j'ai pris mes informations hier. Son mari, Gunnlaugur, travaille au port, comme les trois quarts des hommes ici. On va commencer par lui, ça vous donnera une bonne idée de ce qui vous attend.

Adamsberg nota les noms comme il le pouvait sur son carnet en suivant Almar vers le port. Le traducteur parlementa un moment avec Gunnlaugur, qui hissait sa pêche hors de son bateau. De là, dans la droite ligne de la jetée de pierres grises, on apercevait parfaitement les oreilles de renard de l'île tiède. Elles étaient encore blanches de neige mais la côte était noire. À trois kilomètres, tout au plus. Retancourt fixait l'îlot sans bouger.

— Les Français en ont assez de la vie ? traduisit Almar.

Puis, à toutes les questions d'Almar, Gunnlaugur répondait en secouant la tête, leur jetant pour finir un regard de pitié et de mépris. Tous les autres pêcheurs à quai, jeunes ou vieux, eurent à peu près la même réaction, hautaine et négative, jusqu'à Brestir, l'un des plus jeunes, moins inquiet, plus loquace.

— Louer mon bateau ? Ils ont combien de couronnes, tes imbéciles ?

— Ils t'en proposent deux cents.

— Deux cent cinquante. Plus cinq cents d'acompte, car mon bateau, je ne suis pas sûr de le revoir.

— Il n'a pas tort, dit Almar. Moi aussi, je veux être payé avant.

— Ce soir à l'auberge, dit Adamsberg.

— Non, maintenant.

— Je n'ai pas ça sur moi.

— Alors c'est pas marrant mais tout s'arrête là, dit Almar en croisant ses petits bras.

Adamsberg écrivit quelques mots sur son carnet, puis déchira la feuille et la tendit au traducteur.

— Le nom, le téléphone et l'adresse de mon plus ancien adjoint, avec ma signature, dit-il. Il te paiera, il n'aimerait pas que j'aie quitté cette terre dans le déshonneur.

Puis Adamsberg ouvrit son anorak et en tira deux cent cinquante couronnes.

— Dis-lui que je lui donne les cinq cents de caution quand on monte à bord.

— Le plein sera fait à 14 heures, dit Brestir en prenant les billets. J'attendrai là. Mais avant, qu'ils aillent parler avec Rögnvar. Qu'il ne soit pas dit que je suis un mauvais chrétien et que j'ai laissé partir des ignorants à la mort.

— Où est-il ?

— À la jetée. Il aide à vider les morues. Faut bien qu'il fasse quelque chose.

— On va où ? demanda Veyrenc en faisant demi-tour. Voir un curé pour l'extrême-onction ?

— Les Islandais sont protestants, dit Almar. Non, Rögnvar est un gars qui semble s'être aventuré sur l'îlot.

Un pêcheur avec qui ils avaient parlementé – si l'on peut dire – appela Almar d'un geste. Une courte conversation et le traducteur revint vers eux.

— Qu'est-ce qu'il a dit ? demanda Veyrenc.

— C'est obligé de tout traduire ?

— C'est votre boulot, Almar, rappela Adamsberg.

— Très bien. Il m'a demandé si, là-bas, dans les pays mous, il y avait beaucoup de types aux cheveux bicolores. J'ai dit que c'était le premier que je voyais.

— Les pays mous ? dit Retancourt.

— L'Europe de l'Ouest. Où les hommes vivent sans lutter contre les éléments. Là où les hommes bavardent.

— Ils ne parlent jamais plus que ça ?

— À des étrangers, non. On dit que les Islandais sont aussi sévères que leur climat, mais aussi complaisants que leur herbe est verte.

— Vous nous accompagnez à l'îlot ? lui demanda Retancourt.

— Jamais de la vie.

— Vous n'êtes qu'à moitié islandais. Vous devriez être protégé contre les superstitions.

Almar éclata de rire.

— Ma mère est bretonne, dit-il, ça n'a fait qu'empirer les choses. Voici Rögnvar. Le vieux qui est assis sur le fauteuil, celui qui n'a plus qu'une jambe. Rögnvar, nous venons de la part de Brestir. Les étrangers vont sur l'île du Renard. Brestir te prie de leur parler avant leur départ.

Rögnvar détailla d'abord longuement les visages des trois nouveaux venus.

— Français ? demanda-t-il.

— Oui, pourquoi ?

— C'est des Français qui sont morts là-bas.

— Justement, ils font une enquête, ils ont des ordres.

— Y a pas besoin d'enquête. Combien de fois on leur a expliqué, à leur retour ? Des morts-vivants, on aurait cru.

Rögnvar déposa sur ses genoux la morue sanglante qu'il était en train d'étriper et prit une inspiration. Adamsberg lui proposa une cigarette qu'il accepta avec empressement.

— Ils disent, ronchonna-t-il, que dans dix ans, il n'y aura plus que les volcans qu'auront le droit de fumer sur cette île. Ils veulent l'interdire. Déjà que pour boire ici, faut faire des pieds et des mains. Enfin des pieds, pour moi, c'est manière de parler. Comme si les hommes ne s'étaient pas toujours intoxiqués pour pouvoir vivre. Moi, quand ils auront tout interdit ici, c'est bien simple, je m'en vais. En France, ajouta-t-il avec un clin d'œil, où je pourrai bavarder l'hiver à la terrasse d'un bistrot. De toute façon, pour aller sur l'île, vaut mieux fumer. La créature aime pas l'odeur des hommes.

— Raconte-leur, Rögnvar.

— Oh c'est vite dit. C'était il y a trente-sept ans, j'étais jeune et je voulais une fille. Et pour m'éprouver, elle a dit qu'elle m'épouserait si j'allais sur l'île du Renard et que je lui rapportais un morceau de la stèle chaude. Moi, je m'en foutais de toutes leurs histoires, vous pensez bien, et ni une ni deux je m'embarque sur le canot de mon père. Je peux vous dire qu'y a rien là-bas, même pas un oiseau qui se pose. Rien, pas une mousse, pas une mouette, ça fait drôle. C'était calme. Mais calme comment ? On croit entendre souffler, mais y a pas de vent. On croit entendre ramper, mais y a pas de bête. Un calme qu'est pas agréable. L'îlot, il est grand comme un mouchoir de poche. Il y a le devant, et il y a le derrière.

Une plate-forme lisse entre les deux oreilles, où un gars travaillait le hareng dans le temps, et c'est tout. Il s'était installé là pour pas qu'on lui vole ses poissons. Il a mal fini, c'est tout ce que je sais. Et la fille aussi d'ailleurs, celle qui m'avait lancé le défi. Dans l'année, elle a glissé sur des œufs de macareux et elle est tombée de la falaise.

— C'est tout, l'histoire ?

— C'est quoi ton nom ?

— Almar.

— Alors Almar, laisse-moi fumer, je finis quand je veux.

Rögnvar tira plusieurs bouffées de suite, fermant les yeux.

— La stèle, on pouvait pas en tirer un morceau. Alors j'ai choisi une petite roche plate à côté, elle allait pas venir vérifier, hein ? Et je m'en suis retourné au canot. Au moment où je lançais le moteur, j'ai eu une douleur effroyable dans la jambe gauche. Comme si on avait mis le feu à mes os. J'ai hurlé, je me suis accroché au canot et j'ai roulé dedans en portant ma jambe, et le calme, il était moins calme. Ça grognait ça haletait, et même, ça puait. Ça puait le pourri, ça puait la mort. Je serrais ma jambe d'une main, et de l'autre je tenais la barre, je rentrais aussi vite que possible, j'ai manqué percuter la jetée du port. Dalvin et Tryggvi sont arrivés au pas de course et ça a pas traîné. Ils m'ont emmené à fond de train à l'hôpital d'Akureyri et là, ni une ni deux, ils m'ont coupé la jambe. Je me suis réveillé comme ça. Y avait pas une blessure, rien. C'était juste la jambe qui s'était mise à pourrir d'un coup, sans raison, bleue et verte. Y a même eu un article dans le journal. Une heure de plus, et j'y passais. C'était l'afturganga, il avait essayé de me tuer.

— Qu'est-ce que l'afturganga ? demanda Adamsberg.

— Le mort-vivant, le démon qui possède l'île. Maintenant, t'as ton histoire, Almar.

— C'est pas pour moi, c'est pour eux.

— J'ai compris ça, dit Rögnvar en jetant un regard net et bleu à Adamsberg, qui lui tendit une autre cigarette et s'en alluma une.

— Comment tu t'appelles, toi ? demanda Rögnvar.

— Adamsberg.

— Ça pourrait presque être un nom d'ici. Et c'est toi qui veux y aller, sur l'îlot, hein ?

— C'est vrai.

— Mais elle, non, dit Rögnvar en désignant Retancourt.

— Non.

— Alors pourquoi elle vient ?

— Les ordres, dit Adamsberg en écartant les bras en un geste d'impuissance.

— Les ordres, tu parles. Et lui, dit-il en montrant Veyrenc, il vient parce que c'est ton ami.

— C'est vrai.

— Mais elle, même furieuse comme une orque, elle peut servir. Parce qu'on dit que seule une force hors du commun peut vaincre un afturganga. Ou une grosse force spirituelle. Mais je ne sens pas de grosse force spirituelle ici.

Adamsberg sourit.

— C'est pas vrai que t'as des ordres, hein ? reprit Rögnvar.

— Tu as raison.

— C'est toi qui voulais venir ?

— Oui.

— Enfin, tu croyais que c'était toi qui voulais venir. Mais c'était lui.

— L'afturganga ?

— Oui. Il t'a appelé de loin.

— Pourquoi ?

— Possible qu'il ait quelque chose à te dire. Que veux-tu que j'en sache, Berg ? Mais y a une chose de sûre, c'est que quand un afturganga te convoque, t'as drôlement intérêt à obéir. Bonne chance, Berg, je sais pas si je te reverrai.

— Dans ce cas, je te laisse mes cigarettes, dit Adamsberg en lui posant son paquet sur les genoux, près de la morue.

Après le récit de Rögnvar, il régnait un certain flottement dans le petit groupe, que les pêcheurs suivaient des yeux comme pour un adieu. Phrases inachevées, questions sans réponses, conversation en bout de course, et cela dura jusqu'à l'heure du déjeuner.

— Mangez solidement, dit enfin Adamsberg.

— Tu n'es pas sûr de ton coup ? demanda Veyrenc en souriant.

— Bien sûr que si, puisque c'est l'afturganga qui me convoque en personne. C'est un honneur. Cela me conforte, même.

— Sûr qu'il va en fumer une avec vous, commissaire, dit Retancourt, avec ses écailles grises et sa tête de mort, et va vous raconter aimablement toute l'histoire du groupe. Comment il a mangé le légionnaire, comment il a mangé Mme Masfauré, comment il allait tous les manger si la brume ne s'était pas dissipée.

— Preuve, Retancourt, qu'il ne commande pas à la brume plus de quinze jours.

— C'est déjà suffisant.

— Danglard me signale que Lebrun est passé ce midi à la brigade, dit Adamsberg en consultant son portable. Il voulait me voir. Expressément.

— Et alors ? demanda Veyrenc.

— Rien. On lui a dit que j'étais en voyage pour raisons de famille. Il n'a voulu parler à personne d'autre.

— Danglard demande de nos nouvelles ?

— Aucune. Il ne veut rien savoir de nous. Il est où, ce cercle polaire ?

Almar éclata de rire et secoua ses bras.

— Au milieu d'un lit conjugal, dit-il.

— Qui ?

— Le cercle polaire. Ce qui se raconte, c'est qu'un pasteur découvrit un jour que le cercle passait au milieu de sa maison et pire, au milieu de son lit. Ce qui refroidit les relations amoureuses, l'homme n'osant plus franchir la ligne inconsidérément. Marrant, vous voyez.

— Mais il est où ? Elle existe toujours, cette maison ?

— Jean-Baptiste, dit Veyrenc, le cercle polaire se déplace tous les ans.

— Soit. Et il est où ?

— Il paraît qu'il y a un piquet pour l'indiquer. Vous voulez vraiment poser les pieds dessus ?

— Si on revient, pourquoi pas ?

XXXVII

Brestir était au poste, et Adamsberg lui tendit les cinq cents couronnes promises. Cette fois, il n'y avait plus dans son regard bleu l'indifférence ironique du matin, mais ce respect dû aux crétins téméraires que l'on ne reverra plus.

— Ici, dit Brestir, le démarreur, ici, la manette de vitesse. Vous serez vent debout, ça souffle plein ouest.

Et sous ce vent qui forcissait, la température affichée était de – 5 degrés, mais le froid ressenti atteignait bien quelque – 12 degrés. Les trois flics étaient engoncés dans leurs vêtements, Adamsberg moins que les autres, qui avait enfilé sous son anorak son vieux gilet de laine de mouton des Pyrénées, feutré par tant de lavages qu'il s'était durci comme une carapace. Il examina le ciel, au plus loin, d'un bleu limpide qui faisait fermer les yeux.

— En mer, ne barrez pas droit devant vous, ordonna Brestir. Les vagues frontales choqueront trop le bateau, vous risquez un sale coup et surtout, ça arrange pas le moteur. Tirez des bords. Qui pilote ?

— Moi, dit Veyrenc.

— Ça ira, dit Brestir, après avoir examiné la silhouette compacte et le visage dense du lieutenant. Équilibrez bien la charge, placez la femme au milieu, conseilla-t-il sans embarras. Qu'elle ne se penche ni d'un côté, ni de l'autre.

Almar traduisit avec gêne, Veyrenc lança le moteur et quitta le petit port en virant vers le sud. Les pêcheurs avaient cessé pour un instant leurs activités, petit groupe d'hommes observant leur départ avec fatalisme. Seul Rögnvar leva un bras pour les saluer.

— Tu l'as bien en main ? cria Adamsberg depuis la proue, pour se faire entendre de Veyrenc dans le sifflement du vent glacé.

— Bon bateau, cria Veyrenc à son tour, stable et souple.

— Vire au nord.

De bord en bord, le bateau zigzaguait en se rapprochant de l'île aux oreilles blanches.

— Tu es certain que tu ne sais pas piéger un phoque ? demanda Adamsberg en criant toujours, serrant sa capuche sur ses oreilles pour les protéger du vent qui les paralysait.

— Jamais fait, dit Veyrenc en souriant, aussi tranquille que s'il conduisait sa voiture vers la brigade.

Il y avait en Louis Veyrenc quelque chose d'immuable, et Adamsberg l'éprouva plus vivement en cet instant. Les réunions de bureau sont peu propices à ressentir l'immuable.

— Vire au sud.

— C'est le moment de s'intéresser à la chasse au phoque ? demanda Retancourt.

— Le moment ou jamais, lieutenant. Vire au nord, accoste en douceur. Ce n'est pas du sable, c'est des galets noirs.

— Je n'ai pas l'intention d'éventrer le bateau, dit Veyrenc en approchant délicatement de la petite plage en ligne parallèle.

Le canot fut halé sur la grève rocheuse, Retancourt en ayant à elle seule soulevé l'avant. Adamsberg demanda une cigarette à Veyrenc – ayant laissé les siennes en dépôt funèbre à Rögnvar –, ôta ses gants et s'abrita derrière la coque pour l'allumer, difficilement.

— Foutaises, dit Retancourt, dont seuls le nez fin et les yeux clairs émergeaient de sa capuche jaune vif.

— Faut obéir à Rögnvar, dit Adamsberg.

— De toute façon, la créature t'attend, observa Veyrenc, que tu fumes ou non.

— Ce n'est pas une raison pour l'indisposer avec notre odeur. Fume, Louis. Question de courtoisie, dirait Danglard. Je fais donc les premiers pas sur la plage. Je pense que le lieu de rendez-vous est à la pierre tiède.

Adamsberg tendit le bras vers la plate-forme où se dressaient encore les restes des baraquements de bois.

— Elle ne peut être que là, dit-il, sur la hauteur. De l'autre côté, c'est la falaise à pic.

À mesure qu'ils traversaient l'assez longue plage, vent debout, les galets faisaient place à de la roche plate, qui s'élevait ensuite sur une pente de quelque vingt-cinq mètres jusqu'aux baraquements. La neige et la glace persistantes par plaques rendaient l'ascension difficile. Retancourt seule atteignit la plate-forme sans avoir accéléré son rythme cardiaque.

— Vrai, dit Adamsberg en soufflant, qu'ils ont arraché les trois quarts du vieux bâtiment pour le brûler. On cherche la stèle. On ne se sépare pas.

— On se sépare, dit Retancourt. Inutile de gâcher du temps. Ça ne fait pas plus de cent mètres de long sur quarante de large. On sera toujours en vue.

— Comme vous voudrez, lieutenant.

Quelques minutes plus tard, Veyrenc, planté près de l'oreille gauche du renard, leur fit un signe du bras. La stèle, à vrai dire partie de la roche, n'était guère plus grande qu'un lit d'enfant, mais lissée, patinée par l'usure des doigts, et couverte d'inscriptions gravées.

— C'est moi l'invité, c'est moi qui commence, dit Adamsberg en s'agenouillant, ôtant son gant et posant sa paume sur la surface noire et un peu brillante. C'est tiède, constata-t-il.

— On a bien fait de venir, dit Retancourt. On le savait déjà.

— C'est écrit en quoi ? À ton avis, Louis ?

— En vieux norrois. Ce sont des runes. Tu veux que je les recopie pour Danglard ?

— Pourquoi pas ? dit Adamsberg. Cela ferait un aimable cadeau de retour. Une respectueuse offrande.

— Pas question, coupa Retancourt, qui scrutait l'horizon vers l'ouest. On ne perd pas de temps, insista-t-elle.

— Très bien, dit Adamsberg conciliant, en se redressant. On cherche où ils ont installé leur bivouac. C'est ce que je veux voir.

— Là, dit Veyrenc en désignant la partie rocheuse de la plage en contrebas. Dans cette enclave, où la base des deux oreilles les abritait un peu du vent. Juste avant le début de la pente. C'est là que je me serais blotti.

— Très bien, dit Adamsberg. On redescend, sur le ventre, si on ne veut pas dévaler tout le raidillon. Il n'est même pas venu, ajouta-t-il d'un ton un peu déçu.

— Ne vous en faites pas, dit Retancourt, il viendra.

Les pieds dérapaient sur les roches qui s'éboulaient parfois sous leur poids, les mains glissant sur les plaques de glace transparentes.

— Quel crétin a dit, demanda Veyrenc en touchant enfin le sol de la plage, que descendre était plus facile que monter ?

— Danglard, répondit Adamsberg. Mais à propos du vin. On cherche l'emplacement de leur feu. Quatorze jours de brasier continu, ça a dû laisser des traces. On avance en ligne, comme pour une battue.

Les deux hommes marchaient lentement en scrutant la surface de la roche, tandis que Retancourt, faisant preuve de la plus parfaite mauvaise volonté, regardait de droite et de gauche sans y croire.

— Et quand on aura trouvé ce feu ? finit-elle par dire. On saura qu'ils ont fait du feu. Ce qu'on savait déjà.

— Ces trous, dit Adamsberg en s'arrêtant, c'est quoi ? Ici, là, là, et encore là, dit-il en marchant plus vite.

De petits orifices de la largeur d'un terrier de rat, réguliers, espacés les uns des autres de quelque cinquante centimètres.

— Ce sont des trous de piquet, diagnostiqua Retancourt. Regardez, ils forment deux lignes parallèles.

— Et donc, lieutenant ?

— Je pense que le gars qui ne voulait pas qu'on lui vole son poisson a installé son fumoir à harengs ici. Parce

que faire du feu là-haut, dit-elle en désignant les baraquements sur la hauteur, ça n'a pas de sens. On ne fume pas
des poissons dans un bâtiment de bois, à moins de foutre
le feu à toute l'installation. Il s'est mis là, à l'abri du vent.
Il a construit une structure légère où suspendre les
bestioles.

Retancourt s'interrompit pour suivre à grands pas la
ligne des orifices.

— Vingt-huit trous de piquet, dit-elle. Un petit bâtiment de quatre mètres sur deux, environ. Nous sommes
bien avancés. On a découvert les vestiges d'un fumoir
à poissons.

— Comment a-t-il percé ses trous dans une roche
pareille ?

— Comme tout le monde, dit Retancourt en haussant
les épaules. Il a amorcé à la barre à mine et glissé une
petite baguette de dynamite.

— Ah bien, dit Veyrenc. Alors c'est là que le groupe
s'est installé. Si le pêcheur avait estimé cet emplacement
optimal, les autres aussi. Instinct animal.

— Et il n'y a pas de traces de feu, dit Retancourt. Pas
de plaques de roche plus rouges ou noires. En dix ans,
la glace a tout rongé. Fin du voyage.

Retancourt avait raison, et Adamsberg, bras croisés,
observait le sol en silence. Une surface décapée, muette,
où le gel et le vent du cercle arctique avaient effacé tout
vestige à la manière d'une brosse en fer.

— Dans les trous, dit Adamsberg. Dans le fond des
trous.

Il déposa son sac à dos et en ôta rapidement couverture, conserves, outils, bonbonne de gaz, boussole, jusqu'à ce qu'il trouve une cuillère et des sachets plastiques.

Sans s'apercevoir que Retancourt avait tourné son visage vers l'ouest, narines ouvertes, respirant profondément.

— Sors ta cuillère, Louis, aide-moi. Creuse et prélève tout ce que tu trouves, mets ça séparément dans les sachets. L'érosion ne peut pas avoir atteint le fond des trous. Et au fond, ce n'est pas gelé.

— Qu'est-ce qu'on cherche ? demanda Veyrenc en sortant sa propre cantine de son sac.

— De la graisse de phoque. Creuse.

Les trous de piquet ne faisaient pas plus de dix centimètres de profondeur, et les deux hommes en atteignirent le fond facilement. Adamsberg examina le contenu de la première cuillère. Une mélasse charbonneuse, piquetée de grains de roche noire ou rougie.

— Si ce n'est pas noir comme de la suie, dit Adamsberg, laisse tomber. C'est que leur foyer n'était pas là.

— Compris.

— Ils étaient douze, et ils n'ont sûrement pas fait un petit feu de veuve. On peut estimer que leur brasier s'étendait sur un mètre cinquante de long. Cherche sur ce trou, moi sur celui-ci.

— Fini, dit Veyrenc en se relevant, pas de charbon dans les autres creux. Leur foyer s'arrêtait ici.

— Et là, dit Adamsberg en fermant son dernier sachet. Louis...

— Oui ?

— C'est quoi, cela ? dit-il en lui tendant un petit caillou blanc.

— Retancourt n'est plus là, dit Veyrenc en se redressant. Pardon d'offenser ta déesse, mais son humeur commence à m'emmerder.

— Moi aussi, dit Adamsberg en jetant un regard néanmoins inquiet autour de lui.

— Là-haut, dit Veyrenc en désignant la plate-forme. Elle est remontée là-haut, merde. Mais qu'est-ce qu'elle fout ?

— Elle nous fuit. C'est quoi, cela ? répéta Adamsberg en tendant vers Louis le caillou blanc. Fais attention, ôte ton gant.

Adamsberg cracha plusieurs fois sur le caillou et l'essuya avec le bas de son pull avant de le déposer dans le creux de la main de Veyrenc.

Puis il s'assit et attendit en silence.

— Ce n'est pas un caillou, dit Veyrenc.

— Non. Teste avec tes dents. L'avale pas.

Veyrenc coinça l'objet entre ses deux canines et serra à plusieurs reprises.

— Solide et poreux, dit-il.

— C'est de l'os, dit Adamsberg.

Le commissaire se redressa sans un mot, replaça le petit fragment, gros comme une bille, dans le sachet, l'examinant par transparence.

— Ce n'est pas du phoque, dit-il. C'est trop petit.

Le vent leur apportait les bribes de la voix de Retancourt, qui tonitruait loin d'eux. Elle dévalait à présent la pente à une vitesse prodigieuse, sur le dos, pieds en avant, bras écartés accrochés aux aspérités, jouant parfois de la glace pour se laisser couler plus vite. Adamsberg continuait de rouler le petit os sous ses doigts à travers le plastique, tandis que Veyrenc assistait avec intérêt à la descente étonnante du lieutenant.

— Tout en jaune, comme cela, on dirait un tracteur chasse-neige.

— Tu sais bien que Retancourt convertit son énergie en ce qu'elle veut, selon ce qu'exigent les circonstances, expliqua Adamsberg. Si elle a besoin d'être un tracteur chasse-neige, elle le devient, c'est tout simple.

— Tu crois qu'elle s'est assise sur la pierre tiède ? Ou qu'elle a vu l'afturganga ?

— C'est possible. Louis, ce n'est pas un os de phoque, répéta Adamsberg.

— Alors c'est de l'oiseau. Une sterne qui a crevé là.

— C'est trop gros pour une sterne.

— Alors un macareux.

Retancourt courait à présent vers eux. Adamsberg fourra les six sachets dans les poches intérieures de son anorak, juste à temps avant que Retancourt ne les saisisse chacun par un bras, sans cesser sa course.

— On file au bateau ! cria-t-elle en les tirant derrière elle.

— Merde ! protesta Veyrenc en se dégageant vivement, puis s'agenouillant pour enfourner ses affaires éparpillées dans son sac à dos.

Retancourt attrapa l'inaltérable Veyrenc par le col et le secoua violemment.

— On s'en fout de votre sac, lieutenant ! Et du vôtre aussi, commissaire. Je vous dis de courir, on court !

D'une certaine manière, les deux hommes n'eurent pas le choix, Retancourt s'étant placée derrière eux et les poussant dans le dos de toute sa puissance.

— Plus vite, nom de dieu ! Vous ne savez pas courir ?

Adamsberg prit conscience que, sous ce ciel toujours aussi bleu, l'air avait changé de consistance, apportant une odeur d'humidité. Il tourna la tête pour apercevoir, montant sur la plate-forme, une nappe blanche aussi menaçante qu'une coulée de lave, qui effaçait déjà les contours des baraquements.

— La brume, Veyrenc ! Cours !

Ils avaient à présent atteint la lisière des galets, tandis que l'ancien espace du fumoir à harengs, où gisaient leurs sacs à dos, était déjà à moitié pris. Dans sa course, Veyrenc se tordit la cheville entre les galets instables et chuta. Retancourt le releva et, passant son bras sous son épaule, reprit le trot en halant le lieutenant.

— Non, commissaire ! Pas besoin d'aide, je me charge de lui ! Foncez au bateau, lancez le moteur, nom d'un chien !

Plus trace, déjà, du fumoir aux harengs, ni de la lisière de galets. Non, la brume ne se déplaçait pas comme un cheval au galop, elle leur fonçait dessus comme un train, comme un monstre, comme un afturganga.

Adamsberg ne pouvait pas « lancer le moteur ». À lui seul, il ne pouvait pas arracher le canot hors de la grève pour le mettre à l'eau. Il jeta un regard vers le port encore clair de Grimsey. Là-bas, bien qu'il fît encore grand jour, ils avaient allumé le phare. Pour les guider. Mais dans la clarté du ciel, c'est à peine si l'on distinguait la faible lueur jaune qui clignotait. Adamsberg voyait encore à dix mètres derrière lui. Retancourt lâcha Veyrenc au sol pour l'aider à mettre le bateau à flot. Adamsberg y sauta, lança le moteur, attrapa le lieutenant que Retancourt, pieds dans l'eau, avait soulevé par la taille.

— Mets les gaz ! dit Veyrenc en tenant sa cheville à deux mains. Il nous prend !

Adamsberg mit cap sur le port et poussa le moteur. Vent arrière, pas besoin de tirer des bords, il fonçait droit vers la jetée, distançant la brume d'une quinzaine de mètres, puis de dix, puis de sept. Elle était à trois mètres de leur poupe quand ils heurtèrent un peu brutalement l'embarcadère du port, où des bras les aidèrent à prendre pied sur la terre ferme.

Brestir amarra son bateau puis, avec Gunnlaugur, les guida jusqu'à l'auberge. Derrière, Rögnvar suivait avec ses béquilles.

XXXVIII

Dans la salle de l'auberge, Gunnlaugur les installa d'office près du plus gros radiateur tandis que sa femme Eggrún disposait de petits verres devant chacun. Almar les y attendait en tournant en rond comme un taureau prisonnier, et fit connaître toute son émotion en agitant ses bras en tous sens.

La table était longue, bordée de deux bancs, et les Islandais s'étaient regroupés sans un mot autour du groupe des étrangers. Veyrenc avait demandé un tabouret pour y allonger son pied, devenu bleu, comme la jambe de Rögnvar. Eggrún emplit les petits verres et Adamsberg y trempa un doigt, qu'il goûta.

— Du brennívin ? dit-il.

— C'est obligé, dit Eggrún. Comme on dit, mieux vaut la mort noire que la mort blanche. Des fois.

— On ne serait peut-être pas morts, dit Adamsberg en faisant le tour de ces regards bleus qui les examinaient comme d'improbables rescapés. La brume aurait pu durer dix minutes.

— Dix minutes ou un mois, dit Gunnlaugur.

— Elle va durer deux semaines, diagnostiqua Brestir. Le vent vient de tomber d'un coup.

Brume qui cernait à présent toutes les fenêtres de l'auberge. Elle allait stagner sur Grimsey plus longtemps encore, durant près de trois semaines. Adamsberg hocha la tête et avala son verre de brennívin, qui lui fit monter les larmes aux yeux.

— C'est bien, apprécia Eggrún. Faut boire ça, ordonna-t-elle à Veyrenc et Retancourt, qui s'exécutèrent.

Le silence revint, et Adamsberg comprit que tous attendaient leur récit. Cela leur était dû. Un étranger n'avait nul droit d'emporter un secret venu de l'île du Renard.

— Tu l'as vu ? demanda Rögnvar.

En tant qu'estropié par l'afturganga, chacun considérait comme légitime que Rögnvar ouvrît la conversation.

— Vu, non, dit Adamsberg. J'ai été le saluer sur la pierre tiède, mais sans m'asseoir dessus, exposa-t-il prudemment.

— Salué comment ?

— J'ai posé ma main sur elle. Comme cela, dit-il en appliquant sa paume sur la table en bois.

Ce qui lui rappela brusquement les photographies des paumes des mains qui se pratiquaient à l'assemblée Robespierre.

— Ça va, apprécia Rögnvar. Et il a fait quoi ?

— Une offrande.

— Montre, ordonna Rögnvar.

Adamsberg alla chercher les sachets dans son anorak, espérant que les îliens n'allaient pas les conserver comme butin national. Après tout, c'était à lui que l'afturganga les avait donnés. Et il les avait payés cher. Il les déposa sur la table avec réticence.

— Ouvre, dit Rögnvar.

— Ce n'est pas très propre.

— L'afturganga n'offre pas des diamants. Ouvre.

Adamsberg déposa sur la table le contenu des six sachets, en six petits dépôts séparés. Entre-temps, Retancourt s'était endormie d'un coup, assise, sans vaciller sur le banc. Almar la regardait, stupéfait.

— Elle est capable de dormir debout aussi, contre un arbre, sans tomber, expliqua Adamsberg. Elle en a besoin.

— Bien sûr, dit Rögnvar. C'est elle, hein ?

— Elle quoi ?

— Qui vous a tiré de la mort ?

— Oui, dit Veyrenc.

— C'est à cause de sa force, dit Rögnvar, je te l'avais dit. Elle a pu tenir la brume de l'afturganga à distance avant qu'elle ne vous mange.

— Ça ne la gêne pas pour dormir, quand on parle ? demanda Eggrún, un peu soucieuse.

— Pas du tout, répondit Rögnvar à la place d'Adamsberg, qui triait doucement du bout du doigt ses six petits tas de terre noire.

Il n'y avait pas que le sachet numéro 1 qui renfermait un petit caillou blanc. Mais le 3 et le 6 également. En tout, cinq cailloux blancs. « Le petit Poucet », aurait dit Mordent.

— Et c'est quoi ? demanda Brestir.

— Les restes du campement des douze Français, il y a dix ans, dit Adamsberg.

— Non, dit Gunnlaugur. Rien ne reste, sur cette terre.

— C'était au fond des trous, expliqua Veyrenc. Des trous de piquet qui avaient servi à construire le fumoir à harengs. Ça s'est coincé là-dedans.

— L'afturganga a ses cachettes, dit Rögnvar.

Et Adamsberg n'osa pas dire qu'à son avis, les douze Français ayant campé là, ils avaient mangé là et que, tout simplement, des restes de leurs repas avaient échoué dans les trous. Comme des balles de golf.

— Et c'est ce que tu cherchais ? demanda Rögnvar.

— C'est beaucoup plus, je crois.

— Alors je comprends pas.

— Je peux les laver ? demanda Almar, sourcils froncés. Les petits bouts blancs ?

— D'accord, dit Adamsberg. Mais doucement.

— Qu'est-ce que tu ne comprends pas ? demanda Veyrenc.

Rögnvar avait du respect pour cet homme aux mèches de feu, venues d'un autre monde.

— Pourquoi l'afturganga a voulu vous tuer, dit-il en secouant la tête, grattant ses cheveux. Tu as dû faire une bêtise, Berg.

— J'ai curé le fond des trous à la petite cuillère, et Veyrenc aussi, dit Adamsberg en écartant les mains en signe d'ignorance. On a mis ça proprement dans des petits sachets. Avant, j'ai craché sur le petit morceau blanc, pour le nettoyer un peu.

— Et quoi d'autre ? demanda Rögnvar, insatisfait.

— Je l'ai examiné, je l'ai montré à Veyrenc, je l'ai repris, je l'ai regardé. Et pendant ce temps-là, elle, dit-il en montrant Retancourt – toujours endormie à la manière d'un pilier d'église – elle courait vers nous.

— Ah c'est cela, dit Rögnvar, tu t'es *attardé*.

— C'est cela, confirma Gunnlaugur.

— L'afturganga t'appelle de très loin, reprit Rögnvar, il t'offre tout cela, et toi, qu'est-ce que tu fais ? Tu t'attardes.

— Et alors ?

— Alors tu t'installes. Il te reçoit, et toi, tu en prends aussitôt à tes aises, tu te crois chez toi. En terrain conquis. Alors forcément.

— Forcément, appuya Gunnlaugur.

— Il te détruit. Il appelle sa nuée blanche et il t'avale.

— Manque de courtoisie ? demanda Adamsberg.

— On peut le dire comme ça, dit Brestir. Une offense. Nul n'habite la terre d'un afturganga plus longtemps qu'il ne le désire.

Almar avait fini de laver les morceaux blancs et les avait soigneusement reposés près de leurs petits tas de terre respectifs. Il fit signe à Adamsberg de le rejoindre au bar. Un signe sobre cette fois, sans excès de gestes.

— Qu'est-ce que tu veux ? demanda Adamsberg.

— Une bière.

— Je te l'offre.

— Prends-en une aussi.

— J'ai assez avec ce brennívin. Il me brûle encore les mâchoires.

— Tu ferais mieux d'en prendre une. Ou un café, alors. Prends un café. Bien sucré.

— Très bien, céda Adamsberg en laissant Almar passer commande à Eggrún, comprenant qu'ici, et en ces circonstances particulières, mieux valait ne pas s'opposer. Pas plus finalement, se rappela-t-il, que dans le café normand du village d'Haroncourt.

— Tu crois que c'est quoi, tes cailloux blancs ?

— Des os de macareux.

Almar avala la moitié de sa bière en commandant d'un doigt au commissaire de faire de même avec son café. Adamsberg sentit une vague de fatigue lui écraser les épaules. À la table, Veyrenc paraissait vaciller de même, et Retancourt dormait toujours. Il reposa sa tasse vide, raclant le sucre brun avec sa cuillère.

— Ce sont les petits os qui s'articulent au bas du membre, dit Almar. J'ai étudié, dans le temps. À Rennes.

— Bien, dit Adamsberg, les yeux mi-clos.

— C'est pas du macareux, dit Almar. C'est de l'homme.

XXXIX

Adamsberg sortit de l'auberge sans pouvoir distinguer son mur de ceux des maisons voisines, tout rouges ou bleus qu'ils fussent. Il huma l'odeur d'humidité iodée que portait la brume immobile, celle qu'il avait sentie sur l'île tiède, celle surtout que Retancourt avait flairée bien avant eux, la déterminant à remonter sur la plate-forme pour observer ce que le vent leur apportait de l'ouest. Retancourt qui avait vaincu le nuage de l'afturganga. Il remonta la manche de son anorak et consulta ses montres. Il les voyait, mais il ne pouvait dire avec exactitude où étaient les aiguilles. Même avec la boussole, qui gisait là-bas près des trous de piquet, ils n'auraient pas pu maintenir un cap, encore moins distinguer les blocs de glace dérivants.

Dans la salle, Eggrún pansait d'un geste sûr la cheville de Veyrenc, après y avoir appliqué un baume très odorant, très semblable à l'onguent que Pelletier avait posé sur la patte d'Hécate. Rögnvar était penché sur la jambe

390

du blessé, préoccupé. Il appela Almar d'un geste, pour la traduction.

— T'es sûr que tu t'es tordu le pied en courant sur les galets ? demanda-t-il à Veyrenc.

— Certain. Ce n'est qu'une entorse, Rögnvar.

— Mais t'as sacrément mal, hein ?

— Oui, reconnut Veyrenc.

— Et quand t'es tombé, t'as ressenti une douleur vive ? Comme au cœur de l'os ?

— Oui, après un temps. Une déchirure du ligament sans doute.

Rögnvar reprit ses béquilles et se dirigea vers Gunnlaugur, qui disputait une partie d'échecs solitaire.

— Je sais ce que tu veux, dit Gunnlaugur.

— Oui. Appelle l'aéroport, qu'ils mettent un avion en alerte pour l'hôpital d'Akureyri. Faudra surveiller cette cheville toutes les heures. Si le violet grimpe au-dessus de la bande, on l'embarque.

— Et comment on va décoller, avec cette brume ?

— Ma main au feu qu'elle ne s'est pas étendue jusqu'à la piste. Ou pas si épaisse. Elle est seulement sur l'île du Renard et sur nous.

Gunnlaugur poussa un pion et se leva.

— Je vais téléphoner, dit-il. Touche pas aux pièces.

Dans son dos, Rögnvar examina l'échiquier. Puis il déplaça la tour noire. Il était le plus grand joueur de Grimsey, elle-même la plus grande île du jeu d'échecs.

Adamsberg aida Veyrenc à rejoindre une petite chambre qu'Eggrún lui avait préparée au rez-de-chaussée.

— Et elle ? On en fait quoi ? demanda Eggrún en désignant Retancourt.

— On ne la bouge pas, dit Adamsberg. Elle récupère cinq fois plus vite que nous.

Eggrún jeta un œil à la table d'échecs où son mari venait de découvrir le coup bas de Rögnvar.

— Le temps qu'ils fassent la revanche et la belle, estima-t-elle, pas de dîner avant 20 h 30. Dormez trois heures.

À 19 heures, Rögnvar laissa Gunnlaugur perplexe face à une manœuvre cruciale qui menaçait sa dame, pour aller examiner la cheville de Veyrenc endormi. Pour le moment, « ça » ne gagnait pas vite. Néanmoins, les doigts avaient enflé et une tache violette de la taille d'une demi-couronne dépassait du haut de la bande.

— On laisse l'aéroport en alerte, dit-il en se rasseyant, posant ses béquilles au sol.

Retancourt, éveillée depuis une demi-heure, avait demandé par gestes le droit de s'asseoir auprès d'eux pour regarder la partie. Du coin de l'œil, elle vit Eggrún s'affairer à disposer leur table, puis apporter les plats. Hareng, morue et saumon, en tranches séchées, fumées, salées, bières et même une bouteille de vin. Encore ne s'agissait-il que des entrées. Un festin qui signalait que l'assaut victorieux de l'île de l'afturganga avait rompu la glace, si l'on peut dire.

Assis sur son lit, Adamsberg ne s'était assoupi que par instants. Il attendit que la pendule de l'auberge sonne le quart de 8 heures pour descendre dans la salle et aider Gunnlaugur à porter Veyrenc jusqu'à leur table. Retancourt les rejoignit et s'assit d'un bloc sur sa chaise, les traits tout à fait reposés. Adamsberg versa le vin et leva son verre.

— À Violette, dit-il sobrement.

— À Violette, répéta Veyrenc.

— Votre chute sur la plage aurait pu nous être fatale, dit Retancourt en choquant son verre contre celui du lieutenant.

— Ce n'est pas *ma* chute, Retancourt. C'est l'afturganga qui m'a rattrapé. Rögnvar en est convaincu. Il ne me quittera pas avant de s'être assuré que la jambe ne va pas se gangrener d'un seul coup.

— Mais il a raison sur un point, dit Retancourt. C'est vrai qu'il n'y a pas âme qui vive sur ce rocher. Pas même des œufs de macareux sur la falaise. Pas même le museau d'un phoque à la surface des eaux. Je n'ai pas vu un sillage. Ils ont eu de la chance, les touristes, de haler des phoques, beaucoup de chance.

C'était le moment, pensa Adamsberg, l'esprit encore embrumé par le choc de sa découverte. Pourtant, qu'attendait-il d'autre en allant gratter les résidus à la recherche supposée d'un feu de camp et de graisse de phoque ?

— Almar m'a parlé tout à l'heure, dit-il en déposant doucement sur la table les cinq petits os, à présent rangés dans une boîte de pastilles pour la toux. C'est ce qu'il y avait dans les trous de piquet, expliqua-t-il pour Retancourt qui dormait déjà quand Almar avait lavé les ossements.

— Ce sont des os, dit Retancourt en en attrapant un.

— De macareux, dit Veyrenc. Ils ont quand même trouvé cela à manger.

— Non, Louis, ce n'est pas du macareux. C'est de l'homme.

Adamsberg se leva dans le silence pour aller chercher Almar dans sa chambre. Le petit homme venait juste de se réveiller et enfilait un gros pull bleu.

— Venez leur expliquer, Almar. Je ne me souviens plus des noms, je ne serai pas crédible.

— Ce sont des os du carpe, dit Almar en désignant son poignet, situés entre l'avant-bras et la main. Le poignet, comme on dit. On en a huit, qui s'imbriquent les uns dans les autres sur deux rangées. Vous avez du papier, commissaire ? Merci. Comme cela vous verrez mieux, dit-il en dessinant sommairement les deux os de l'avant-bras, puis les huit petits carpiens et le départ des os de la main, les « métacarpes », précisa-t-il. Sur la rangée du haut, voici le scaphoïde, le semi-lunaire, le pyramidal, et le délicat pisiforme, en forme de pois chiche écrasé.

— C'est joli, comme noms, dit Veyrenc d'une voix plate.

— Sur la rangée du bas, le trapèze, le trapézoïde, le gros capitatum et l'os crochu.

— Vous étiez médecin ? demanda Retancourt en avalant machinalement son reste de viande.

— Je suis kinésithérapeute, à Lorient. Je me fais des extras en offrant mes services d'interprète. Ce pourquoi je peux vous certifier que vous ne souffrez que d'une grosse entorse, dit-il en se tournant vers Veyrenc. Peut-être d'une déchirure ligamentaire et d'une contusion d'un métatarsien, mais il n'est pas cassé. On ne pourra en être certain que lorsque l'enflure sera un peu résorbée. Piqûre d'anticoagulant avant le voyage en avion, et botte immobilisante à Reykjavik. Je vous trouverai ça. Six semaines de repos.

Veyrenc hocha lentement la tête, le regard fixé sur les petits os que manipulait Almar.

— Ils sont vieux, ces os ? demanda Retancourt.

— Non. Ils ne proviennent pas de la main du sécheur de poissons. D'ailleurs à cette époque, il y avait des piquets dans les trous. Regardez sur celui-ci, dit-il en levant une des pièces sous la lumière, on note encore l'amorce d'une attache ligamentaire. Je dirai qu'ils ont sept ans à quinze ans.

Retancourt leva ses yeux clairs vers Adamsberg.

— Je n'ai pas entendu dire que l'un des voyageurs ait été estropié.

— Non, lieutenant.

— Ce qui n'est pas marrant, reprit Almar, c'est que ces deux-là, le pyramidal et le pisiforme, s'emboîtent l'un dans l'autre. Vous voyez ? Les facettes correspondent exactement. Et ce pyramidal à son tour s'adapte sans hiatus sur son voisin, le semi lunaire. Essayez.

Les trois os passèrent de main en main, chacun tentant de les assembler comme s'il s'agissait d'un casse-tête chinois, pendant qu'Adamsberg commandait par signes une seconde bouteille de vin. Almar buvait vite.

— Ce n'est pas facile quand on n'a pas l'habitude, dit Almar en les récupérant. Quant à ces deux-là, le trapèze et le capitatum, ils s'ajustent aussi. Mais leurs facettes supérieures ne collent pas avec notre semi-lunaire et notre pyramidal.

— Résultat ? dit Adamsberg qui le connaissait déjà, et qui remplit les verres.

— Vous avez commandé du vin ? Mais je vous ai dit que ça coûtait la peau du cul, dit Almar.

— Eggrún a offert la première bouteille, j'ai commandé la seconde. Moindre des politesses.

— Au fait, Brestir vous a rendu les cinq cents couronnes ? Son bateau est revenu sain et sauf.

— Oui, Almar. Poursuivez, je vous en prie. Les facettes qui collent, les facettes qui ne collent pas.

— C'est cela. Ce qui nous donne deux poignets différents, aucun doute là-dessus.

— Un droit, un gauche ? demanda Veyrenc.

— Non, il s'agit de deux mains droites. De deux individus. J'ajouterai, dit-il en séparant prestement les petits os en deux tas comme on mise au jeu, un homme et une femme. Le pyramidal, le pisiforme et le semi-lunaire pour la femme. Le trapèze et le capitatum pour l'homme. Si cela vient de votre groupe, je vous assure qu'il y a eu un foutu drame pas marrant du tout.

— Que s'est-il passé, nom de Dieu ? dit Veyrenc.

Almar avala deux longues gorgées de vin.

— À vous de finir, commissaire, dit Almar en levant les mains. J'en ai terminé pour ma partie. Pas envie de continuer.

Adamsberg attrapa les deux os de la main masculine et les plaça à son tour sous la lumière.

— Ici, une entaille de couteau, dit-il, et là, deux autres entailles. Les os ont été sectionnés à la jonction entre le poignet et la main. Et leurs extrémités coupées sont noires. Ce n'est pas de la crasse. Ce sont des traces de feu.

Adamsberg reposa les os sur la table, au moment même où l'un des joueurs, derrière lui, plaquait une pièce sur l'échiquier.

— Échec et mat, conclut Adamsberg sourdement. Ils ont été découpés, et mangés. Le légionnaire et Adélaïde Masfauré, ils ont été mangés.

Eggrún débarrassa la table silencieuse et déposa devant chacun d'eux une crêpe et de la confiture de rhubarbe. Almar la remercia avec animation.

— Si vous n'avalez pas ce dessert, c'est vous qui serez bouffés, dit-il. Forcez-vous.

— Question de courtoisie, marmonna Veyrenc.

— Pour un cadeau, c'est un cadeau, dit Adamsberg, en attaquant sa crêpe.

— Tu parles de l'offrande de l'afturganga ?

— Oui.

— On comprend qu'il t'ait appelé de si loin. Ce n'était pas un détail. Et cela souillait son île.

— Oui. Tu parles qu'ils avaient attrapé des phoques, tu parles, dit Adamsberg en haussant la voix. Ils les ont tués pour les *manger*. Je vais fumer dehors, ajouta-t-il en attrapant son anorak.

— Faut finir les crêpes d'abord, ordonna Almar.

— Qui sont excellentes, murmura Retancourt d'un ton uni. Almar, remerciez Eggrún pour ce dîner. Chaleureusement.

— On prévient Danglard ? demanda Veyrenc à Adamsberg.

Une étincelle rapide et rare passa dans le regard vague du commissaire.

— Non, dit-il.

Pendant qu'Adamsberg et Retancourt enfilaient à leur tour leurs anoraks, Veyrenc attrapa les béquilles en bois rustiques que lui avait données Gunnlaugur. « Mais non, ça ne manquera pas », avait-il assuré. Il en avait douze paires à l'auberge, les touristes passaient leur temps à se casser la gueule, avait traduit Almar.

— Berg, appela Gunnlaugur en levant la tête de l'échiquier, pion en main. Restez devant l'auberge. Ne vous éloignez pas de plus de trois mètres. Il y a un banc devant la seconde fenêtre. Il est rouge, tâchez de le repérer et n'en bougez pas.

Ils trouvèrent le banc, d'autant plus facilement que Gunnlaugur avait ouvert la fenêtre pour les guider dans cette brume inouïe. Adamsberg n'avait jamais vu cela. Du pur coton brut.

— Faudra remettre de la glace sur l'entorse, dit Almar qui les avait suivis avec son verre.

— On en trouvera, doc, dit Veyrenc. Ce n'est pas la neige qui manque.

— C'est beau ici, dit Adamsberg en allumant les cigarettes à la ronde. Je ne vois rien à un mètre, mais je suis certain que c'est beau.

— Atrocement beau, dit Almar.

— Je crois que je vais rester là, dit Adamsberg.

— Avec Gunnlaugur et Eggrún qui nous couvent à présent comme des canetons, je reste avec toi, dit Veyrenc. Il faudrait que je me trouve aussi un prénom islandais. Almar ?

— Lúðvíg, tout simplement.

— Parfait. Et Retancourt ?

— C'est quoi son prénom ?

— Violette, comme la petite fleur.

— Alors, Víoletta.

— C'est simple, au fond, l'islandais.

— Atrocement simple.

— Je n'ai jamais dit que je restais, dit Retancourt. Ils jouent beaucoup aux échecs ici ?

— Sport national intense, dit Almar.

— On n'a pas eu le temps de copier le texte de la stèle pour Danglard, dit Veyrenc après un silence. Cela devait raconter quelque chose comme : *étranger, toi qui foules cette terre, prends garde…*

— *… aux vices immondes des hypocrites infâmes,* poursuivit Adamsberg. On pourrait réussir à deviser comme cela toute notre vie sans en parler, finalement. Sans jamais parler de l'île tiède et des os. On ne s'en sort pas si mal. On se dirait des choses et d'autres, et puis on les répéterait, et puis on irait finir notre verre, et puis on dormirait.

— À quelle heure est l'avion demain ? demanda Veyrenc.

— Midi sur le tarmac, dit Adamsberg. Le temps qu'ils effarouchent le million d'oiseaux, on sera à 13 heures à l'aéroport de la ville d'en face.

— Akureyri, dit Almar.

— Puis départ pour Reykjavik à 14 h 10, arrivée à Paris à 22 h 55 heure locale.

Paris.

Il y eut un silence presque ombrageux.

— Et on parlerait, et on dormirait, dit Adamsberg.

XL

— Vas-y doucement avec Retancourt, dit Veyrenc après le petit-déjeuner. Je crois qu'elle ne supporte pas cette histoire des corps dévorés.

— Qui le supporte, Veyrenc ? Peut-on supporter Victor mangeant sa mère ? Le philanthrope avalant sa femme ?

— Est-ce qu'ils le savaient ? Ou ont-ils cru au phoque jusqu'au bout ? En tout cas, Violette ne l'endure pas, vraiment pas.

— Elle est sensible, dit Adamsberg sans ironie.

Retancourt revint avec une seconde ration de café.

— Voilà comment je vois finalement les choses, dit-elle en emplissant les tasses. Ils sont réellement morts de froid. Et les autres les ont mangés pour survivre. Comme les naufragés de cet avion, dans les Andes.

Retancourt amoindrissait le drame, pour le rendre presque acceptable à son imaginaire révolté.

— En ce cas, dit Adamsberg, pourquoi Victor aurait-il inventé cette histoire de meurtres au couteau ?

— Parce qu'en comparaison, deux meurtres au couteau n'étaient rien, dit Veyrenc. En même temps qu'ils pouvaient expliquer la convocation solennelle d'Alice Gauthier, qu'il allait bien falloir raconter aux flics.

— Juste, dit Adamsberg. Mais pourquoi inventer cette histoire de tueur les menaçant tous depuis dix années ?

— Pour justifier leur silence à tous. Alors que personne, en réalité, ne les menace. Ce silence est instinctif : qui va aller se vanter d'avoir mangé ses compagnons ? Eux tous se sont entendus pour se taire à jamais, sans qu'aucun tueur imaginaire ne les tourmente.

Adamsberg tournait sans fin le sucre dans sa tasse.

— Je ne vois pas les choses ainsi, dit-il.

— Parce que ?

— Parce que le récit de Victor, si faux soit-il, est miné par la peur. Sa manière de décrire « l'homme immonde », même si on la suppose exagérée, a quelque chose d'authentique. Et son frisson, à l'*Auberge du Creux*. Ce moment, souviens-toi, Louis, où il a cessé de parler, ayant cru reconnaître « l'homme » dans le reflet de la glace. Si ce n'était une peur véritable, à quoi bon nous faire croire que le tueur était subitement apparu à la table voisine ? Grotesque.

— Je ne connaissais pas ce détail, dit Retancourt. Qui était ce type, finalement ?

— Un inspecteur des impôts, à ce qu'on nous a dit. Qui devait avoir quelque trait commun avec le tueur.

— Vous croyez donc à un tueur ?

— Oui.

— Donne ta version, Jean-Baptiste.

— Elle est pire que tout.

— Allez-y, dit Retancourt en avalant d'un trait son café.

— Malgré le peu qu'on connaît sur ce groupe, on sait qu'il y avait un médecin parmi eux. Victor dit qu'ils l'appelaient « Doc ». Détail inutile dans son mensonge, donc détail véridique. C'est le point essentiel. Je crois que la bagarre a réellement eu lieu entre le meurtrier et le légionnaire. Mais pas une authentique bagarre. Une agression provoquée pour tuer cet homme, mais qui passe malgré tout pour un fatal accident. Ensuite l'assassin s'éloigne, pour les débarrasser du cadavre, dit-il. À l'abri des regards, il dépèce aussitôt le corps avant qu'il ne soit congelé. Il en ôte toutes les parties reconnaissables, tête, pieds, mains, os, et prélève la viande.

— Dépêche-toi, dit Veyrenc.

— Navré, mais je suis obligé de souligner un détail. Le tueur n'a sur lui qu'un couteau. Pas de quoi trancher les os solides de l'avant-bras. Il coupe donc au plus facile, à l'articulation, au poignet, et les petits carpiens, nous apprend Almar, restent accrochés aux ligaments. Il se débarrasse des vestiges du corps sur la banquise et congèle ses morceaux de chair préparés. Il laisse passer du temps, pour la vraisemblance, et, miracle, il a piégé un phoque peu après. Il rapporte sa viande au campement. Est-ce lors de ces dîners de « phoque » que le médecin, en dévorant sa portion, tombe sur un os, si je puis dire ? On le saura plus tard. Le scénario se reproduit pour Adélaïde Masfauré. Je ne crois pas au drame de l'agression, à la chute dans le feu, aux flammes aux fesses, au coup de couteau. Plus simplement, quand vient son tour de garde à la nuit, le tueur l'étouffe sans bruit, visage dans la neige. On la découvre morte au matin,

402

hypothermie. Une fois encore, le gars les débarrasse du corps. Et quelques jours après, de la viande revient au campement, un deuxième phoque miraculeux, un « jeune » cette fois. Le médecin sort un os de sa bouche, et l'identifie aussitôt.

Adamsberg s'interrompit brusquement et son regard, une seconde avant fixé sur Retancourt, ne voyait plus personne. Retancourt repéra ces yeux en dérive, qu'elle redoutait plus que tout.

— Commissaire ?

Adamsberg leva une main réclamant le silence, sortit lentement son carnet et nota la dernière phrase qu'il venait de prononcer. *Le médecin sort un os de sa bouche.* Puis il la relut en la suivant du doigt, comme un homme qui n'en comprend pas le sens. Il rempocha son carnet et son regard réapparut dans ses yeux.

— J'ai pensé, dit-il sur un ton d'excuse.

— À quoi ?

— Aucune idée. Et le médecin identifie cet os aussitôt, reprit-il : de l'homme. Que se passe-t-il ? Jette-t-il sa part dans le feu ? Dit-il la vérité ? Sans doute. Et tous apprennent soudain de quoi se composent leurs repas salvateurs, depuis des jours. Achèvent-ils *malgré tout* de, disons, consommer Adélaïde Masfauré ? Le savaient-ils déjà pour le légionnaire ? Ont-ils tous laissé faire ? Quand la brume se lève enfin, le tueur donne ses ordres et les menace, sans rencontrer de rébellion. Aucun d'entre eux n'a l'intention d'aller raconter ses exploits, et l'on comprend aujourd'hui pourquoi. Mais sait-on ? Une dépression ? Une maladie ? Une conversion mystique ? Un remords fulgurant ? Le risque d'un aveu est

là, toujours, on l'a vu avec Gauthier. Et le tueur les surveille, tous. Parce qu'il a mangé deux êtres humains,
comme eux tous, mais surtout parce que lui les a tués
sciemment pour se nourrir.

Adamsberg but enfin son café, cent fois tourné.

— Et après ? dit Retancourt, lointaine, s'échappant,
reprenant presque sa posture du premier jour. On sait à
présent la véritable histoire des désespérés de l'île tiède.
Et après, où cela mène-t-il ?

— À savoir qu'un meurtrier rôde toujours autour
d'eux.

— Un meurtrier qui n'a tué ni Alice Gauthier, ni
Masfauré, ni Breuguel, ni Gonzalez. Un meurtrier qui
n'est pas notre tueur. Un meurtrier qui n'a rien à voir
avec l'attaque sur le groupe Robespierre.

— Je crois savoir, murmura Adamsberg, pourquoi
l'échiquier Robespierre ne bouge pas.

— Racontez.

— Je ne sais pas.

— Vous venez de dire que vous croyez savoir.

— C'est une manière de parler, Retancourt.

Retancourt s'accouda pesamment au dossier de sa
chaise.

— Qu'ils soient morts et qu'ils les aient dévorés, ou
qu'un type les ait volontairement massacrés et qu'ils les
aient mangés, on en revient au même point : cela ne nous
mène nulle part. On est venus pour rien.

— *Veni vidi non vici.* « Je suis venu, j'ai vu, je n'ai pas
vaincu », dit Veyrenc.

À la table voisine, Rögnvar se faisait indiscrètement
traduire par Almar leur conversation. Cette histoire lui
appartenait, c'était son droit. Il se redressa sur ses

béquilles, recommanda à Gunnlaugur de ne pas toucher aux pions, et se posta, debout, devant Retancourt, Almar dans son dos.

— Víóletta, dit-il, on ne peut que s'incliner devant une femme qui a tenu l'afturganga à distance. À telle distance que même la jambe de ton ami résistera. Sans toi, Víóletta, il aurait…

Et il désigna sa jambe manquante d'un regard éloquent.

— Et Berg serait mort. Lui qui a fait l'erreur de s'attarder sur sa terre. Et toi qui as compris qu'il ne fallait pas le faire. Tu l'as compris dès le début, hein, Víóletta ? Bien avant que tu voies la brume ?

Retancourt fronça les sourcils et, sans vraiment s'en rendre compte, approcha un peu sa chaise de Rögnvar le fou, de Rögnvar le sage, levant les yeux vers lui.

— C'est vrai, dit-elle.

— Quand ?

— À l'arrivée, dit Retancourt en réfléchissant. Ils ont voulu recopier le texte gravé sur la pierre tiède. J'ai dit – j'ai crié je crois – que non, qu'on ne pouvait pas gâcher du temps.

— Tu vois, dit Rögnvar en s'asseyant sur le tabouret qu'Eggrún venait de lui apporter. Tu savais. Et tu savais depuis longtemps, depuis ta ville, à Paris, où l'on traîne en terrasse en hiver. Tu ne voulais pas venir, mais tu savais. Alors tu es venue.

Rögnvar s'était penché en avant, ses longs cheveux encore blonds frôlant presque le front de Retancourt. Adamsberg observait la scène, stupéfait. Retancourt, la chef de file incontestée des positivistes, des matérialistes de la brigade, happée dans les filets de Rögnvar. Retancourt dans l'emprise des esprits de l'Islande. Non, ils n'étaient pas venus pour rien.

Puis Rögnvar posa sa large main sur le genou du lieutenant. Qui l'aurait osé, à la brigade ?

— Mais tu te trompes, Víóletta, dit-il.

— Où ? souffla Retancourt, en incapacité de se détourner des yeux bleu vif de Rögnvar.

— Tu viens de dire – et Rögnvar serra un peu les lèvres – que vous êtes venus pour rien. Tu dis, Víóletta la brave, que cela ne mène nulle part.

— Oui, je le dis, Rögnvar. Parce que c'est vrai.

— Non.

— Vous ne savez rien, Rögnvar, de ce sur quoi nous travaillons à Paris.

— Je n'en sais rien et je m'en fous. Écoute ceci, Víóletta, écoute-moi bien.

— Oui, céda Retancourt.

— *L'afturganga ne convoque jamais en vain. Et son offrande conduit toujours sur un chemin.*

— Mais à vous, Rögnvar, l'afturganga a pris votre jambe. Est-ce un chemin ?

— Moi, je n'ai pas été convoqué. Je l'ai violé. Berg, lui, a été convoqué.

— Répétez-moi la phrase.

— *L'afturganga ne convoque jamais en vain. Et son offrande conduit toujours sur un chemin.* Ne la note pas, dit Rögnvar en saisissant la main de Retancourt. Ne t'en fais pas, tu t'en souviendras toujours.

Depuis le hublot, Adamsberg vit disparaître l'île de Grimsey, au quart mangée par la brume, avec une nostalgie qu'il n'avait pas prévue. La longue Eggrún l'avait embrassé pour lui dire au revoir et, sur le port, les hommes s'étaient groupés pour les saluer. Gunnlaugur, Brestir, Rögnvar bien sûr, qui levait haut la main, et ces autres têtes blondes dont il ne savait pas les noms.

Ce soir, Paris. Et puis, demain. Demain, il faudrait rendre compte à la brigade du bilan de son échappée, qui n'avait, c'est vrai, pas fait bouger d'un millimètre l'échiquier Robespierre. Il ne rapportait pas le meurtrier dans ses bagages, seulement une bouteille de brennivín, offerte par Gunnlaugur. Mais compte rendu obligatoire néanmoins. Argumenter, synthétiser, organiser son discours, tout ce à quoi il répugnait. Et ce, devant des visages maussades ou hostiles, sauf ceux de Froissy, Estalère, Justin, et Mercadet, que son handicap rendait toujours indulgent envers ceux des autres.

— Veyrenc, dit-il, charge-toi de l'exposé demain à la brigade. C'est du sale boulot, je le sais. Mais puisque Château t'a sacré sénateur romain, tu t'en tireras mieux que moi. Et Retancourt t'épaulera.

— Leur mécontentement va grimper en flèche.

— Évidemment.

— Je discourrai, assura tranquillement Veyrenc, jambe allongée dans le couloir de l'avion, piqûre d'anticoagulant dans le ventre, administrée par Almar. Tâche de ton côté de ramener Voisenet et Mordent sur notre bord. Voisenet parce qu'il peut louvoyer comme ses poissons, Mordent parce qu'il aime les contes de fées. Il sera sensible au combat de l'afturganga et de Víóletta la Brave.

— Je n'ai pas envie de les « ramener », Louis. Qu'ils se débrouillent sur leur chemin qui n'est pas le mien.

— C'est bien ce qu'ils te reprochent. Et tu peux comprendre qu'ils ne t'aient pas suivi.

— Pas tout à fait, murmura Adamsberg.

Peu avant l'arrivée à l'aéroport de Roissy, Adamsberg, mal éveillé, ouvrit son carnet à la page où il avait noté cette phrase, ce matin à l'auberge. *Le médecin sort un os de sa bouche.* Sous laquelle il ajouta cette remarque banale de Veyrenc à propos de François Château : « Il ment comme un arracheur de dents ». Puis il dessina une flèche et écrivit : « Robespierre. Il l'est. Il les a. »

Les lumières s'étaient éteintes dans l'avion, les ceintures étaient bouclées, les sièges redressés. L'appareil accentuait sa descente, on distinguait déjà les feux des voitures sur l'autoroute. Adamsberg réveilla Veyrenc et lui montra la page de son carnet. Veyrenc lut et secoua la tête sans comprendre.

— C'est toi qui l'avais dit, insista Adamsberg. Après notre première séance à l'Assemblée. Tu avais dit : « C'était lui. »

— Robespierre ?

— Oui. Et tu avais raison. C'était Lui.

XLI

Autour de la longue table de la salle du concile de la brigade, les agents s'étaient disposés de façon très inhabituelle ce vendredi matin, ce jour férié de 1er mai, et la distribution des cafés d'Estalère en était perturbée. Instinctivement, en l'attente de l'arrivée d'Adamsberg, des groupes d'influence s'étaient formés, et rassemblés. Au haut bout de la table, au fond de la salle, les commandants Danglard et Mordent n'avaient pas modifié leur position de responsables en chef. Mais au lieu de l'organisation ordinaire, on trouvait Retancourt placée à l'autre extrémité, comme prête à faire face à Danglard, encadrée d'un côté de Froissy et d'Estalère, de l'autre de Mercadet et de Justin. Sur sa droite, nota Danglard, s'étaient assis les mécontents hésitants, dont Voisenet et Kernorkian. Sur sa gauche, les mécontents résolus, dont Noël avait pris la tête. Le brigadier Lamarre, tout juste rentré de son congé à Granville et ignorant de la situation, était installé entre deux chaises vides, lisant rapidement les rapports de la dernière quinzaine.

Un arrière-goût de l'Assemblée de Robespierre, pensa Danglard, avec ses factions, avec ses Enragés, ses Girondins, ses Indulgents, sa Plaine. Il soupira. Quelque chose se brisait au royaume d'Adamsberg, et il n'était pas sûr de ne pas en être le premier responsable. Renfrogné, il n'avait pas envoyé un seul message en Islande pour savoir comment se déroulait l'inutile expédition, qu'il craignait pourtant dangereuse. Et n'en avait, c'est normal, reçu aucun en retour. Mais il ne se faisait pas d'illusion. Adamsberg ne rapportait rien dans ses bagages, et pas même une bouteille de brennivín pour lui.

Veyrenc entra assez majestueusement sur ses béquilles en bois, et s'assit sur la chaise que Retancourt avait réservée près d'elle. Il se tourna de biais et demanda à Estalère un tabouret sur lequel caler sa jambe.

Danglard eut un sursaut. Veyrenc s'était blessé. Comment ? Et à comparer les visages du lieutenant Veyrenc et de Retancourt, blanchis, légèrement altérés de quelques plis et poches, il comprit qu'ils avaient traversé quelque chose de mauvais. Et lui, Danglard, l'ordinairement tant loyal Danglard, à présent retranché dans son irritation tenace d'opposant, n'avait pas demandé de nouvelles. Il chassa cet accès de remords et se prépara pour l'exposé du lieutenant Veyrenc. Qui n'aboutirait à rien. Et c'est là que le bât blessait, et durement.

— Attendons-nous Adamsberg ? demanda-t-il en regardant sa montre.

— Non, dit Veyrenc, examinant les visages fermés ou les têtes inclinées, croisant le regard du commandant.

— Blessé, lieutenant ? demanda Mordent.

— Une empoignade assez osée sur la rive déserte de l'île tiède.

— Et avec qui ? s'étonna Danglard. Si cette rive est déserte ?

— En effet, dit Veyrenc. *Il avançait sa gueule, nul ne pouvait le voir,*
Rampant sur son corps blanc au long des galets noirs,
Il nous avait donné, nous n'avions pas rendu,
Il mordit jusqu'à l'os en reprenant son dû.

Veyrenc eut un geste ample du bras, qui évoquait pour lui l'afturganga, et que Danglard interpréta différemment : « Vous ne pourriez pas comprendre. » Ce qui, en un sens, revenait au même.

— Vous êtes donc parvenus sur cette île, nota Danglard. Et ensuite ?

— Permettez, commandant, que j'expose les faits à ma manière.

— Faites, dit Danglard.

Depuis combien de temps, se demanda-t-il avec quelque mélancolie, une réunion à la brigade s'était-elle déroulée dans une ambiance aussi grinçante ? Conscient en même temps que le ton de sa propre voix y contribuait grandement. Une pensée rapide le parcourut en un frisson. L'échappée d'Adamsberg, et même sa désertion, qui le plaçait de fait, lui, Danglard, au poste provisoire de chef de la brigade, lui convenait-elle, d'une manière ou d'une autre ? Cherchait-il sans le vouloir l'éviction d'Adamsberg ? Et si oui, depuis quand ? Depuis qu'il avait endossé ce brillant habit violet qui le rehaussait tant, depuis qu'il avait ressenti – goûté, admiré ? – le pouvoir de domination de Robespierre ? Mais lui, le nouveau dirigeant par défaut, qu'avait-il fait, dit ou découvert qui fasse progresser l'enquête Robespierre ? Hormis déverser son savoir quand on l'en priait ? Et Noël, et Voisenet, et Mordent ? Est-ce qu'un seul d'entre eux avait apporté le moindre grain de sable à l'édifice ?

Les grains de sable. Par une association d'idées simple et rapide, Danglard revit les toiles de Céleste, enfin, sa toile unique, et son mouchetis de rouge. Qu'il fallait observer à la loupe pour y découvrir des coccinelles. Était-ce cela, le sommaire message de Céleste ? Attirer l'attention sur la dignité souriante des petites choses, infimes et négligées ? Avait-il avancé sans loupe, incapable de ramasser une seule coccinelle ?

Au bord d'un vague malaise, Danglard se versa un grand verre d'eau qu'il avala d'un trait, fait inhabituel, pendant que Veyrenc commençait son exposé, au moment où leur canot quittait le port de Grimsey pour l'îlot, sans accompagnateur. Veyrenc avait fait l'impasse sur les avertissements de Rögnvar et sa jambe emportée par l'afturganga.

Évidemment, le passage sur l'identification des os humains et ce qu'ils signifiaient du drame – le cannibalisme – déclencha des ondes successives de stupeur et de répulsion, des exclamations, des indignations, des questions, des alarmes. Pour un temps court, ces faits exceptionnels eurent raison des humeurs et des factions. Adamsberg ne s'était pas trompé, c'était bien une tout autre histoire qui s'était déroulée sur l'île.

Veyrenc maintenait ses distances, veillant aux turbulences, et enchaîna sur l'action décisive de Retancourt pour les tirer hors de la brume mortifère, sans s'y attarder pour éviter tout appel à la compassion. Il y eut quelques sifflets d'estime et des signes de tête approbateurs. Jusqu'à ce qu'un certain calme revienne et que Noël attaque sur les issues concrètes de cette expédition.

Qui leur apportait quoi, au juste ?

Au juste ? Si étonnants soient les résultats, en quoi l'enquête progressait-elle, de quelque manière ?

Confusion, avis divergents, discussions vaines.

— Kernorkian, coupa Danglard, votre rapport sur la manière dont Lebrun-Leblond nous filent entre les doigts ? Que donne l'examen du réseau des caves, des toits, des cours ? Le commissaire vous l'a bien demandé ?

— Oui, commandant. C'est fait.

— Fait ? Sans que j'en connaisse les conclusions ?

— Désolé, commandant. Je pensais devoir remettre mon rapport au commissaire à son retour.

Une vague aigreur de nouveau, dans les pensées de Danglard, une aigreur qu'il n'avait jamais connue et qu'il n'aimait pas. Il emplit son verre d'eau et avala quelques gorgées pour la diluer.

— En l'absence du commissaire, je le remplace. Réseau des caves ?

— Non, commandant, il n'y a pas de communication par les caves, ni par les cours. Mais la sortie peut s'opérer par les toits. Les pans de zinc sont droits et les obliques faciles. Entre les deux immeubles, le passage est de trente centimètres, et protégé par une grille ferrée anti-pigeons. Rien d'un exploit sportif. Par un vasistas, on entre dans le bâtiment du 22, et par son parking, on sort dans une rue latérale. C'est ainsi que, très probablement, ils quittent François Château sans se faire repérer.

— Alors lundi soir prochain, accrochez Leblond par cette sortie et localisez son domicile. Conduisez l'opération avec Voisenet et Lamarre. Une voiture et une moto.

— Bien, commandant.

— Et ensuite ? réattaqua Noël. Et ensuite rien ! Quatre morts. Et on va continuer à poursuivre ces fantoches, Château, Lebrun, Leblond, Sanson, Danton et autres, choisis parmi sept cents, faute de mieux, faute de rien. Tandis que notre commissaire s'en est allé résoudre un drame touristique en Islande.

— À ses frais, signala doucement Justin.

— Mais absent, souligna Noël à voix forte, suivi par les grommellements de sept hommes en uniforme.

— La stagnation de l'enquête n'est pas de son fait, intervint Mercadet. On attend impatiemment tes suggestions, Noël.

— Adamsberg est-il le seul à devoir réfléchir ? ajouta Retancourt.

— Mais réfléchit-il ? rétorqua Noël. L'enquête s'enlise parce qu'Adamsberg stagne, et il stagne parce qu'il court ailleurs, au Creux ou au pôle Nord. Et cette stagnation se répand sur nous, elle nous cloue au sol, elle nous prive d'initiatives.

— Personne ne te demande d'être aussi sensible à son influence, dit Mercadet.

— Je ne vois pas où est la faute, ajouta Froissy. Toutes les investigations, tous les interrogatoires et les suivis possibles ont été lancés.

Adamsberg, arrivé à dessein tardivement, était adossé au chambranle de la porte, écoutant ces derniers échanges.

— Qui n'ont toujours rien donné, dit Mordent. On croirait jeter de l'eau dans du sable.

— Et pourquoi ? dit Justin en dévisageant Danglard.

— Certes, son esprit était en Islande, articula prudemment Danglard. Mais ce volet est à présent clos.

Adamsberg choisit cet instant pour pousser la porte, générant une onde de silence total.

Il examina tout d'abord la jambe de Veyrenc, s'assurant que le voyage n'avait pas entraîné de complication, ordre d'Almar. Il revit Brestir, Eggrún, Gunnlaugur, Rögnvar, le bras levé, sur le port. Et face à lui, ces hommes renfrognés en semi-révolte, frustrés par cette enquête impotente, exaspérés par leur défaut d'inspiration, incapables d'admettre que cette pelote d'algues était sombre et coriace. À cet état d'impuissance, il fallait bien trouver un exutoire. Lui. Il croisa les regards vacillants de Danglard et Mordent, qui ne l'attendaient plus, et se tint debout derrière les sièges de Retancourt et Veyrenc, tandis qu'Estalère lui glissait une tasse de café entre les mains. Il observait l'assistance, notant les changements de place, les rancœurs, les hésitations, les fronts durcis, et cet étrange flottement dans l'allure de Danglard, une épaule haute, une épaule basse, comme divisé entre fronde et détresse.

Danglard, futur meneur de l'équipe ? Et pourquoi pas ? Il possédait une clarté et une science si supérieures aux siennes. Détaché, presque indifférent, Adamsberg considéra son équipe, sans plus savoir au juste si elle était encore « son » équipe. Il choisit ses mots.

— Comme l'a exposé Veyrenc, l'exploration islandaise a fait exploser les mensonges de Victor et

415

d'Amédée Masfauré. Elle nous désigne un assassin prêt à tout pour tenir au secret ses deux meurtres et l'anthropophagie.

— Prêt à tout ? dit Noël. Mais qui n'a cependant rien fait en dix ans. En quoi cela nous concerne-t-il ?

— En ce que sur les douze voyageurs, il en demeure six en danger de mort, auxquels il faut ajouter Amédée.

— Et qui ne sont toujours ni morts, ni menacés.

Noël avait plus de courage que d'autres, tel Voisenet, tête courbée, ou Mordent, qui feuilletait son dossier. Courage largement puisé dans sa violence naturelle, mais courage tout de même.

— Simple information, lieutenant, dit Adamsberg. Quant à l'échiquier Robespierre, il ne bouge toujours pas. Or les animaux bougent. Il existe donc une cause à cet immobilisme, qui n'est pas la fatalité, qui n'est pas la malchance. Je crois la pressentir, mais je ne peux pas l'exprimer. Bien noté, Danglard ?

— Oui, répondit Danglard d'une voix plate. Ce qui ne nous conduit toujours nulle part.

— Nulle part ?

Danglard interrompit ses notes, alerté par une légère modification de la voix du commissaire, qui se faisait incisive. Un fait rare, et toujours accompagné d'un regard anormalement précis. Il leva les yeux et le vit, ce regard en vrille, un rien embrasé, qui surgissait de l'atonie ordinaire des yeux d'Adamsberg. Pour lui peut-être, et pour lui seul, cet éclair si bref et déjà disparu.

— Vers où ? demanda Danglard.

— Vers le mouvement. Il faut aller là où les animaux bougent. Ne pas s'attarder, comme l'a compris Retancourt, là où la brume nous cloue sur place. Je serai absent cet après-midi. En attendant, Danglard, vous restez aux commandes de la brigade. J'ai idée que quelque chose séduit dans cette relève.

Adamsberg acheva son café froid puis, sac plastique en main, contourna la table pour se poster auprès de son plus vieil adjoint. Il lui prit son crayon des mains et écrivit sous ses notes : *Nulle part, Danglard ? L'afturganga ne convoque jamais en vain. Et son offrande conduit toujours sur un chemin.*

Puis il sortit du sac la bouteille de brennivín et la posa aimablement sur la table.

— On y va, dit-il à Veyrenc en repassant derrière lui.

— Au Creux ? murmura Retancourt.

— Oui.

Veyrenc se dressa sur ses béquilles tandis que Retancourt, non convoquée, se levait à son tour pour les suivre. Une étrange conversion, songea Adamsberg. Quand on en a bavé dans la brume, on en a bavé dans la brume, aurait expliqué Rögnvar.

XLII

— Qu'est-ce qu'on cherche à leur faire dire, au fond ? demanda Retancourt.

Ils avaient déjeuné à l'*Auberge du Creux*, ouverte en ce 1er mai, et prévenu les frères Masfauré de leur arrivée. Sans surtout évoquer leur voyage en Islande. Au téléphone, Victor, ignorant des motifs de cette nouvelle visite, était déjà sur le qui-vive. Car Adamsberg avait demandé qu'ils se retrouvent dans un des pavillons d'entrée, hors de portée de Céleste.

— Tout d'abord, on cherche à finir, dit Adamsberg avec une pensée pour Lucio. Ensuite, on cherche à intensifier le mouvement.

— Victor ne parlera pas du tueur, dit Veyrenc.

— On ne peut pas enfoncer une porte d'un seul coup d'épaule. Aujourd'hui, nous l'ébranlons.

Et Retancourt s'abstint de demander à quoi servait tout cela.

À présent, installés dans le pavillon d'Amédée, les deux frères les regardaient sans mot dire, campés sur leurs gardes.

— Nous sommes rentrés tous trois d'Islande hier soir, dit Adamsberg. Plus exactement de l'île de Grimsey, et plus précisément encore de l'île tiède. L'île du Renard. Rude combat, dit Adamsberg en désignant la jambe de Veyrenc, à la hauteur des informations rapportées. Informations qui, contrairement à la dernière fois, ne vous apprendront rien.

— Je ne vois pas, dit Victor à mi-voix. Je ne vois pas ce que vous avez pu « rapporter ». Il n'y a rien sur l'île du Renard.

— Il y a des trous de piquet. À l'endroit même de votre ancien campement. Vous étiez bien installés tout en haut de la plage, un peu abrités par les bases des deux cônes ?

Victor acquiesça.

— Ces trous, vous n'avez pas pu les voir car à l'époque de votre expédition, ils étaient enfouis sous la neige. Et puis, Victor, la neige a fondu. Et puis, les débris qui la jonchaient s'y sont enfoncés. Bien à l'abri des vents glaciaires.

— Ça n'a pas de sens, dit Victor. Vous êtes allés jusque là-bas pour fouiller dans des trous de piquet ? Dont vous ne connaissiez même pas l'existence ?

— C'est juste.

— Pour chercher quoi ?

— De la graisse de phoque, pourquoi pas ?

— Et vous en avez trouvé ?

— Non. Du charbon, mais pas de graisse. Je suis désolé, réellement désolé. Suis-moi dehors, Victor.

Adamsberg s'adossa au mur du pavillon, se protégeant de la pluie qui commençait à tomber. Il sortit de sa veste la boîte de pastilles pour la toux et fit glisser les cinq petits os dans le creux de sa main.

— Mensonge après mensonge, nous sommes presque au bout de la route. Ce sont des os humains, des os du poignet. Appartenant à une femme et un homme adultes. Découpés, cuits, et consommés. Regarde les traces de feu et les entailles de couteau.

Adamsberg replaça les ossements dans la boîte et la glissa dans sa poche.

— L'analyse de ton ADN, ou de celui d'Amédée, prouvera que trois de ces vestiges appartiennent bien à Adélaïde Masfauré. Et celui de la sœur d'Éric Courtelin montrera que l'autre corps est bien celui du « légionnaire ». C'est bien ce qu'Alice Gauthier a confié à Amédée ? Qu'ils ont été dévorés ? Il sait ?

— Oui, dit Victor d'une voix rauque. Cette ordure de Gauthier. Il ne devait pas l'apprendre, jamais.

— Il tient le coup ?

— Mal. Il est sous traitement. Je dors dans sa chambre depuis qu'il est revenu de chez elle. Il crie dans ses rêves, je le réveille, je le calme.

Adamsberg revint dans la pièce et s'assit face à Amédée.

— Elle t'a donc tout dit, Alice Gauthier ? demanda-t-il.

— Pour le repos de son âme, oui, dit Amédée entre ses dents.

— Et quoi d'autre ? Qu'ils étaient morts de froid ou qu'on les avait tués ?

— Qu'il les avait tués.

— Par accident, lors d'affrontements ? Ou sciemment, pour les… consommer ?

— Volontairement, pour les consommer, murmura Amédée. C'est ce qu'ils ont tous compris, après.

— Compris comment ?

— Celui qu'ils appelaient le « Doc », il a recraché un petit os. Du légionnaire. Lors du troisième dîner. Le doc a tout dit. C'était trop tard, ils l'avaient déjà entièrement…

— Consommé, l'aida Adamsberg.

— Et un matin, ils ont retrouvé ma mère morte.

— Poignardée ?

— Non, étouffée dans la neige, sans doute, a dit Gauthier, peu avant l'aube.

— Ce qui fait que quelques jours après, quand le tueur leur apporte, disons, de quoi survivre, soi-disant un jeune phoque, tout le monde a compris. Qu'il leur proposait de recommencer.

— Oui.

— Ça suffit, ordonna Victor, laissez-le. Oui, on a compris. Tous.

— Et vous l'avez fait quand même ? Consciemment cette fois ?

— Oui. Tous sauf moi. Moi, je savais qu'elle était ma mère.

Vrai ou faux, pensa Adamsberg.

— C'est la vérité, dit Amédée. Alice Gauthier a dit que « le jeune homme n'avait pas mangé ».

— Et comment as-tu survécu, Victor ?

— Je ne sais pas. J'étais le plus jeune.

— Et pourquoi ne t'es-tu pas dressé, opposé ?

— Ils étaient neuf contre moi. Neuf, tous d'accord pour le faire.

— Dont Henri Masfauré ?

— Oui, – Victor prit une inspiration – il était assis à côté de moi. Très faible, grelottant de froid. Je l'ai supplié de ne pas le faire. Il m'a dit qu'elle serait à jamais en lui. Et il l'a fait.

— Et maintenant, dit Adamsberg, on comprend, enfin, la gravité du silence qui vous a été imposé. La menace qui pèse sur chacun de vous. Et pourquoi vous avez été si dociles. C'était indicible. Mais pas quand approche la mort. C'est ce qu'a fait si égoïstement Alice Gauthier. C'est ce que peut faire n'importe lequel d'entre vous, dans un moment de grande défaillance, de remords, dépression, conversion, maladie, désespoir. Et je crois, je suis certain, continua Adamsberg en se levant, allant et venant dans la petite salle à manger, qu'il vous surveille, qu'il vous scrute, qu'il vous convoque. Que vous vous voyez, tous, et que lui vous passe régulièrement au crible.

— Non, cria Victor. On se tait et il le sait. Il n'a pas besoin de nous voir ni de nous « scruter ».

— Vous vous rencontrez, insista Adamsberg, élevant la voix. Et tu sais qui il est. Tu ne connais sûrement pas son nom, mais au moins son visage. Décris-le moi, aide-moi à le trouver.

— Non. Je ne sais pas.

— Tu n'es pas seul en danger, Victor. Amédée l'est aussi. À présent il sait, comme les autres.

— Je le protège. Amédée ne parlera pas.

— Non, confirma Amédée, fébrile et languissant.

— Et les autres ? Tu t'en fous ?

— Oui.

— Parce qu'ils ont consommé ta mère ?

— Oui.

Adamsberg fit signe à ses adjoints. Ils levaient le camp.

— Mesure, Victor, les conséquences de ton silence.

— C'est tout mesuré.

Ils quittèrent les deux frères en silence, Amédée le front posé sur ses mains, Victor rigide et résolu.

— Il ne craquera pas, dit Veyrenc alors qu'ils remontaient en voiture.

— Amédée peut-être, dit Retancourt.

— Mais Amédée ne connaît pas le visage du tueur.

Ils rentrèrent sous la pluie, qui frappait violemment les vitres.

— Tu as bien fait de ne pas montrer les ossements à Amédée, dit Veyrenc.

— Moindre des choses, dit Adamsberg avec un frisson.

Soit effet de sa veste mouillée, soit de la rapide image d'une main d'homme qui lui montrerait les os de sa mère dévorée.

— Je vous dépose à la brigade, dit-il. Mais je n'y entre pas.

— Vous laissez le champ libre, commissaire ? demanda Retancourt en s'ébrouant.

— À quoi bon les provoquer ? L'échec les exténue, la défaite les contracte. Que pensez-vous de Danglard ? ajouta-t-il en souriant. Croyez-vous qu'il convoite cette place ?

— Danglard n'est pas comme à son habitude, assura Veyrenc. Quelque chose le trouble.

— Et je pense que c'est Robespierre, dit Adamsberg.

Zerk se déplaçait en silence. Son père s'était endormi sans dîner, les pieds calés dans la cheminée. Il savait ce qu'il s'était passé en Islande et il veillait sur son sommeil. Que Violette l'ait sauvé de l'afturganga, comme elle avait sauvé le pigeon, avait encore accru son admiration pour elle. La sonnerie du téléphone, à 22 h 10, l'exaspéra. Adamsberg ouvrit les yeux et décrocha.

— Commissaire, annonça Froissy, il y en a eu un autre.

XLIII

Adamsberg se leva et se réveilla tout à fait.

— Où ? Quand ? demanda-t-il en attrapant son carnet.

— À Vallon-de-Courcelles, à huit kilomètres de Dijon. Il n'est pas mort, il s'en est tiré par miracle.

— Qui a prévenu ?

— La gendarmerie de Dijon. L'homme s'est présenté de lui-même aux urgences, il est à l'hôpital. L'assassin l'a pendu, mais la victime a réussi à se dégager du nœud coulant.

— Que dit-il ?

— Pour le moment, il ne parle pas. La trachée est endommagée, il est sous assistance respiratoire jusqu'à ce que l'enflure se résorbe. Mais il va bien, il s'en sortira. Il s'exprime par gestes et il écrit, très peu encore. Les gendarmes sont allés sur les lieux. Cela s'est passé dans un garage où notre tueur a entraîné sa victime de force.

— Pourquoi *notre* tueur ? Pourquoi pas un suicide ?

— Parce qu'ils ont trouvé le signe, dessiné au feutre sur le dessus d'un bidon d'essence. En rouge cette fois.

— Bleu blanc rouge, la Révolution. Ce salaud s'amuse.

— Oui. Selon les gendarmes, la victime, un costaud, se serait accroché du bras à une chaîne qui pendait du plafond. Ils en ont relevé les marques incrustées dans sa peau. En traction, il aurait réussi à desserrer la corde, puis à prendre appui du pied droit sur un rayonnage mural, et à ôter le nœud coulant.

— Le nom du gars ?

— Vincent Bérieux. Quarante-quatre ans, marié, deux enfants, informaticien. Je vous envoie sa photo. Il est intubé et sur un lit, donc pas forcément très ressemblant. On a quand même une impression générale.

Adamsberg récupéra la photo sur son portable. L'homme pouvait correspondre à la description vague qu'avait faite Leblond du « cycliste ». Tête carrée, visage bien proportionné, assez beau, sans grande expression, et yeux bruns vides, ce qui pouvait se comprendre après un tel choc. Il composa le numéro que lui avait confié François Château, en cas d'urgence – « N'essayez pas de remonter la ligne, commissaire, elle n'est pas à mon nom » –, et lui envoya le cliché, à faire passer aussitôt à Leblond et Lebrun, qu'ils dorment ou non.

Zerk avait entre-temps fait réchauffer le dîner et mis le couvert, servi deux verres de vin, et Adamsberg le remercia d'un signe tout en appelant la gendarmerie de Dijon. On le dirigea vers le brigadier-chef Oblat, en charge de l'enquête.

— J'attendais votre appel, commissaire. Je viens de terminer d'interroger la victime, dit Oblat avec un fort accent bourguignon. On essaie de se comprendre par gestes, et il écrit un peu. Il a bien été agressé, vers

19 heures, et conduit à son garage, où la corde et la chaise étaient déjà prêtes.

— Le garage a été forcé ?

— Il n'est pas fermé. Il ne contient que des outils ordinaires, des clous, du bricolage.

— Il connaît son agresseur ?

— Il jure que non. Il dit que l'assaillant est gros, quasi obèse. Quelque chose comme un mètre quatre-vingts ou moins. C'est tout ce qu'on a, il portait un masque sur le visage, et une perruque blanche.

— Blanche ?

— Oui, et au sol, sous la corde, on a récupéré une mèche de poils blancs, artificiels.

— Des poils raides ou courbes ? demanda Adamsberg qui, sur un signe de Zerk, attaqua l'omelette aux pommes de terre avant qu'elle refroidisse.

— J'ai pas demandé. Un gros, quoi, c'est tout ce qu'on a. Ah si. Sous le masque, il portait des lunettes. Donc un gros à lunettes. En costume gris, tout ce qu'il y a de banal.

— Personne n'a repéré de voiture inconnue, à... – il jeta un œil à son carnet – à Vallon-de-Courcelles ?

— On a interrogé les habitants qui étaient encore réveillés. Dans les villages, si vous tirez les gens de leur lit, ils ne sont pas très causants. On fera un appel à témoignages demain. Enfin, sur les treize qui ne dormaient pas, personne n'a remarqué de voiture. Je ne pense pas que le meurtrier serait bête au point de se garer sur la place de l'église, hein ? Suffit de se mettre à l'écart et d'entrer dans le village à pied. Tout le monde dîne tôt, tout le monde dort tôt, il n'y a pas un chat dans les rues.

— Un gros, à lunettes, et qui marche.

— Ça va pas loin, hein, commissaire ? On a commencé le relevé d'empreintes mais le gars, avec son masque et ses faux cheveux, il a sûrement pas oublié d'enfiler des gants. On se charge de la pré-enquête ou vous prenez ?

— Je vous la laisse en toute confiance, chef.

— Merci, commissaire. Parce que Paris, il a un peu tendance à tout nous bouffer, vous voyez, sans vouloir critiquer. Mais enfin c'est vous, hein, c'est pas Paris. On analyse le feutre aussi ?

— Inutile. En revanche, envoyez-moi une photo du signe. Et des images des lieux.

— C'est déjà parti vers votre brigade, parce qu'on avait reçu l'annonce, alors on a eu l'œil. Suicide maquillé, je me suis dit, faut chercher s'il y a un signe. C'est comme ça que je l'ai trouvé sur le bidon. Pas trop caché, pas voyant non plus.

— Excellent, chef. Mais envoyez-moi cela dès maintenant sur mon mail personnel. Oui, je vous l'épelle. Vous avez placé la victime sous protection ?

— Vingt-quatre heures sur vingt-quatre, commissaire, jusqu'à nouvel ordre. Sa meilleure protection, ce serait qu'on arrive à éviter la presse. Comme ça, le tueur ne saurait pas qu'il a raté son coup, et il ne reviendrait pas.

— Ça nous donnerait du temps, en effet.

— Mais il veut dire quoi, ce signe ? C'est un H tarabiscoté ?

— C'est une guillotine.

— Ah bon ? Ben c'est pas gai, dites donc. Comme celles pendant la Révolution, finalement ?

— Exactement.

— C'est un cinglé ou quoi ? Un révolutionnaire cinglé ou quelque chose comme ça ? Ou alors le contraire, vous voyez ?

— C'est ce qu'on cherche. On fouille dans une association qui travaille sur cette époque. On pense qu'il rôde là-dedans, qu'il y choisit ses victimes. Mais ils sont presque sept cents membres. Et anonymes encore.

— Ça fait un sacré embrouillamini, dites-moi. Vous comptez vous en sortir comment ?

— On guette le mouvement de trop, la faute.

— Il a le temps d'en tuer quarante, à ce compte-là, s'il fait bien gaffe.

— Je m'en rends compte, chef.

— Pardon, commissaire, je ne voulais pas vous mettre le cafard.

— Il n'y a pas de mal. Il l'a peut-être commise ce soir, la faute. La femme et les enfants, ils étaient où ?

— En week-end chez la grand-mère, à Clamecy.

— Un gros, à lunettes, qui marche, et bien renseigné.

— Bon courage, commissaire. Quand une enquête bute, on n'y peut rien, faut essayer de pas se coller martel en tête. Quand ça veut pas, ça veut pas. Je dirais que ça m'a fait plaisir de bavarder avec vous. Je vous tiens au courant de ce qu'on aura trouvé demain.

— Bavard comme tout mais pas con, dit Adamsberg en raccrochant. Et bon gars.

— Je vais te faire réchauffer ta part.

— Ne t'en fais pas, je la mange comme ça, à l'espagnole.

— Tu pars pour Dijon ?

— Non. Il m'envoie toutes les informations.

— Et pourquoi il se masque comme ça, le tueur ? Excuse-moi, on entend tout ce qu'on dit dans ton portable. Il ne peut pas enfiler un collant sur sa tête, comme tout le monde ?

— C'est là qu'il commet peut-être sa faute, Zerk. Mais il ne pouvait pas deviner qu'il avait raté son coup. Deuxième erreur, il a fui trop vite après l'avoir pendu. La chaise a dû faire du bruit en tombant. Cela a pu l'effrayer.

— Tu ne préviens pas Danglard ?

— Froissy est de garde avec Mercadet. Ils le feront.

— Tu ne veux pas le faire, affirma Zerk. À ton avis, qu'est-ce qui lui prend ?

— Ce n'est pas la première fois qu'il me fait la gueule.

— Mais c'est la première fois qu'il en entraîne d'autres avec lui. Qu'est-ce qui lui prend ?

— Il lui prend qu'on s'enfonce. Et quand Danglard s'enfonce, il s'ennuie. C'est son plus féroce ennemi. Car quand Danglard s'ennuie, il s'angoisse. Et quand il s'angoisse, il s'effondre ou il agresse. Mais je crois que le fait de rencontrer Robespierre ne lui a fait aucun bien. Dopé, en quelque sorte. Il se calmera, Zerk, ne t'en fais pas.

— S'ennuyer comment ?

— C'est sans doute une des seules choses valables que je t'aie données. Même quand tu ne fais rien, tu ne t'ennuies pas.

La réponse de François Château tinta sur son portable. « Leblond est formel. Il s'agit de l'homme qu'ils nomment "le cycliste". Un occasionnel, du groupe des infiltrés, ou de ce qu'il en demeure. »

« Il s'appelle Vincent Bérieux, répondit Adamsberg, il vit à Vallon-de-Courcelles. Cela ne vous dit rien ? »

« Rien. En revanche, il m'est arrivé de passer à Vallon-de-Courcelles. C'est un village charmant, adossé à la montagne. »

— Il se fout de ma gueule ? demanda Adamsberg en montrant le message à Zerk.

— Je ne crois pas.

« Ce n'est pas une montagne, c'est dans le Dijonnais », tapa Adamsberg.

« C'est ainsi qu'ils la nomment, là-bas. Chacun se crée sa propre Montagne, commissaire. Bonne nuit. »

— Si, il se fout de ma gueule.

Adamsberg rappela Froissy.

— Qui était de garde ce soir au domicile de François Château ?

— Une seconde, commissaire. Lamarre et Justin. Mais Château n'est pas rentré chez lui ce soir. Alors qu'il arrive toujours à la même heure. Noël est donc passé à l'hôtel, il y a un quart d'heure. Il arrive que Château y travaille tard. Ils ont un contrôle fiscal d'ici quinze jours, il est probable que leur comptable est un peu surmené. Mais il n'était pas, ou plus, à son bureau.

— Personne ne l'a vu entrer ou sortir ?

— Non, commissaire. Château passe par le jardin, d'où il a un accès direct à son bureau. Il a très bien pu s'y trouver sans qu'on le remarque.

— Comme il a très bien pu se trouver dehors, Froissy. Ayant déjà eu le temps de rentrer de Dijon à présent.

Adamsberg composa un nouveau message pour François Château.

« Où êtes-vous, Château ? »

« Je suis chez moi et je suis couché. Avez-vous vu l'heure, commissaire ? »

« 23 h 15. Mes hommes ne vous ont pas vu rentrer. »

« Eh bien c'est qu'ils voient mal, ce qui n'est guère rassurant pour ma protection. J'ai travaillé à l'hôtel, en vue d'un contrôle fiscal. Je suis rentré il y a vingt minutes. »

— Merde, dit Adamsberg en jetant son téléphone sur la table.

— Mais le flic a dit que l'agresseur était gros.

— C'est un gars de l'association, c'est donc un gars qui sait se déguiser. S'il paraît gros, c'est qu'il est mince. Château est mince.

— Mais petit. Il a parlé d'un type dans les un mètre quatre-vingts, non ?

— Ou moins.

— Et pourquoi Château se tirerait une balle dans le pied en démolissant ses propres membres ?

— Tout comme Robespierre l'a fait en démolissant les siens.

Adamsberg consulta son écran avant de monter à sa chambre. Le brigadier Oblat avait vite fait : photos du signe et des lieux. Il tira une chaise et examina les images de plus près, Zerk penché dans son dos.

— Finalement, tu pars pour Dijon ? dit-il simplement.

XLIV

Le brigadier-chef Oblat le conduisit de la gare jusqu'au garage de Vincent Bérieux, à Vallon-de-Courcelles.

— Rien n'a été touché ? demanda Adamsberg en
entrant.

— Rien, commissaire, à cause du signe. On vous
attendait.

— Pourquoi le tueur n'a-t-il pas centré la corde, à
votre avis, chef ? Pourquoi est-elle accrochée sur le
côté ?

Oblat gratta sa nuque, trop serrée par le col de son
uniforme.

— Peut-être que les bidons de fioul le gênaient, dit-il.

— Peut-être. Elle est lourde, cette chaise sur laquelle
il l'a fait monter. Allez dehors, et écoutez.

Adamsberg redressa la chaise puis la laissa retomber
au sol.

— Alors chef ? Entendu quoi ?

— Pas grand-chose.

— Les voisins auraient pu percevoir ?

— Ils sont trop loin, commissaire.

— Alors pourquoi a-t-il fui si vite et trop tôt ?

— Les nerfs, je ne vois que ça. Après quatre meurtres, pensez, on n'est pas d'acier.

— On peut décrocher la corde ?

— Elle est pour vous, dit Oblat en grimpant sur la chaise.

Adamsberg la palpa, comme on teste une étoffe, fit courir sa main le long des fibres râpeuses, glisser le nœud coulant, et la rendit au brigadier.

— Vous pouvez me conduire à l'hôpital ?

— Tout de suite, dit Oblat. Vous verrez, le gars n'est pas très causant.

— Les nerfs, dit Adamsberg.

— Le choc, surtout. À croire qu'il veut tout oublier, ça s'est vu.

Adamsberg entra dans l'hôpital de Dijon à presque 13 h 30, le déjeuner des patients avait pris fin. Des effluves de chou et de veau hors d'âge flottaient dans l'air. Vincent Bérieux ne l'attendait pas et regardait mollement la télévision depuis son lit, intubé et perfusé. Le commissaire se présenta, demanda des nouvelles de sa santé. Mal. Ici, à la gorge. Faim. Fatigué. Les nerfs, le choc.

— Je ne reste pas longtemps, dit Adamsberg. Votre cas se relie à quatre autres victimes.

Par un mouvement de sourcils, l'homme exprima : « Pourquoi ? Comment ? »

— À cause de ceci, dit Adamsberg en lui montrant le dessin du signe. C'était peint sur un bidon, dans votre garage. Chez les quatre autres victimes aussi. Vous le connaissez ?

Bérieux secoua la tête plusieurs fois, signe amplement négatif.

Adamsberg n'avait pas réalisé qu'il est très difficile de lire sur le visage d'un homme bouche ouverte, masquée par un tube, et traits crispés par une douleur continue. Il n'aurait su dire si Bérieux mentait ou non.

— Cette perruque blanche, vous pourriez me la décrire ?

Le malade demanda son bloc et son stylo.

— *Genre ancien. Comme en portaient les hommes avant*, écrivit-il.

— Vous n'avez aucune idée de l'identité de l'agresseur ?

— *Pas du tout. Vie simple, tranquille.*

— Pas si tranquille, monsieur Bérieux. Qu'est-ce qui vous pousse, de temps à autre, à quitter Vallon-de-Courcelles, sa tranquillité, sa vie paisible, la famille, pour vous rendre à l'Association d'Étude des Écrits de Maximilien Robespierre ?

Bérieux fronça les sourcils, surpris, mécontent.

— Nous savons cela, dit Adamsberg. Les quatre autres victimes y venaient aussi.

L'homme reprit son stylo.

— *Ne dites rien à ma femme, elle ne sait pas. Elle n'aimerait pas.*

— Je ne dirai rien. Pourquoi, monsieur Bérieux ?

— *Un collègue m'en avait parlé. Je vais souvent à Paris, stages de mise à niveau, logiciels. Un soir, j'y suis entré.*

— Pourquoi ?

— *Curiosité.*

— Ce n'est pas assez pour moi. Vous aimez l'Histoire ?

— *Non.*

— Alors ?

— *Merde. J'ai toujours eu un penchant pour Robes-pierre. Je voulais voir. Ne dites pas à ma femme,* écrivit-il en soulignant cette dernière phrase.

— Et ensuite ? Une fois que vous avez vu ?

— *Merde. J'ai été capté. J'y suis retourné. Comme un gars va au casino.*

— Combien de fois y allez-vous ?

— *Deux fois par an.*

— Depuis combien de temps ?

— *Six ou sept ans.*

— Henri Masfauré, Alice Gauthier, Jean Breuguel, Angelino Gonzalez, vous connaissez ces noms ?

Geste de la tête : « Non. »

Adamsberg tira de sa veste les photos des quatre victimes.

— Et de vue ?

— « Oui », dit Bérieux en acquiesçant, après avoir regardé plusieurs fois les photos.

— Vous vous parliez ?

— *On n'a rien à se dire, là-bas. On n'y va pas pour bavarder. On assiste.*

— On m'a dit que vous vous connaissiez. À peine, mais un peu. Que vous échangiez quelques mots, quelques signes.

— *Des saluts de politesse, comme à beaucoup d'autres.*

Adamsberg chercha ses yeux, baissés, mimant la fatigue. Il ne dirait rien d'autre, rien de plus. Ces autres, il les connaissait. Vincent Bérieux infiltrait l'association, comme eux. Dans quel but ? Au service de qui ? Et pour chercher quoi, durant tant d'années ?

Le malade sonna l'infirmière. Fatigue, énervement, fit-il comprendre.

— Vous l'épuisez, dit l'infirmière. Son rythme cardiaque s'est accéléré. Si c'est nécessaire, je vous prie de revenir une autre fois. Il a subi un gros choc, comprenez cela.

Son rythme cardiaque s'est accéléré, pensait Adamsberg en déjeunant sur la place de la cathédrale Saint-Bénigne, à deux pas de la gare. Vincent Bérieux avait détesté ses questions. Adamsberg repensa aux messages de François Château, la veille au soir. Le président n'avait paru ni choqué ni inquiet qu'un autre de ses membres, le cinquième, ait été agressé. Plutôt mordant, détaché. Hier soir, Château était Robespierre, indifférent au sort des autres.

Il eut Justin en ligne.

— Qu'est-ce que vous avez foutu, avec Lamarre, pendant la planque d'hier soir ? demanda-t-il abruptement. Château dit qu'il est rentré à 22 h 55, mais vous ne l'avez pas vu.

— Il a pu rentrer par les toits, dit Justin.

— Mais non, l'accès par le parking est maintenant surveillé. Qu'est-ce que vous avez foutu ?

— On n'a pas bougé d'un mètre, commissaire.

— Ce qui n'empêche pas de faire quelque chose. Lieutenant, je ne vous passe pas à la guillotine mais réfléchissez, c'est important.

— C'est-à-dire qu'à un moment, on a joué à pile ou face. La pièce a roulé un peu loin. Le temps qu'on la récupère et qu'on l'examine, je dirais une minute. C'était quand même une pièce de deux.

— Largement le temps pour Château d'entrer dans l'immeuble.

— Oui.

— Pendant que vous jouiez.

— Oui.

— Sur quoi pariiez-vous ?

— Savoir si Château allait ou non rentrer.

— Et qu'a dit la pièce ?

— Qu'il allait rentrer.

Du train, Adamsberg en « référa » par texto au commandant Danglard : « Corde décalée sur le côté, tissage râpeux, poils blancs de perruque, silence de la victime. » Il adressa le même message à Veyrenc et Retancourt.

« Comment est le gars ? » répondit Veyrenc.

« Un chat replié sur lui-même. Un chat très musclé, très costaud. »

« Tu viens à la brigade ? »

« Non. Comment est-ce ? »

« Crissant, collant, échauffé. 18 heures chez toi ? »

« J'y serai. »

Veyrenc reposa son portable. Il était si rare qu'Adamsberg ne passe pas à la brigade un samedi, en temps d'enquête, qu'il éprouvait le besoin de lui rendre visite. Non qu'il craignît que l'humeur frondeuse qui régnait dans l'équipe affecte en profondeur le commissaire. Il n'était pas perméable à ce genre d'événement nerveux, qui glissait sur la surface de son indolence. En revanche, l'opposition de Danglard était d'une autre nature et, d'une façon ou d'une autre, le commissaire devait y être sensible.

Les deux hommes avaient déjà passé plus d'une heure et demie à disséquer en vain les éléments de l'enquête, tous plus fugaces les uns que les autres. Leblond avait appelé pour avoir des détails. Un peu tendu, mais sans plus. C'était plus délicat avec Lebrun, de nouveau passé à la brigade, barbu et chevelu, alarmé par la nouvelle de la tentative de meurtre.

— Il suait, dit Veyrenc. Et cela faisait couler son fond de teint.

— Je suppose qu'il a exigé une protection plus complète ?

— Oui. Il a même demandé qu'on surveille la totalité des accès de l'hôpital de Garches. Ce qui est impossible.

— Et pour guetter qui ? Un homme dont on n'a pas la moindre idée, noyé parmi tous les entrants et les visiteurs ? On sait qu'il porte des lunettes, et qu'il marche sur ses deux jambes. Qu'a décidé Danglard ?

— Il lui a proposé de se mettre en congé, de se cloîtrer chez cet ami où il loge, ou bien de partir. Impossible aussi, à cause de son travail et de l'association. Danglard lui a affecté un homme supplémentaire, pour le calmer. Il voulait également un permis de port d'arme pour se défendre en cas d'attaque.

— Les résistances lâchent. Partout.

— Ça ne semble pas t'inquiéter.

— Au contraire, cela me plaît. Quand les résistances lâchent, le mouvement se crée. Tu comprends, Louis ? Ce mouvement qui nous manque. Cette perruque, ces poils blancs trouvés dans le garage, ils sont un mouvement. Car ils sont de trop. Comme dit Zerk, pourquoi ne pas enfiler un collant sur sa tête, comme tout le monde ? Le brigadier de Dijon m'a rappelé. Les poils sont longs et enroulés à leur extrémité. Donc tombés d'une perruque, tu imagines de quelle sorte. Ça ne mène pas loin mais le tueur a pris tout de même un risque. Pourquoi la porte-t-il ?

— Pour s'immerger dans le rôle ?

— Tu penses à Château. Mais je crois qu'il n'a pas besoin de cet artifice pour entrer dans le personnage. Ou l'inverse. Pour que le personnage entre en lui et vienne le posséder. Il sait quoi faire. Il a la clef. Bien plus puissante qu'une misérable perruque que n'importe qui peut coiffer.

Veyrenc se servit un second verre de porto.

— Tu te souviens de la mort de Robespierre ? enchaîna Adamsberg en s'animant. Du récit que nous en a fait Danglard dans la voiture ? Quand on le transporte blessé sur un brancard, quand deux chirurgiens viennent le soigner ?

— Bien sûr.

— Un des médecins met sa main dans la bouche. Il en retire un broyat sanglant, et deux dents qui ont sauté. À présent, tu es ce chirurgien. Fais un effort. Tu as, allongé devant toi, Robespierre. Celui qui il y a peu était le maître adulé du pays, l'idole de la Révolution, le grand homme. Qu'est-ce que tu fais des dents, Louis ?

— Pardon ?

— Les dents que tu as récupérées dans ta main ? Les dents du grand Robespierre ? Tu t'en fous ? Tu les jettes par terre comme un déchet trivial ? Comme si tu étripais un canard ? Réfléchis.

— Je vois, dit Veyrenc après un instant. Non, je ne les jette pas. Je ne peux pas les jeter.

— N'oublie pas, tu n'es pas robespierriste. Alors ?

— Quand bien même. Je ne les jette pas.

— Tu les gardes, affirma Adamsberg en frappant du plat de la main sur la table. Bien entendu tu les gardes. Ne serait-ce que pour ne pas commettre le blasphème de les jeter aux chiens. Mais ensuite, citoyen chirurgien, quand Robespierre est mort, quand son corps est détruit par la chaux vive pour qu'il ne réapparaisse jamais, que fais-tu ? Que fais-tu des dents ?

Veyrenc réfléchit rapidement, avalant une petite gorgée de porto, déplaçant sa jambe.

— Je ne suis que chirurgien, je ne suis pas robespierriste, résuma-t-il pour lui-même. Eh bien, quelques mois plus tard, je les confie à quelqu'un. À quelqu'un pour qui elles auront une importance inouïe et qui ne les fera pas disparaître.

— À qui ? Aide-moi, je ne sais pas.

Veyrenc se concentra de nouveau, plus longuement, compta sur ses doigts, secoua la tête, semblant évaluer les éventuels candidats, en garder et en rejeter.

— À celle qui l'a aimé follement toute sa vie. En fait, il y avait deux femmes. Mme Duplay, sa logeuse, et l'une de ses filles, Éléonore. Mais Mme Duplay s'est pendue en prison après l'exécution de Robespierre. Me reste Éléonore. Oui, je vais porter les dents à Éléonore. Il était son dieu.

— Qu'est-elle devenue ?

— Elle a échappé par miracle à la répression qui a suivi, et elle lui a survécu quelque quarante années. Mais privée de lui, sa vie s'est éteinte. Elle a vécu ce presque demi-siècle en recluse, avec sa sœur je crois. C'est un deuil qui n'a jamais pris fin.

— Donc elle n'a pas eu d'enfants ?

— Non, évidemment non.

— À présent, tu es Éléonore.

— Si tu veux.

— Concentre-toi.

— Oui.

— Vas-tu mourir, Éléonore, après plus de quarante ans de dévotion, sans te préoccuper des dents de Robespierre ?

— Certainement non.

— Alors, à qui vas-tu les remettre, quand tu te sens une femme vieillissante ?

— À ma sœur ? Elle a un fils.

— Que fait le fils ?

— Il est devenu napoléonien, je crois.

— Vérifie sur le tölva, dit Adamsberg en poussant l'ordinateur vers lui.

— C'est bien cela, dit Veyrenc après quelques minutes. Alors qu'Éléonore vit encore, son neveu est carrément devenu précepteur de Napoléon III. Trahison.

— Alors ça ne colle pas, Éléonore. À qui vas-tu les donner ?

Veyrenc se leva sur ses béquilles, alla tisonner le feu – un retour de frais en ce début mai – puis revint s'asseoir. Il frappait le sol avec sa béquille de bois, réfléchissant.

— À celui que la rumeur désignait comme le fils de Robespierre, décida-t-il. À l'aubergiste François-Didier Château.

— Nous y sommes, Louis. À quelle date meurt Éléonore ?

— Repasse-moi le tölva. Elle est décédée en 1832, dit-il après quelques secondes. Tu vois, trente-huit ans après lui.

— À cette date, notre aubergiste François-Didier Château a quarante-deux ans. Peu de temps avant, elle lui remet les deux dents. C'est cela, Louis ? Toi, Éléonore, tu lui confies les deux dents ?

— Oui.

— Conservées comment ? Comme on l'a fait pour les os islandais ? Dans une vieille boîte de pastilles pour la toux ?

Veyrenc fit de nouveau retomber la béquille au sol, en un martèlement régulier.

— C'est énervant ce bruit, Louis.

— Je réfléchis, c'est tout.

— Oui mais je ne sais pas pourquoi, cela m'énerve.

— Pardon, c'est un réflexe. Non, à l'époque surtout, les deux dents sont sûrement enchâssées dans un médaillon. En verre cerclé d'or peut-être. Ou d'argent.

— Et qui se porte autour du cou ?

— C'est fait pour.

— Et après François-Didier, où vont les dents, de descendant en descendant ?

— À notre François Château.

Adamsberg sourit.

— Voilà, dit-il. Cela te paraît possible ? Correct ?

— Oui.

— Alors il reste bel et bien quelque chose de Robespierre.

— On a tout de même une mèche de ses cheveux, au musée Carnavalet.

— Mais des dents, c'est bien autre chose. As-tu remarqué ce geste compulsif que fait toujours François Château, quand il joue Robespierre ?

— Il cligne des yeux ?

— Non, avec sa main. Il la porte sans cesse à son jabot de dentelle, à sa poitrine. Il porte le médaillon, Louis. J'en mettrais ma main au feu.

— Encore qu'en ce moment, cette expression ne soit pas très bien venue.

— C'est vrai. Et dès qu'il passe ce médaillon autour de son cou, il devient Robespierre, avec ses dents contre sa peau. Je suis certain qu'il ne le met pas quand il est à l'hôtel. Certain qu'on lui faisait porter enfant. Ces dents, ce talisman, déclenchent sa fusion totale, et même physique, avec son aïeul. Il devient réellement autre. Il devient Lui, intégralement.

— Et, quand il tue, s'il tue, il porte les dents sur lui ?

— Nécessairement. Et ce n'est plus Château qui tue, c'est Robespierre qui épure, qui exécute. C'est pour cela que je crois que la perruque est de trop. Il n'en a aucun besoin. Il possède bien autre chose qu'un déguisement.

— Mais Robespierre n'apparaissait jamais sans sa perruque. Imagines-tu Château enfiler un collant sur son visage ? Un collant de femme sur la tête de Robespierre ?

— Tu n'as pas tort, dit Adamsberg en se rejetant en arrière, bras croisés.

— Est-il à ce point habité ? dit Veyrenc, yeux au plafond, faisant à nouveau retomber la béquille sur les carreaux du sol.

Il se fit un long silence, qu'Adamsberg ne rompit pas. Il ouvrait les yeux dans le vide, et ne voyait que brume épaisse, brume d'afturganga. Il attrapa soudain le poignet de Veyrenc.

— Continue, dit-il, continue et tais-toi.

— À quoi ?

— À frapper le sol. Continue. Je sais pourquoi cela m'énerve. Parce que cela fait monter un têtard.

— Quel têtard ?

— Un début d'idée informe, Louis, se hâta d'expliquer Adamsberg, de peur de se perdre à nouveau dans la brume. Les idées sortent toujours de l'eau, d'où crois-tu qu'elles viennent ? Mais elles s'en vont si l'on parle. Tais-toi. Continue.

Bien qu'accoutumé aux cheminements improbables d'Adamsberg et à la confusion de ses pensées, Veyrenc observa avec un peu d'inquiétude sa posture, yeux très ouverts, sans pupille, lèvres fixes. Il continua de cogner le sol avec la béquille. Après tout, ce rythme pouvait aider, accompagner la vibration des pensées, comme lorsqu'on marche au pas, comme lorsqu'un train vous berce.

— Cela m'évoque Leblond, dit Adamsberg, le soyeux Leblond. Tu sais, à la dernière séance, le serpent dans l'herbe. Qui jouait-il alors ?

— Fouché.

— C'est cela, Fouché. Continue.

Après quelques minutes, Veyrenc fut tenté d'arrêter ce jeu mais Adamsberg, d'un geste tournant de la main, lui fit signe de poursuivre. Jusqu'à ce qu'il se lève brusquement, enfile sa veste, encore lestée de son holster, et traverse le jardin en courant. Veyrenc le suivit en boitant, le vit continuer sa course au long de la rue, monter en voiture.

— Je reviens ! cria-t-il.

Et Veyrenc le vit passer la première, la seconde, et disparaître au coin de la petite rue.

XLV

Adamsberg filait sur la nationale, vite, trop vite. Ralentis, rien ne presse, ralentis. Mais cette vitesse, si rare chez lui, convenait au défilement disparate de ses pensées, des phrases et des images. Comme si la vitesse allait les lisser toutes ensemble, comme on bat des œufs. Le cynique Fouché, la brume, les dents, la perruque, la corde au garage, sa substance rugueuse, les os du carpe, Robespierre, l'afturganga, le silence de Bérieux. La peur. Le son, le bruit de la béquille en bois, le mouvement. L'échiquier qui ne bougeait pas.

L'afturganga. Et étonnamment, en pensant à la créature de l'île, la description de Robespierre lui revint par fragments : *... un reptile qui se dresse, avec un regard effroyablement gracieux... qu'on ne s'y trompe pas... c'est une pitié douloureuse, mêlée de terreur.* Les images se brouillaient, Robespierre se muait en l'afturganga de la Révolution, celui qui tue et qui donne, à condition qu'on ne cherche pas à le connaître, à condition qu'on ne pénètre pas sur son territoire sacré.

Il vit au loin les phares de deux motos se rapprocher de lui, l'une le doubler, le conducteur lui faire signe de se ranger. Nom de dieu, saletés de flics.

Il s'éjecta hors de la voiture.

— Très bien, dit-il, je roulais trop vite. Une urgence. Je suis flic.

Il tendit sa carte aux gendarmes. L'un d'eux sourit.

— Commissaire Jean-Baptiste Adamsberg, lut-il à haute voix. Tiens, comme ça se trouve.

— Une urgence ? dit l'autre, se tenant jambes écartées comme si sa moto était encore entre ses cuisses. Et pas de gyrophare ?

— J'ai oublié de le mettre, dit Adamsberg. Je reviens vous voir demain, on réglera ça. Vous êtes de quelle gendarmerie ?

— Saint-Aubin.

— C'est noté. Eh bien à demain, brigadiers.

— Ah non, demain non, dit le premier gendarme. D'abord c'est dimanche, ensuite ce sera trop tard.

— Trop tard pour quoi ?

— Pour le taux d'alcoolémie, dit-il, pendant que son collègue sortait un ballon et le lui tendait.

— Soufflez, commissaire.

— Je vous le répète, dit Adamsberg aussi calmement que possible, j'ai une urgence.

— Désolés, commissaire. Votre trajectoire était incertaine.

— Incertaine, confirma l'autre gravement, comme s'il traitait une affaire d'État. Vous serriez dans les tournants.

— Je conduisais vite, c'est tout. Urgence, je dois le dire combien de fois ?

— Soufflez, commissaire.

— D'accord, céda Adamsberg, passez-moi le ballon.

Il se rassit sur le siège avant et souffla. Le moteur tournait toujours.

— Positif, déclara le gendarme. Suivez-nous.

Adamsberg, déjà en position de conduite, claqua la portière et démarra en trombe. Avant que les deux hommes aient le temps de remonter sur leurs motos, il prit un embranchement sur la droite et s'échappa par les petites routes.

22 h 30, nuit noire et pluie fine. Il freina à 23 h 10 devant le portail de bois du Haras de la Madeleine. Les lumières étaient encore allumées dans les deux pavillons. Il frappa violemment à la porte.

— C'est quoi ce boucan ? dit Victor, émergeant dans l'allée.

— Adamsberg ! Ouvre, Victor.

— Commissaire ? Vous comptez encore nous emmerder longtemps ?

— Oui. Ouvre, Victor.

— Pourquoi vous n'avez pas sonné ?

— Pour ne pas réveiller Céleste, au cas où elle se trouve encore dans la maison.

— En tout cas, vous avez dû réveiller Amédée, dit Victor en ouvrant le portail, avec le lourd bruit de chaînes.

— C'est allumé chez lui.

— Il dort avec la lumière.

— Je croyais que vous dormiez dans son pavillon.

— Après, quand j'ai fini mon travail. Voilà, vous l'avez réveillé.

Amédée traversait l'allée, ayant enfilé en hâte un jean et une grosse veste sur son torse nu.

— C'est le commissaire, lui dit Victor. Encore le commissaire.

— On se dépêche, dit Adamsberg.

Victor le conduisit dans une petite pièce, peu meublée, un lourd canapé de cuir usé, un vieux fauteuil, une table basse. Pas d'objets de famille chez lui, évidemment.

— Vous voulez du café ? demanda Amédée, un peu apeuré.

— S'il te plaît, oui. Cette scène du tout début, Victor, décris-moi encore cette scène.

— Quelle scène, bon sang ?

Victor avait raison, il pouvait ralentir à présent. Il n'y avait pas d'urgence.

— Désolé. J'ai roulé à tombeau ouvert, j'ai été arrêté par les flics. Ces cons m'ont fait souffler dans le ballon.

— Et alors ?

— Positif.

— Et comment êtes-vous là ? demanda Victor. Passe-droit pour les commissaires ?

— Tout le contraire. Ils se frottaient les mains à l'idée de m'entauler. J'ai sauté dans ma voiture et j'ai filé.

— Délit de fuite. Mauvais, ça, dit Victor, amusé.

— Très, confirma calmement Adamsberg. Raconte-moi la scène, quand les douze Français se sont rassemblés autour de la table à l'auberge de Grimsey. La veille du départ pour l'île du Renard.

— D'accord, dit Victor. Mais je raconte quoi ?

— Le meurtrier, décris-le moi.

Victor se leva, soupirant, balançant les bras.

— Je l'ai déjà fait.

— Recommence.

— C'était un type normal, moyen, dit Victor d'un ton las. Sauf les cheveux, il en avait beaucoup. Il avait une gueule qu'on ne remarque pas, une petite barbe en collier, des lunettes. La cinquantaine, ou moins que ça. Quand on est jeune, on trouve tout le monde vieux.

— Et sa canne, Victor, tu avais bien parlé d'une canne ?

— C'est important ?

— Oui.

— Eh bien il avait une canne, pour tester la glace quand on marche.

— Tu as dit qu'il faisait quelque chose avec cette canne.

— Ah oui. Il la levait, et il la laissait retomber au sol. Ça faisait du bruit sur les dalles. Toc. Toc. Toc.

— Vite, ou lentement ? Essaie de te souvenir.

Victor abaissa son front, fouilla sa mémoire.

— Lentement, dit-il finalement.

— Bien.

— Je ne comprends pas. Vous avez voulu coûte que coûte, et on ne sait pas pourquoi, finir de résoudre l'histoire de l'Islande.

— Oui.

— Et vous l'avez fait. Mais vous ne cherchez pas le meurtrier de l'île, vous cherchez le meurtrier du cercle Robespierre. Celui qui laisse les signes.

— C'est vrai.

— Alors pourquoi recommence-t-on avec l'Islande ?

— Parce que je cherche les deux meurtriers, Victor. Passe-moi du papier, plusieurs feuilles, et de quoi dessiner. Un crayon de préférence.

Amédée lui apporta le matériel, et un plateau pour qu'il puisse se caler.

— Il n'y a qu'un crayon bleu. Cela ira ?

— Très bien, dit Adamsberg en se mettant au travail. J'en fais plusieurs, Victor. Je commence par le tueur de l'île.

Adamsberg travailla en silence pendant dix minutes. Puis il passa un premier dessin à Victor.

— Il était comme ceci ? demanda-t-il.

— Pas vraiment.

— Ne me mens plus, Victor, cette fois nous sommes réellement au bout de la route, acculés contre les barrières. Et nous n'allons pas les casser au porto. Ou était-il comme cela ? dit-il en lui passant un autre dessin. Cela te va mieux ?

— Si vous trafiquez les portraits jusqu'à ce que ça colle, je ne marche pas.

— Je ne trafique pas, je déduis.

— De quoi ?

— D'un visage d'aujourd'hui que je rajeunis de dix ans. Ce qui n'est pas simple, car ce visage n'a rien de remarquable, comme tu l'as dit. Pas de nez busqué, pas d'yeux étincelants, pas de menton proéminent, rien de tout cela. Ni laid ni beau. Ni Danton ni Billaut-Varenne. Alors ? Comme cela ?

Victor observa le portrait, puis le laissa glisser sur la table basse et serra les lèvres.

— Vas-y, dit Adamsberg. Dis.

— D'accord, dit Victor en soufflant comme s'il avait couru. Comme cela.

— C'est lui ?

— Oui.

— Le tueur de l'Islande.

Adamsberg sortit quelques cigarettes chiffonnées de sa poche et les proposa à la ronde. Amédée en prit une et l'examina.

— C'est de la contrebande ? Du shit ?

— Non, c'est à mon fils.

Adamsberg alluma sa cigarette, reprit le crayon et se remit au travail. Un bruit l'alerta au dehors et il s'interrompit, un instant attentif. Feuilles en main, il s'approcha de la fenêtre sans rideaux qui donnait sur le parc. La nuit était opaque et le réverbère de la route éclairait faiblement la portion de l'allée entre les deux pavillons.

— C'est peut-être Marc, dit Victor. Il fait du bruit quand il se balade.

— Il abandonne Céleste la nuit ?

— Normalement non. Il vient peut-être vous saluer. Ou bien c'est le vent.

Adamsberg revint s'asseoir et reprit son crayonnage. Trois nouveaux portraits, qui lui prirent quinze minutes.

— Qu'est-ce que vous dessinez maintenant ? demanda Amédée.

— Maintenant, je dessine l'autre. Le meurtrier du cercle Robespierre. Je sais que tu l'as vu, Victor. Quand tu accompagnais Henri Masfauré à l'Assemblée.

— Je ne regardais pas tout le monde.

— Mais lui, si. Nécessairement.

— Pourquoi ?

— Tu le sais.

— Pourquoi trois dessins ?

— Parce que le type a plusieurs figures, et je ne sais pas laquelle tu connais. Mets son visage sous de la poudre blanche, des ombres grises, ajoute de la silicone dans les joues, une perruque, une dentelle qui gomme le cou, et l'illusion est là. Je t'en dessine donc plusieurs. Car on ne peut pas, même avec tous les maquillages du monde, changer l'inclinaison des yeux, la disposition des lèvres, l'implantation des pommettes. Voici, dit-il en disposant ses nouveaux croquis sur la table basse.

Adamsberg tourna de nouveau la tête vers la fenêtre. Frôlement, bruissement. Un chat ? Un chat ne fait pas de bruit. Un lièvre ? Un hérisson ? Les hérissons font du bruit. Victor posa un doigt sur un dessin, puis sur un autre.

— Lui, et peut-être lui. Mais pas exactement dans cette tenue.

— Mais c'est l'homme que tu voyais près de Masfauré ?

— Oui.

— Et près de toi, aussi.

— Comment cela ?

— Cesse, Victor. Et regarde maintenant, dit-il en plaçant côte à côte le premier dessin, celui du tueur de l'île, et le dernier, celui du cercle Robespierre.

Victor avait vivement replié les phalanges de ses doigts, mais Amédée, absorbé par le travail d'Adamsberg, et peut-être un peu sonné par ses médicaments, ne le remarqua pas, une fois encore. Amédée avait trop souffert tous ces temps pour demeurer maître de lui-même.

— C'est le même gars, dit-il spontanément.

— Merci, Amédée. Et tu le vois tout comme lui, Victor. Mais surtout, toi, tu le sais. Que c'est le même homme. Le tueur de l'île. Qui vous donnait rendez-vous…

— Il ne nous donnait pas rendez-vous ! coupa Victor avec colère.

Adamsberg leva une main rapide pour imposer le silence, et écouta quelques instants les murmures de la nuit.

— Nous ne sommes pas seuls, dit-il à voix basse.

Tous tendirent l'oreille, aux aguets.

— Je n'entends rien, dit Victor.

— Quelqu'un marche, dit Adamsberg. Très douce-ment. Éteins la lumière. Reculez-vous.

Adamsberg sortit son pistolet et l'arma, puis se rappro-cha à pas prudents de la fenêtre.

— Tu avais refermé le portail, Victor ? demanda-t-il à voix basse.

— Oui.

— Alors il est passé par les bois. Il y a un fusil ici ?

— Deux.

— Apporte-les. Passes-en un à Amédée.

— Je ne sais pas tirer, dit Amédée d'une voix faible.

— Tu vas le faire quand même. Tu appuies. Attention au recul.

— C'est peut-être un gars qui vous a entendu frapper comme un sourd au portail et qui est passé voir, dit Victor.

— Non, Victor, non, dit Adamsberg en scrutant la nuit. C'est ton « être immonde ».

Victor, tête baissée, passa dans la petite cuisine pour prendre les fusils, et en tendit un à Amédée.

— Vous en êtes sûr ? demanda-t-il.

— Oui.

— Où est-il ?

— Il longe le pavillon d'Amédée, dit Adamsberg. La nuit est noire comme de la suie, je le distingue à peine. C'est toi, Victor, qui lui as dit que j'avais été en Islande ? Que j'avais trouvé les os ?

— Jamais de la vie. Vous êtes cinglé !

— Alors comment est-il là ?

Une brève lueur de la lune et l'obscurité redevint totale. Un MP5, le gars avait un MP5, ou quelque saleté de ce genre.

— Nom de dieu, dit Adamsberg en se déplaçant vers la porte. Il est lesté comme un char d'assaut.

— Quoi ? dit Amédée.

— Une mitraillette. Il a de quoi faucher dix hommes en trois secondes.

— On a une chance ? demanda Amédée, qui tentait de caler le fusil contre son épaule.

— Une seule. Pas dix, pas deux. Tournez le canapé dans l'autre sens, dos face à la porte. Agenouillez-vous derrière, chacun d'un côté. C'est du vieux meuble coriace, cela vous protégera pour quelque temps. N'en bougez pas.

— Et vous ?

— Je sors. La porte grince, Victor ?

— Non.

Adamsberg l'ouvrit avec précaution.

— Quand il va traverser l'allée, chuchota-t-il, il sera un peu éclairé par le réverbère. Mais pas moi. Il fera cible, c'est cela, notre chance.

— Le réverbère s'éteint à minuit, dit Amédée d'une voix vaincue.

— Quelle heure est-il ?

— Moins trois.

Adamsberg jura à voix basse et se glissa dehors, longeant le mur de gauche sur trois mètres jusqu'au tronc d'un platane. L'homme posa enfin un pied prudent sur l'allée de graviers, avec un crissement. Contrairement à lui, le tueur n'était pas vêtu tout de noir. Adamsberg se concentra sur le triangle clair de sa chemise et déchargea son arme, quatre fois. Un cri de douleur, et le réverbère s'éteignit.

— Au bras, fils de pute ! cria l'homme. Mais je peux tirer de la main gauche, connard ! Alors tu y es arrivé, tête creuse ? Qu'est-ce que t'as trouvé sur l'île ?

— Les os de tes morts !

Adamsberg visa avant que l'homme ait eu le temps de faire passer le MP5 à son bras valide. Trois secondes de répit à saisir, il tira au genou. Le gars tomba au sol et son tir dévié traversa les feuilles basses du platane. Son arme était lourde, trop lourde, trois kilos dans sa main gauche, et impossible de tenir le garde-main de son bras droit blessé. N'utilise pas un MP5 qui veut.

— Donne-les, Adamsberg ! hurla l'homme. Donne les os où je flingue tes deux gosses après toi !

La rage le faisait suffoquer, sa voix montait dans les aigus, rugissante. Solide, acharné, le type s'était remis debout, un bras pendant, et Adamsberg vit sa silhouette penchée se rapprocher à pas lents, jambe traînante. Il se rua vers le pavillon, ferma la porte à double tour en défense illusoire. Là encore, deux secondes de répit, le temps de rejoindre les deux frères à l'abri du canapé. Combien de balles lui restait-il ? Deux peut-être.

Une rafale fit exploser la serrure, suivie d'une seconde salve, dont les balles s'écrasèrent dans le mur et l'armature du canapé. Les deux frères ripostèrent au jugé, et inutilement. À la lueur des déflagrations, Adamsberg vit le canon du MP5 qui oscillait, mal soutenu, mal contrôlé, mais pointé vers eux.

— Montre-toi, Victor ! cria l'homme. Je te donne encore une chance de les sauver ! Ta Céleste et son putain de sanglier qui pissent le sang ! M'ont barré le chemin dans les bois.

— Ne bouge pas, Victor, ordonna Adamsberg.

Il vida son chargeur mais le gars s'était déplacé vers la fenêtre et il le manqua. C'était terminé, il les aurait tous les trois. Aurait-il pu deviner ? Aurait-il pu prévoir ? En une dernière tentative, il souleva la table basse et la balança en direction du tueur. Qui se releva des débris du meuble, sonné sans doute, mais insubmersible. Tandis que deux faisceaux de lampe l'éclairaient soudain par-derrière.

Les carreaux de la fenêtre explosèrent et deux tirs fauchèrent l'insubmersible aux jambes, sans sommation. Arme pendant au poing, Adamsberg vit entrer les deux flics qui l'avaient arrêté sur la nationale, torches en main. Le brigadier aux jambes écartées plaqua l'homme au sol tandis que son collègue lui arrachait le MP5. J'ai bien fait de boire ce porto, nom de dieu, pensa Adamsberg. Et absurdement, dans ce carnage, il entendit la voix basse de Rögnvar. *L'afturganga n'abandonne pas ceux qu'il convoque.*

Victor avait rétabli la lumière. Adamsberg posa une main rapide sur l'épaule du brigadier.

— Deux blessés dans les bois, appelez les secours.

Puis il courut derrière Victor en direction de la cabane. Le sanglier gisait au sol, haletant, touché au ventre. À ses côtés, Céleste, une main posée dans la bourre de l'animal et l'autre serrant sa pipe, gémissait et murmurait. Adamsberg l'examina. Rafale de balles dans la cuisse. Elle avait eu plus de chances que Marc, l'artère ne semblait pas touchée, sans certitude.

— Je lui donne de l'eau ? demanda Victor.

— Tu ne la bouges pas. Parle-lui, garde-la éveillée. Passe-moi ta chemise.

Adamsberg enroula le tissu autour de la blessure et serra à fond. Puis il ôta son tee-shirt et le tendit à Victor.

— Plaque ça contre le ventre de Marc. Il perd trop de sang.

Torse nu sous sa veste, Adamsberg repartit en courant pour diriger l'équipe de secours dont il entendait la sirène au loin. Il leur fit avancer la camionnette jusqu'à l'orée du bois, puis deux hommes et deux femmes le suivirent avec le matériel au long du sentier. Céleste fut chargée sur le premier brancard et aussitôt emmenée.

— Où est la seconde victime ? demanda la femme restée sur place.

— Là, dit Adamsberg en désignant le sanglier.

— Vous vous foutez de moi ?

— Le deuxième brancard ! cria Adamsberg.

— Calmez-vous, monsieur, je vous en prie.

— Commissaire. Commissaire Adamsberg. Le deuxième brancard, s'il vous plaît, sauvez-le nom de Dieu !

La femme leva une main apaisante, hocha la tête et appela les urgences vétérinaires. Dix minutes plus tard, Marc était transporté à son tour. Adamsberg s'agenouilla, ramassa la pipe de Céleste, puis se releva en regardant Victor. Pas de commentaire, les deux hommes étaient en sueur et leurs traits bouleversés.

Dans le pavillon, un médecin s'affairait sur les blessures du tueur – bras, genou, mollets – qui mugissait au sol.

— Votre nom, brigadier ? demanda Adamsberg.

— Drillot. A priori, en découvrant la scène, on a estimé qu'il fallait mettre l'individu au sol. Vous êtes commissaire et il détenait une mitraillette. C'était ça, l'analyse. Mais je dis : a priori. Ne dites pas qu'on a tiré sans sommation, on n'avait pas le temps.

— J'affirmerai que vous avez fait sommation avant de briser la fenêtre.

— Merci. Mais on ne peut pas l'embarquer sans savoir.

Adamsberg se laissa tomber sur le fauteuil, qui avait on ne sait comment échappé aux tirs. Un peu comme la bouteille de vin lors de la mort d'Angelino Gonzalez.

— Il a tué six personnes, dit-il d'une voix atone, en allumant une cigarette. Deux il y a dix ans, en Islande, quatre au cours de ce mois. Une tentative de meurtre hier soir. Ce soir, coups et blessures sur une femme et son compagnon, et tentative de meurtre sur nous trois.

— Son nom ? demanda le gendarme aux jambes torses. Brigadier Verrin, se présenta-t-il.

— Aucune idée. Vous avez reçu, comme tous vos collègues, notre alerte sur le tueur au signe ? Ce signe-là, dit-il en le dessinant sur un des portraits tombés au sol.

Verrin hocha la tête.

— Parfaitement commissaire.

— Eh bien, c'est cet homme.

Verrin sortit en se pressant sur ses jambes courbes. Victor traversait la pièce emplie de gravats, tombés des murs et du plafond. Il tendit une chemise propre au commissaire.

— Je lui ai donné un somnifère, dit-il. Il dort.

— Qui ? demanda le brigadier Drillot, carnet en main.

— Amédée Masfauré. Le fils d'une des victimes.

— Va falloir me décliner vos identités, tous autant que vous êtes, dit sèchement Drillot.

Les secouristes emmenaient à présent le blessé. Le brigadier Verrin revenait vers eux, très essoufflé.

— Trouvé ses papiers dans sa voiture, dit-il. S'appelle Charles Rolben. Téléphoné à la gendarmerie de Rambouillet. Vous savez qui c'est, Charles Rolben ?

— Non, dit Adamsberg.

— Un haut magistrat. Très haut. C'est ce qu'on vient de me dire. Et « pas de vagues, pas de vagues, assurez votre coup ». Faudra des preuves, commissaire, et de sacrées preuves. Parce qu'avec un gars de ce calibre, on avance sur la pointe des pieds. Le commandant est très alarmé.

— Vous avez bien vu ce « très haut magistrat » avec un MP5 à la main, brigadier ? dit Adamsberg.

— Oui.

— Vous retrouverez ses balles dans le corps de Céleste Grignon, fauchée dans les bois avec son compagnon. Et dans les murs de cette pièce. Et dans le cuir, le bois et les ressorts de ce vieux canapé. Oui, brigadier, c'est un tueur féroce. Je peux même vous dire qu'il aime cela. Oui, il a tué, et sans état d'âme. À commencer par ces deux membres d'un groupe de voyageurs en perdition sur une île islandaise. Vous vous rappelez cette histoire ?

— Vaguement. Mais il avait peut-être un sérieux mobile, commissaire ?

Victor jeta un regard de supplique à Adamsberg.

— Même pas de mobile, mentit Adamsberg. C'est un fou. Il a poignardé un gars. Il a voulu violer une femme, et il l'a tuée à la suite. Séparons-nous, brigadier, vous savez où me trouver. Vous aurez un premier rapport lundi. Ou plutôt lundi soir. C'est long, c'est très long.

— Peut-être, commissaire. Mais nous, on n'en a pas fini avec vous.

— C'est-à-dire ?

— Excès de vitesse, conduite en état d'ivresse, refus d'obtempérer, et fuite.

— Ah, ça. Vous m'avez suivi, c'est cela ?

— On vous a perdu. Mais on vous a localisé avec votre portable.

— Vous comprenez bien, dit lentement Adamsberg, que votre commandant sera obligé d'en référer : vous avez tiré sur un haut magistrat, dans le dos et sans sommation.

— Merde, gueula Drillot. Vous avez dit que vous nous couvriez.

— Et je dis, laissez tomber l'état d'ivresse et le délit de fuite. Situation d'urgence, je vous l'ai expliqué dix fois quand vous m'avez bloqué sur la route. Un flic ne peut pas savoir, quand il a bu deux portos avec un ami, ce qui va lui advenir dans l'heure.

— Moi je dirais plutôt trois portos, dit Drillot.

— Deux, brigadier. Je ne pouvais pas être positif.

— Si je vous entends bien, commissaire, dit Drillot en plissant les yeux, vous doutez de notre parole ?

— Vous m'entendez bien.

Verrin fit un signe à son collègue et inclina la tête.

— Et comment on explique qu'on vous a suivi ? demanda-t-il.

— Pour excès de vitesse. Vous ne m'avez jamais arrêté, j'allais trop vite, vous m'avez pris en chasse jusqu'ici.

— Ça se tient.

— Accepté, dit Drillot.

— Où a-t-on emmené Céleste ? La femme qu'il a blessée dans les bois ?

— À l'hôpital de Versailles.

— Et Marc ?

— Quel Marc ?

— Le sanglier.

— Quel sanglier ?

L'équipe technique se déployait à présent dans le pavillon et Adamsberg quitta la place. Victor l'accompagna jusqu'à sa voiture et se pencha à travers la vitre.

— Vous n'avez rien dit, pour ce qui s'est passé sur l'île.

— Non. Tu avais raison d'avoir peur de lui. On se reverra. Avec Amédée.

— Pourquoi ? demanda Victor à nouveau inquiet.

— Pour dîner à l'auberge. Tu commanderas notre menu, on invitera Bourlin.

— Et le gars que j'ai vu à l'auberge ? Le « contrôleur des impôts » ?

— C'était lui. Il m'avait déjà pris en chasse.

— Commissaire ! appela Victor alors que la voiture démarrait.

Adamsberg freina et Victor courut sur quelques mètres pour le rattraper.

— Vous le croyez, que j'ai pas mangé ma mère ?

— J'en suis certain. Celui qui a bouffé les canards pour son frère ne bouffe pas sa mère.

Une fois chez lui, Adamsberg prit le temps de rédiger un très court mail pour Danglard.

Réunion brigade demain 15 heures. Merci de faire l'appel au complet.

Puis un autre au brigadier Oblat, à Dijon :

Assassin arrêté. Levez la garde sur Vincent Bérieux.

Un dernier aux brigadiers Drillot et Verrin :

Merci.

XLVI

Danglard se gara dans la cour de la brigade, très inquiet. Adamsberg avait envoyé son message à plus de 4 heures du matin. Pour une convocation de la totalité des agents, un dimanche. Il savait qu'Adamsberg avait été voir la cinquième victime à Dijon la veille, et que le témoignage de Vincent Bérieux ne les avait avancés en rien, une fois de plus. Gros homme masqué portant perruque et lunettes.

Danglard envisageait le pire en traversant mollement la cour, et au fond le plus logique. Adamsberg allait répliquer. Irrespect, insubordination, il était en droit de sommer certains d'entre eux de demander leur mutation. Et au premier chef, lui-même. Et Noël, Mordent, et même Voisenet, bien qu'il se soit montré plus modéré. Danglard sentit la vapeur de la culpabilité encombrer son souffle. C'était lui, avec ses sarcasmes et sa désapprobation, qui avait conforté les autres, sauf Noël qui n'avait besoin de personne pour l'encourager dans l'agression. Mais enfin, pensa-t-il en se redressant et poussant la porte du bâtiment, il fallait bien, quand le navire prenait l'eau, que quelqu'un rappelle le capitaine à quelque bon sens et remorque Adamsberg vers des contrées réelles, vers des faits, des logiques, des actions cohérentes. N'était-ce pas symptomatique, et gravement, que le commissaire soit parti contre toute raison à la rencontre des brumes islandaises, qui avaient manqué l'avaler ? N'était-ce pas de sa responsabilité, à lui, Danglard, de maintenir la trajectoire sur un chemin sensé ?

Bien sûr que si. Ragaillardi par l'évidence de son devoir et par l'obligation de s'y plier, si difficile soit sa tâche, le commandant entra d'un pas plus ferme dans la salle du concile. Notant aussitôt sur les visages des mécontents les mêmes signes d'appréhension. Adamsberg, ils le savaient tous, ne recourait que très rarement à l'affrontement. Mais cette fois, ils sentaient tous qu'une ligne rouge avait été passée. Et les réactions du commissaire pouvaient être, exceptionnellement, aussi brèves qu'agressives. Beaucoup se souvenaient du jour où il avait fracassé une bouteille face à ce crétin de brigadier Favre. Dans cette ambiance de crainte, ils cherchaient eux aussi, comme Danglard, des justifications à apporter en réponse à l'attaque du commissaire.

Nulle apparence offensive dans l'allure d'Adamsberg quand il entra de son pas lent dans la grande salle, mais avec lui, cela pouvait ne rien signifier. Chacun, selon le côté de la table où il s'était assis, scrutait avec inquiétude ou plaisir le visage du commissaire. Qui, plus limpide, semblait être épuré de quelque tourment, celui qui avait parfois altéré ses traits et feutré son sourire. Sans savoir qu'il s'agissait de la dissolution de l'infernal entrelacs d'algues.

Adamsberg demeura debout, observa que la nouvelle disposition – les pour, les contre, les modérés, les hésitants – n'avait pas changé depuis la dernière réunion. Pour une fois, Estalère restait figé sur place, et il fallut qu'Adamsberg lui adresse un signe d'encouragement pour qu'il aille préparer les vingt-sept cafés. Le commissaire n'avait pas prévu l'ordonnance de son discours et, comme toujours, les choses viendraient à leur manière.

— L'assassin du cercle Robespierre a été arrêté hier soir, annonça-t-il, bras croisés. Ayant reçu plusieurs balles dans le corps, il est en soins à l'hôpital de Rambouillet, l'arrestation s'étant faite à l'issue d'une fusillade, au Creux.

Sans savoir pourquoi, Adamsberg observa la paume de sa main droite, celle qui avait tiré neuf coups sur un homme. Sur un homme qui avait tué sur l'île, noyé Gauthier, fusillé Masfauré, poignardé Breuguel, renversé Gonzalez, pendu Bérieux, blessé Céleste.

— Ses blessures au bras droit et au genou sont de mon fait, reprit-il. Celles aux mollets du fait des brigadiers de Saint-Aubin, Drillot et Verrin. Je précise que l'homme était armé d'un MP5, avec lequel il nous mitraillait, moi, Victor et Amédée Masfauré. Auparavant, il avait criblé de balles Céleste et son sanglier dans les bois.

— Qu'est-ce qu'il faisait au Creux ? demanda Froissy, dont aucun sentiment de culpabilité n'entravait la parole.

— Il m'avait suivi, très simplement. De même que les deux brigadiers de Saint-Aubin.

— Pourquoi les brigadiers ? demanda Retancourt, elle aussi libre de toute arrière-pensée.

— Excès de vitesse, répondit Adamsberg en souriant, refus d'obtempérer, et fuite.

Mercadet lui jeta un coup d'œil amusé.

— Pourquoi tous ces délits, commissaire ? se risqua à demander Voisenet, sans forcer la voix.

Car enfin, l'arrestation du tueur modifiait toute la donne et un certain profil bas s'imposait. Encore que, à ce qu'il comprenait, cette victoire n'avait été due qu'à un coup du hasard.

— Mais pour qu'ils me suivent, Voisenet.

— Vrai ?

— Faux. Mais leur intervention fut capitale. Face au MP5, je n'avais que mon arme de service, et les deux frères un fusil. Néanmoins le MP5 est lourd et le tueur a dû poursuivre l'assaut de son seul bras gauche sans pouvoir assurer le garde-main. Cela l'a ralenti et rendu imprécis, ce fut notre salut. Sans les flics de Saint-Aubin cependant, je ne crois pas que nous aurions survécu, conclut Adamsberg sans solennité.

Estalère avait servi les cafés, et chacun s'agrippa à cette diversion. Et pour une fois, personne ne fit cesser le bruit parasite des soucoupes et des cuillères, qui dura longtemps.

— Ce n'est qu'un hasard, donc ? osa soudain Noël. La survenue du tueur ?

— Parlez plus fort, Noël, dit Adamsberg en désignant son oreille, je suis encore assourdi par les détonations.

— Hasard, donc ? La survenue du tueur ? répéta Noël en haussant d'un ton.

— Non pas, lieutenant. J'étais parti voir Victor pour lui dessiner le visage du meurtrier. Depuis le temps qu'il macérait dans mes pensées, abrité par ses masques, il n'a daigné apparaître qu'hier soir.

— Vous aviez des éléments ? dit Danglard, qui ne pouvait rester muet après les interventions un rien courageuses de Voisenet et Noël.

— Beaucoup.

— Et vous ne nous en avez pas parlé ?

— Je n'ai fait que cela, commandant. Vous étiez en possession des mêmes outils que moi – et Adamsberg éleva la voix –, à disposition de toute la brigade, que vous dirigez depuis mon départ en Islande. Je vous ai dit que l'échiquier Robespierre était immobile, alors que « les animaux bougent ». Je vous ai dit qu'il fallait aller vers le mouvement. Je vous ai dit que les pistes Sanson, Danton, Desmoulins, étaient vaines. Beaucoup d'autres choses aussi : pourquoi s'en prendre à des membres occasionnels, parasites épisodiques, si l'on voulait vraiment ébranler l'association ou atteindre Robespierre ? Pourquoi un signe de guillotine aussi discret ? Mais aussi alambiqué ? Pourquoi ces livres sur l'Islande, neufs, chez Jean Breuguel ? Pourquoi ce silence de Victor ? Pourquoi ces peurs, de toutes parts ? Vraies ? Fausses ? Pourquoi porter perruque pour pendre Vincent Bérieux ? Vous avez reçu comme moi les photos des lieux : pourquoi la corde n'était-elle pas suspendue au milieu du garage ? Pourquoi était-elle accrochée sur le côté ? Je vous ai même informé aussitôt hier : « Corde décalée vers la gauche, tissage râpeux, poils blancs de perruque, silence de la victime. » Ces faits, vous les aviez tous en main, tout comme moi. Mais depuis quelque temps, vous ne pouviez plus rien regarder ni plus rien entendre. Et pourtant, commandant, tout cela ne formait-il pas une nappe d'éléments plutôt consistante ?

Danglard n'avait pas eu le temps – ou l'envie – de noter tous ces faits épars, si tant est que « Les animaux bougent », par exemple, puisse se classer à la rubrique des « faits ». Justin et Froissy, eux, s'y appliquaient à grande vitesse, tandis que lui ne percevait pour l'instant qu'une nuée de coccinelles que, certes, il avait dû manquer, éparpillées sur le fond bouché de la vallée de Chevreuse.

— Ce n'étaient donc pas *mes* éléments, Danglard, reprit Adamsberg, mais les vôtres aussi, et ceux de tous.

— Admettons.

— Admettons quoi ? Qui de vous, Danglard, Voisenet ou Mordent, si instruits des choses, m'a signalé que la viande de phoque n'avait pas le goût du poisson ? Personne. Tous, vous connaissez les récits de Victor et d'Amédée sur la tragédie islandaise. Selon Amédée, l'homme revient un soir, *dégouttant de sang et puant le poisson,* en halant un phoque. Il précise qu'Alice Gauthier gardait de ce dîner un souvenir émerveillé, comme la dégustation d'un *saumon géant*. Et Victor nous dit ensuite, à propos de cette pêche miraculeuse : *des kilos de poisson*, et il insiste encore en racontant que, de retour à Grimsey, *ils puaient la graisse de phoque et le poisson pourri de la tête aux pieds.* Je vous ai dit que les deux frères avaient eu le temps de se concerter sur leur version avant de nous parler. Qu'il y avait trop d'équivalences dans leurs récits, comme cet « être immonde », comme ce « cul en flammes » du meurtrier. Je vous ai dit, Danglard, que l'histoire était fausse. Avez-vous alors relu leurs dépositions ? Non, car à cette période, plus personne ne voulait entendre parler de l'Islande ni du Creux. Or ce Creux, nous n'avions pas fini de l'explorer. Nous l'avions laissé en plan, nous avions manqué une route, nous l'avions délaissée même.

Il entendait la voix éraillée de Lucio : *Il y a une route que t'as pas vue. S'amuse bien le gars.*

— Vous les avez relus, ces interrogatoires, commissaire ? demanda Kernorkian d'un ton neutre.

— Oui, pour noter les correspondances entre leurs deux discours. Pourquoi mentaient-ils, et sur quoi au juste ? *Le saumon, le poisson, le poisson puant*, voilà qui revenait par exemple avec insistance dans les deux récits. Or, Danglard, or, Voisenet, vous savez mieux que moi que le phoque est un mammifère et non pas un poisson. Et c'est par vous d'ailleurs que je le savais aussi.

— Mais, dit Estalère, ça avale des tonnes de poisson, un phoque. Donc ça sent ?

Adamsberg secoua la tête.

— Cela ne change rien au fait que sa viande n'a pas l'odeur du poisson. La viande de bœuf ne sent pas l'herbe, n'est-ce pas ?

— Je comprends, dit Estalère, méditant. Alors quel goût ça a, un phoque ?

— À mi-chemin entre le foie et le canard. Teinté de sel et d'iode.

— Comment le savez-vous ? Vous en avez mangé, à Grimsey ?

— Non, j'ai demandé.

Adamsberg fit quelques mètres, dans un sens et un autre.

— Enfin, dit-il, je vous ai répété cent fois que cette enquête avait pris dès ses débuts la forme d'une monumentale pelote d'algues desséchées.

Ce qui n'est pas du tout un « fait », se dit Danglard, tandis que Justin notait, même cela.

— Et qu'on ne peut pas foncer droit et vite dans un pareil magma. On n'en tirait que de minuscules fragments cassants, tout en étant sans cesse happés par d'autres pièges. Des éléments, on en avait, mais ils flottaient en nappe par dizaines sous la surface, sans lien apparent, disparates dans une nébuleuse. Tout était noyé par cet assassin tortueux et coriace. Il fallait un sérieux déclencheur pour faire remonter cet amas à l'air libre. Et dessiner son visage.

— Du tueur ? demanda consciencieusement Estalère.

— Du tueur.

— Et le montrer à Victor avant nous, dit Danglard.

— En effet, Danglard. Parce que Victor connaissait le meurtrier.

— Et comment cela ?

— Parce qu'il fréquentait l'Association, aux côtés de Masfauré. Il me fallait son témoignage, et je l'ai eu. Non. C'est Amédée qui a ouvert les vannes. Je ne suis pas certain que Victor aurait parlé. Mais Amédée était en confiance, il avait retrouvé son compagnon d'enfance et son frère.

— Comme quoi il n'était pas inutile, dit Veyrenc, d'aller faire un tour à la ferme du Thost.

— De quel déclencheur parlez-vous ? demanda Mordent, dont le cou de héron était cette fois rentré, rétréci, protégé dans les plumes grises de son col. Pour faire venir la nébuleuse en surface ?

— Le bruit d'une canne qui frappe le sol. Que vous auriez pu percevoir, vous aussi, Danglard. Vous étiez là ce soir-là, avec moi. Mais vous n'étiez déjà plus là, tout à votre mécontentement de mon départ pour Grimsey.

— Pardon ? dit Voisenet.

— Veyrenc a frappé le sol de sa béquille en bois, hier soir. Et la nappe est remontée d'un bloc en eau claire. Forcément. Encore qu'au tout début, j'ai vu Fouché. Il suffisait d'élargir un peu le champ.

Danglard se sentit tout à fait perdu. Les mots d'Adamsberg n'avaient pas de sens pour lui. Il lui fallait une réponse, claire, nette, il soupçonnait le commissaire de s'amuser à les embrouiller dans les brumes de son île personnelle.

— Ce meurtrier de la société Robespierre, dit-il fermement, quel est-il, commissaire ?

— Mais c'est le tueur de l'Islande, commandant.

Il y eut un silence oppressé, des souffles désorientés, des bruits de tasses vides, de crayon que l'on pose, que l'on mâche, et Estalère sentit l'opportunité d'une seconde tournée de cafés. Quoi qu'en pensaient beaucoup, Estalère avait suivi, tant dans ses gravités que ses bagatelles, toute l'élaboration complexe de l'opposition qui s'était tressée autour d'Adamsberg.

— Tueur, reprit Adamsberg, que nous avons été chercher sur l'îlot du Renard. Là où tout a débuté. Là, je vous l'avais dit, où un mouvement oscillait encore. Car je vous l'avais dit, n'est-ce pas ? Mouvement qui s'est poursuivi en vagues continues jusqu'à l'agression contre Vincent Bérieux, puis contre nous, hier soir.

— Son nom ? demanda Danglard, entendant parfaitement les reproches assourdis sous la voix unie d'Adamsberg.

— Charles Rolben, haut magistrat. Rien de moins. Six meurtres, et cinq tentatives de meurtres.

— Qui comptez-vous dans les six ? demanda Noël, abaissant la fermeture de son blouson, en signe inconscient d'ouverture, peut-être.

— Sur l'île, le légionnaire Éric Courtelin et Adélaïde Masfauré. Ici, Alice Gauthier, Henri Masfauré, Jean Breuguel, Angelino Gonzalez. Tentatives de meurtres : Vincent Bérieux, les frères Masfauré, et moi-même. Coups et blessures sur Céleste. Et Marc, ajouta-t-il.

— Un tableau d'envergure, résuma Mercadet.

— Hormis l'île, hormis Céleste, dit Danglard, ils sont tous membres de l'Association Robespierre.

— Mais on s'en fout de cela, Danglard ! s'anima Adamsberg. Vous ne voulez toujours pas entendre ? Ils sont tous membres du groupe des voyageurs perdus de l'Islande ! Jean Breuguel : le « cadre supérieur » que nous a décrit Victor ! Celui qui riait sur la pierre tiède. Angelino Gonzalez : « le spécialiste des manchots empereurs » ! Vincent Bérieux, que Victor supposait moniteur de ski ! Tous membres de ce groupe ! Et qui tous avaient mangé leurs compagnons. Est-ce un fait anodin, cela, Danglard ? N'était-ce pas assez colossal ? Colossal, ce chemin que vous m'avez reproché de suivre ?

Danglard repoussa ses notes sur la table et se servit un verre d'eau. Le commandant déclarait forfait, et tous le comprirent. Adamsberg attendait ce moment d'inflexion pour amorcer un exposé plus clair, s'il le pouvait.

— Si c'est l'Islande, dit Mordent, comment avez-vous pu dessiner le visage du tueur de l'île ? De cet inconnu, de ce Charles Rolben ?

— Mais parce qu'on le connaissait, Mordent. Il était présent à l'Association Robespierre, comme tous les autres.

— François Château ?

— Pas Château, commandant. Mais celui qui avait peur. Celui qui réclamait protection.

— Lebrun, dit Retancourt.

— Lebrun. Lebrun, le violent, le sanguin, l'écraseur, l'égotique, si bien masqué sous ses fonds de teint, ses barbes et ses perruques. Et sous ses traits insignifiants, modulables à son gré. L'« être immonde », comme le nommait Amédée. Vous souvenez-vous de lui dans le rôle de Couthon, Danglard ? Était-il si insignifiant alors ? Et n'appréciait-il pas sincèrement la férocité de Leblond-Fouché ?

Danglard hocha brièvement la tête.

— Vous souvenez-vous que ce soir-là, Lebrun, dans son fauteuil de Couthon le paralytique, faisait rebondir sa canne au sol ? Vous rappelez-vous que le tueur de l'île faisait de même avec son bâton à sonder la glace ? Seul un fondateur de l'Association pouvait avoir l'idée de donner, il y a dix ans, en ce lieu, ces rendez-vous obligés aux survivants de l'île. Pour les jauger, guetter leurs faiblesses et leurs défaillances. Idée de génie : les voir et les revoir sur son ordre, mais dans une assemblée maquillée, costumée, et surtout anonyme. Qui pourrait jamais les remarquer ? Et surtout, surtout, en cas de mort de l'un ou de l'autre de ces « infiltrés », ou de plusieurs, ou de tous, les flics chercheraient-ils en Islande ? Ou bien plutôt du côté du nom de *Robespierre*, qui fait encore vibrer tant de passions ? De Robespierre, bien sûr. Et c'est vers cela, en effet, qu'on a couru, moi le premier.

— S'il voulait nous sortir de la piste islandaise pour nous entraîner là, demanda Veyrenc, pourquoi n'a-t-il pas dessiné un signe plus clair ? Plus lisible ?

— C'est là que réside le génie, Veyrenc. Fournissez à des flics, ou à quiconque, un indice trop clair, et ils resteront tièdes, méfiants. « Trop gros pour être vrai. » « Piège », se dira-t-on, « carte forcée », et donc suspecte. Mais obligez-les à réfléchir, amenez-les à croire qu'ils ont, par eux-mêmes, eux les flics, percé la signification du signe par le seul effort de leur intelligence, alors ils s'attacheront comme des forcenés à leur découverte. Plus on s'efforce, plus on s'attache. Dans le cas où nous n'aurions pas réussi à le décrypter, eh bien la lettre de François Château, authentique, sincère, nous amenait droit sur la piste de Robespierre. Ce signe, tous ont nié le connaître, et c'était vrai, sauf pour Lebrun qui l'avait inventé. Pour nous, et seulement pour nous. Ni trop clair, ni trop abscons. À mi-chemin. Et bien sûr, après que les trois meurtres ont paru dans les journaux, Lebrun a pressé Château de nous alerter. Mieux que cela. Au cas où nous serions tentés de piétiner encore en terre d'Islande, il a placé ces trois livres neufs chez Jean Breuguel. Neufs ! Ce qui nous a tous fait conclure que le tueur souhaitait nous égarer sur cette île. Ah, « faute de l'assassin », avons-nous pensé comme des crétins. Mais cette « faute » était volontaire, bien sûr. Quoi de mieux pour nous faire abandonner cette Islande ? Et nous l'avons fait. Tous. Pris dans l'orbite du cercle Robespierre où – je vous le répète encore – rien ne bougeait. Pourquoi ? *Parce que rien ne s'y passait.* Lebrun nous avait forcé la main sur cet échiquier à presque sept cents joueurs, mais où les pions étaient immobiles. Parce que les véritables pions faisaient mouvement ailleurs. Et sur cet échiquier mort, nous aurions stagné jusqu'au bout sans trouver d'issue, puisqu'il n'y en avait pas.

— Jusqu'à ce que tous les membres du groupe islandais soient assassinés, dit Mercadet.

— Et sans que jamais l'identité du tueur nous effleure, admit Voisenet.

— En effet, lieutenant. Lebrun ? Le convivial Lebrun ? Qui venait nous prêter main-forte en nous désignant le « groupe des descendants » ? Ce groupe qui ne nous menait à rien ? En nous livrant aussi, jouant avec le feu, mais sans risque, comme on passe son doigt à travers la flamme d'une bougie, le groupe des « infiltrés », dont, soi-disant, il se méfiait. Le « groupe des infiltrés » qui n'était autre que le groupe des « Islandais », qu'il convoquait deux fois par an à l'Assemblée, pour les sonder et leur réitérer la consigne du silence.

— Je ne saisis pas la bougie, dit Estalère.

— Je te montrerai, dit Adamsberg. Le feu sans la brûlure. Qui étaient-ils, ces infiltrés ? nous disait Lebrun. Des vengeurs anti-Robespierre ? Des royalistes ? Des espions ? Que Robespierre lui-même éliminait ? Dans sa folie ? Et pourquoi pas ? Ce pauvre Lebrun qui finissait lui-même par avoir si peur. Et on l'a cru.

— Merde, dit Voisenet qui, en cet instant, retrouvait son naturel. On s'est fait promener comme des billes de bout en bout.

— Pas jusqu'au bout, Voisenet. Jusqu'à ce que trop d'immobilisme apparaisse anormal et suspect. Jusqu'à ce que, à force de tourner en rond, on puisse se demander s'il existait un autre chemin. Ou une piste oubliée, occultée, abandonnée. Et il n'y en avait qu'une.

— L'Islande, reconnut Noël.

Et une fois de plus, Adamsberg considéra le courage de cette brute de Noël, qui abdiquait sans honte.

— Une chose, dit Adamsberg. Quand Lebrun est passé ici en mon absence, pour réclamer une fois encore protection, a-t-il appris d'une manière ou d'une autre que j'étais en Islande ? J'ai simplement su qu'on lui avait dit que j'étais absent, pour raisons de famille.

Danglard leva lentement un bras mou, dans le silence.

— Moi, dit-il. Alors que je négociais avec lui sa protection, j'ai laissé échapper quelque chose.

— Quel « quelque chose », Danglard ?

Le commandant eut le courage de lever la tête, tel Danton, se dit-il, marchant au sacrifice.

— Je lui ai dit que nous faisions ce que nous pouvions, en votre absence, attendu que vous étiez parti vous distraire en Islande.

— Ce n'est pas un petit « quelque chose », Danglard.

— Non.

— C'est cette information qu'il était venu chercher, ayant vu ma voiture restée devant chez moi. Il épiait mes mouvements depuis le début de l'enquête. Et cette information, vous la lui avez fournie, par cause de votre irritation. Figurez-vous alors sa réaction : je retournais vers l'Islande ! Sur cette piste qu'il s'était donné tant de mal à détruire, nous poussant vers l'insondable cercle Robespierre. Alors il s'attaque à Vincent Bérieux. Bérieux, l'anonyme « cycliste » de l'association, le « moniteur de ski » de l'île du Renard. Il le pend en portant perruque. Pourquoi ?

Pour nous ramener coûte que coûte vers Robespierre. Et il fait bien mieux que cela. Car il place la corde sur le côté, toute proche d'une chaîne à laquelle Bérieux pourra s'accrocher, et tout près de l'étagère murale, où il pourra poser pied. La corde est râpeuse, trop râpeuse pour que le nœud coulant fonctionne bien. Il sait qu'ainsi, Bérieux, avec sa puissance de sportif, va se tirer de là. Et en effet, Bérieux s'en sort.

— Il le pend et il l'épargne ? dit Kernorkian. Ça rime à quoi ?

— À ce que Bérieux puisse témoigner que son agresseur porte une perruque de l'époque révolutionnaire. Pour qu'on ne quitte plus jamais Robespierre.

— Vu, dit Estalère, très concentré, mâchant l'intérieur de ses joues.

— Bien sûr, soupira Mordent.

— Et Lebrun, prévoyant, laisse une mèche de sa perruque au sol, dans le cas où son « pendu » mourrait réellement. Mais Bérieux survit, et Bérieux nous parle de cette perruque, sans aller plus loin. Il l'a fait pour la même raison que son agresseur : pour que nous collions à la société Robespierre et que l'Islande n'apparaisse jamais. Que jamais on ne découvre qu'il avait dévoré ses compagnons, comme les autres. Il m'a dit aller aux assemblées par « passion pour Robespierre », et il mentait bien sûr. Il y allait parce qu'il y était convoqué, comme les autres.

— Bien sûr, répéta Mordent, avec un soupir plus profond.

— Tout marche alors à la perfection pour Lebrun : cette perruque nous dirigeait droit vers un type assez cinglé pour assassiner en costume du XVIIIe siècle. Et à quel cinglé remarquable de l'association pouvions-nous songer ? Quel cinglé à perruque blanche ?

— Robespierre, dit Retancourt.

— Qu'on aurait fini par inculper, tôt ou tard. Un descendant de l'Incorruptible, un type à l'enfance ravagée par un grand-père dévot, un type qui joue son rôle comme s'il en était habité, oui, on avait tout ce qu'il fallait pour en faire un déséquilibré, un délirant, un tueur. C'est là où Lebrun-Charles Rolben nous conduisait par la main, à coup certain. N'oubliez pas qu'il a pendu Bérieux un soir où François Château, au travail à l'hôtel, n'avait pas d'alibi.

— Il envoyait son ami à la guillotine, dit Froissy.

— Ces gens-là n'ont pas d'amis, Froissy.

— Et pourquoi, dit-elle en levant le nez de son écran, s'en est-il pris à Masfauré après Alice Gauthier ? Pourquoi pas à Gonzalez ou à Breuguel ?

— Parce qu'une fois lancés sur le cercle Robespierre, nous saurions que Masfauré en était le grand argentier. Que c'était donc bien l'Association qu'on voulait détruire, et non un ancien voyageur en Islande.

— Bien sûr, répéta de nouveau Mordent en soufflant. Il n'empêche que tirer sur vous était osé.

— Pas plus que sur un autre. Il redoutait qu'Amédée, pièce fragile de l'édifice, finisse par céder à mon harcèlement. Or dès mon retour d'Islande, j'ai rendu visite aux deux frères. C'est donc que j'y avais trouvé quelque chose. Que j'avais su, d'une manière ou d'une autre, ce qui s'était réellement passé sur l'île tiède. Quand je pars en voiture hier soir, il me suit. Je prends la route du Creux, cela conforte ses pires craintes. Cette fois, il ne peut pas nous laisser vivre. Il est prêt. Il prend les voies rapides et me précède, tandis que je tourne sur les petites routes pour semer mes gendarmes. Il passe par les grillages troués qui entourent les bois, il dégage Céleste et Marc au passage et arrive droit vers nous.

— Et vous n'avez pas entendu les tirs dans la forêt ? demanda Voisenet.

— C'est à presque deux kilomètres, et le vent soufflait vers l'ouest. Si Lebrun n'avait pas été informé de mon voyage en Islande, Danglard, il aurait retenu ses coups, assuré de nous voir nous obstiner sur le cercle Robespierre jusqu'à l'arrestation de François Château. On l'aurait intercepté en douceur lundi soir, à sa sortie par le parking. Il n'aurait pas blessé Céleste, il n'aurait pas tiré sur nous. Je dois vous rappeler, à tous, qu'aucune information privée sur un membre de la brigade ne doit être fournie à un inconnu. Pas même s'il est seulement parti pisser ou nourrir le chat. Pas même si l'inconnu paraît sympathique, coopératif ou effrayé. Désolé, Danglard.

Danglard prit un moment, puis se leva, retrouvant soudain sa sobre et digne élégance. Adamsberg, qui n'avait aucun goût pour les excès, et surtout solennels, eut un léger recul, mais l'expression de Danglard ne trahissait aucune velléité d'emphase.

— Je tiens, dit-il calmement, à vous adresser mes félicitations. J'ai pour ma part commis une faute grave, au point qu'elle aurait pu, et même aurait dû, provoquer la mort de quatre personnes, dont la vôtre. En conséquence, je vous remettrai ma démission ce soir même.

— Impossible ce soir, répondit Adamsberg comme s'il déclinait une invitation à dîner, parce que c'est dimanche, et je ne lis pas le dimanche. Impossible demain, nous devons nous atteler au rapport et j'aurai besoin de votre plume. Impossible ensuite, car j'ai déposé une demande de congé, pour trois semaines. En conséquence, vous dirigerez la brigade en mon absence.

Partir où ? se demanda Danglard. Dans ses Pyrénées, bien entendu, et tremper ses pieds nus dans l'eau verte du gave de Pau.

— C'est un ordre ? demanda Mordent, dont le cou réémergeait de ses épaules.

— C'en est un, confirma Adamsberg.

— C'est un ordre, glissa Mordent à Danglard.

— Dispersez-vous, dit doucement Adamsberg, c'est dimanche.

Veyrenc attrapa Adamsberg par le bras alors qu'il se dirigeait vers la porte.

— Il n'empêche, dit-il, sans les brigadiers, tu y serais passé.

— Pas forcément. Puisqu'un afturganga n'abandonne jamais ceux qu'il convoque.

— C'est vrai, j'avais oublié.

— Vu comme ça, marmonna Danglard qui les suivait, l'afturganga a également convoqué les gendarmes de Saint-Aubin.

— Vu comme ça, dit Adamsberg, voici, après bien des jours, une excellente remarque de votre part, commandant. Je peux partir tranquille.

XLVII

Après avoir dîné, Adamsberg et François Château marchaient dans le jardin presque désert de l'île de la Cité, tournant autour de la statue d'Henri IV. Château se débattait encore dans l'effarement et la rage intense où l'avaient plongé les paroles d'Adamsberg sur son secrétaire, Lebrun-Charles Rolben.

— Imaginez cela, un magistrat cannibale. Charles ! Charles qui poignarde les autres pour les dévorer ! Non, je ne peux pas l'envisager, je suis incapable de me représenter cela.

Cela faisait bien douze fois que Château répétait cette phrase, sous une forme ou une autre. Ce soir, il était bien Château, et non pas Robespierre. Il ne portait pas le médaillon, Adamsberg en était convaincu.

— Il a parlé ? demanda Château.

— Il refuse de dire un seul mot. Le médecin diagnostique un état de fureur… Une seconde, Château, j'ai noté cela… « un état de fureur destructrice, reprit Adamsberg en lisant son carnet, avec manifestations extrêmes de frustration et d'exécration, sans doute issues d'une structure psychopathique ». Il a brisé tout ce qu'il pouvait dans sa chambre, téléviseur, téléphone, fenêtre, table de nuit, il est sous sédatifs. Tant de violence, vous ne l'avez jamais perçue ?

— Non, dit Château en secouant la tête, non. Encore que, hésita-t-il.

— Comment était-il, comme magistrat ?

— De ceux qu'on dit « impitoyables ». Je ne voulais pas prêter trop d'attention à ces rumeurs, elles m'embarrassaient.

— Pourquoi ?

— À cause du goût trop marqué qu'il avait pour le Tribunal révolutionnaire de Robespierre. C'était souvent dérangeant. Il s'amusait entre autres à dire qu'en comparaison, nos cours de justice se révélaient des chambres bien tièdes.

— Vous étiez amis ?

— Collègues. Il tenait toujours ses distances. Il avait, ma foi, un sens très aigu des distinctions sociales. Je n'étais qu'un comptable et lui un magistrat. Dans le milieu où il évoluait, il fréquentait ce qu'on nomme de grands personnages, de la politique, de la finance. Il donnait des soirées somptueuses, m'a dit Leblond, dans sa villa de Versailles, où s'assemblait tout ce qu'on pouvait trouver de mieux. Ou de pire, n'est-ce pas.

— Leblond était invité ?

— C'est un psychiatre réputé, à l'hôpital de Garches.

— Là où Lebrun nous demandait de le protéger.

— C'est une pure usurpation, dit Château en haussant les épaules. Charles n'a jamais été psychiatre. C'est ce qu'il vous a dit ?

— Oui.

— Ce n'est pas inexact dans le sens où cela le passionnait. Il voulait « deviner » les êtres, il accablait Leblond de questions : pouvait-on percevoir, par tel ou tel signe, ou geste, ou expression, ou ton de la voix, une personne en fragilité ? En dépression, en remords ? Les failles des autres, n'est-ce pas, c'est cela qui l'intéressait. Et quand il conviait Leblond à ses soirées, il lui confiait des missions. Examiner tel politique, tel banquier, tel industriel, et lui rendre compte. Leblond n'appréciait guère, il disait qu'il était médecin et non pas fouilleur d'âmes, mais Charles avait un ascendant très puissant. On lui obéissait, c'est tout. Mais parfois, dit Château avec un sourire, c'était moi qu'il craignait, ou pire, qu'il était contraint d'admirer.

— Quand vous étiez Robespierre ?

— Tout juste, commissaire. C'était un robespierriste acharné. Il ne lui reprochait qu'une chose : cette fameuse vertu. Le fait que Robespierre n'ait jamais souhaité assister à une seule exécution. Son dégoût pour le sang. Il estimait que ce n'était que vile hypocrisie. « Analyse d'amateur, mon ami », lui expliquait Leblond. Mais Charles n'en démordait pas. Il aurait voulu Robespierre homme d'action, et non de cabinet, il aurait voulu le voir trancher les têtes lui-même en courant par les rues avec le peuple, les embrocher sur des piques, le voir monter en personne sur l'échafaud pour actionner la guillotine. Aujourd'hui, il est aisé de comprendre : Charles aimait ça, lui, le sang, les exécutions, les massacres. Et lui-même. Qu'importaient deux vies en Islande, si lui pouvait survivre ? Mais pourquoi s'est-il mis tant d'années plus tard à les tuer tous en chaîne ? Fut-il saisi d'une furie meurtrière ?

— D'une furie protectrice, Château. Alice Gauthier était passée aux aveux, et dès lors, l'équilibre des survivants d'Islande vacillait. Amédée Masfauré pouvait parler, et son père avec lui. Victor de même. Le contrôle du groupe lui échappait. Il a décidé d'en finir avec tous, une bonne fois.

— Je ne peux pas le concevoir, répéta Château pour la treizième fois. Six meurtres et presque onze. Comment va cette femme, celle qu'il a mitraillée dans les bois, tel un exécrable Fouché ?

Adamsberg marqua un arrêt.

— Pronostic réservé, ainsi qu'ils disent.

— J'en suis navré. Après la dernière assemblée de juillet, après les séances des 8 et 9 thermidor, je dissous l'association.

— Vous m'aviez dit que vos finances – allouées par Masfauré mais sur ordre de Charles Rolben, vous vous en doutez – vous permettaient d'arriver au terme de votre recherche.

— Peu importe, commissaire, il serait indécent de poursuivre. Le rideau tombe. Quand on saura d'ailleurs qui était Charles, ce qu'il a fait, et de quelle association il était secrétaire, le scandale nous balaiera, quoi qu'il advienne. La page est tournée.

Château s'assit sur un banc, jambes étendues, dos néanmoins toujours droit, et Adamsberg alluma une cigarette dans la pénombre.

— Pourquoi pas ? dit Adamsberg. Et pourquoi ne pas le vivre autrement ?

— Vivre quoi ?

— Robespierre. Vous ne portez pas les dents ce soir, n'est-ce pas ?

— Quelles dents ?

— *Ses* dents. Qui furent récupérées par le chirurgien dans la nuit du 10 Thermidor, puis données à Éléonore Duplay, puis à François-Didier Château, et de descendant mâle en descendant mâle, arrivées jusqu'à vous. Vous qui descendez du fils présumé de Robespierre.

— Vous affabulez, commissaire.

— Là, dit Adamsberg en posant un doigt sur le thorax de Château. Vous les portez là, en médaillon. Et alors, IL entre. Il évacue François Château corps et âme, et il revient, et il existe, seul, sans vous.

Château tendit une main pour demander une cigarette, sans plus s'étonner à présent de leur aspect.

— À quoi bon se cabrer encore ? dit Adamsberg en lui donnant du feu. L'histoire s'achève.

— En quoi cela vous importe-t-il ? Que ces dents existent ou non ? Que je les porte ou non ? Qu'IL entre ou non ? Quel intérêt ?

— L'intérêt peut s'appeler ce « François Château corps et âme ». Qui finira dévoré par Lui, et pourquoi pas d'ailleurs ? Mais ce soir, je ne supporte plus les dévorations, je suppose.

— Il n'y a pas de solution, dit sombrement Château.

— Faites une analyse ADN. Des dents et de vous-même. Vous aurez la réponse. Vous saurez enfin si vous descendez réellement de lui, ou si la fille-mère, en 1790, s'est seulement vantée d'être enceinte du grand homme.

— Jamais.

— Vous avez peur ?

— Oui.

— D'être son descendant ou de ne pas l'être ?

— Des deux.

— Les peurs qui prolifèrent dans le doute, comme des champignons dans une cave, ne peuvent être expulsées que par une connaissance certaine.

— Idée si simple, commissaire.

— En effet. Mais vous saurez, et cela changera bien des choses.

— Je ne souhaite pas changer bien des choses.

— Ce seront des faits historiques, enchaîna Adamsberg. Vous pourrez, quelle que soit la réponse, continuer à vous produire sous les allures de Robespierre, si cela vous chante. Mais vous saurez qui est lui, et qui est François Château. Ce n'est pas rien. Et les dents, vous les porterez là où elles doivent être : au peuple, dirait Robespierre. Rendez-les au peuple. Au musée Carnavalet, où ils ne possèdent qu'une malheureuse mèche de ses cheveux.

— Jamais, répéta Château. Jamais, vous m'entendez ?

Adamsberg écrasa sa cigarette et se leva pour tourner de nouveau autour de la statue d'Henri IV.

— Je m'en vais, dit-il enfin en revenant vers le banc.

Adamsberg s'éloigna, laissant Château à son pesant destin, et traversa le pont qui le menait sur la rive gauche, respirant l'odeur de la Seine au passage, s'accoudant au parapet pour la regarder s'écouler, sale, dégradée, mais encore puissante. Un quart d'heure passa, plus peut-être. Château était soudain appuyé sur le muret à ses côtés, non pas allègre, mais un peu reposé, vaguement souriant.

— Je vais le faire, commissaire. Cet ADN.

Adamsberg hocha la tête. Puis Château se redressa, dos très raide – et cela, il le conserverait toujours – et lui tendit la main.

— Merci, citoyen Adamsberg.

Et c'était la première fois que Château l'appelait par son nom, et non pas par son titre.

— Que la vie te soit bonne, citoyen Château, répondit Adamsberg en serrant sa main. Et que tes descendants soient des filles.

Adamsberg rentra chez lui à pied. Avant d'ouvrir la petite barrière, il regarda sa paume. Il n'est pas donné à tout le monde de serrer la main de Robespierre.

XLVIII

Adamsberg avait attendu pour partir d'avoir de bonnes nouvelles de Céleste, et Danglard l'avait conduit à l'aéroport. Ils se séparèrent à la porte d'embarquement. Demain, le commandant devait commencer seul l'interrogatoire du tueur Charles Rolben.

— Savoir comment l'aborder, dit Danglard, quel chemin prendre, quelle tactique adopter, cela me tracasse.

— Pas de quoi, Danglard. Rolben est cruel et sans conscience, il est donc inutile de chercher une tactique. Il ne s'effondrera jamais, que ce soit sous l'effet de la douceur, de l'esprit, de la finesse, de la violence ou de votre vin blanc. Il est maître de la violence, n'attendez rien de lui. Contentez-vous d'aligner nos preuves et nos témoins. Une seule chose, peut-être, le fera exploser. Que vous ne teniez pas compte de lui, que vous parliez comme s'il n'avait guère d'importance. Tenez-moi au courant. Vous allez voir Céleste ?

— Cet après-midi.

— Alors rendez-lui ceci, dit Adamsberg en sortant la pipe de sa poche, ça la revigorera. Et dites-lui que Marc est rentré à bon port au Haras.

Adamsberg une fois passé en zone d'embarquement, Danglard s'attarda seul dans le grand hall, serrant cette pipe et les coccinelles qui allaient avec. Il voulait attendre l'heure du décollage avant de quitter les lieux. Ce serait le printemps là-bas, l'herbe se redresserait, droite et verte. Le commandant surveillait sa montre.

9 h 40. Danglard hocha la tête. L'avion décollait pour l'île de Grimsey.

Parmi quantité d'ouvrages consultés sur Robespierre et la Révolution, il convient de citer :

– ARTARIT Jean, *Robespierre,* CNRS Éditions, 2009
– DOMECQ Jean-Philippe, *Robespierre, derniers temps,* Folio histoire, Gallimard, 2011
– LENÔTRE G., *La guillotine et les exécuteurs des arrêts criminels pendant la Révolution,* Archéos, 2011
– RATINAUD Jean, *Robespierre,* « Le temps qui court », Seuil, 1960
– SCHMIDT Joël, *Robespierre,* Folio biographies, Gallimard, 2011

et sur l'Islande :

Islande, Bibliothèque du voyageur, Gallimard, 2012, trad. de *Iceland,* Insight Guides, APA Publications GmbH & Co, Verlag KG, 2010, 2012.

Mise en page par Meta-systems
59100 Roubaix

Cet ouvrage est imprimé sur papier LuxCream 65g
main de 2 de la gamme Paper Selection de Stora Enso.
www.storaenso.com

CET OUVRAGE
A ÉTÉ ACHEVÉ D'IMPRIMER
SUR ROTO-PAGE
PAR L'IMPRIMERIE FLOCH
À MAYENNE EN JANVIER 2015

N° d'édition : L.01ELJN000688.N001. N° d'impression : 87927
Dépôt légal : mars 2015
(Imprimé en France)